推しエコノミー

STAN economy

「仮想一等地」が変える
エンタメの未来

中山淳雄
エンタメ社会学者
Re entertainment代表取締役

日経BP

はじめに　エンタメ経済圏のグレート・ミューテーション

私は「エンタメ経済圏」に関する研究者でありコンサルタントである。『ポケットモンスター（ポケモン）』から『鬼滅の刃』まで、アイコンでしかないキャラクターが、それぞれどのくらいの経済圏を生み出してきたか、アニメ、ゲームからグッズに至るまでの経済効果を分析しながら、実際に事業としてその推進も行っている。

例えば『ポケモン』であれば、1996年に誕生したときから約25年で10兆円の消費売上がもたらされ、そのうち半分の6兆円はキーホルダーやカップ、玩具のような商品化によるMD（マーチャンダイジング）事業から生み出されている。さらにその規模はここ5年で大きく羽を広げている。すでに累計売上で0・5兆円規模になったアプリゲーム「ポケモンGo」が毎月5000万人にプレイされ、ポケモンMDの潜在購入ユーザー数が格段に増えたからである。

こういった具合に、キャラクターは様々な商品群に展開されるため、それぞれ影響し合いながら経済規模の拡大縮小を継続する。私はこうしたエンターテイメントの投資対効果を可視化し、そこでの事業を持続可能にすることを生業としている。

コロナ禍『漂流教室』で5年タイムスリップした世界

いまエンタメ経済圏は大きな地殻変動に直面している。

ただし、この1年、コロナによるロックダウンで我々が経験したエンタメの世界は、決して想像していなかった類のものではない。むしろ「いつかこうなる」とずっと思われていたものである。4000億円近い音楽ライブ市場は、いつかデジタルに配信され、何千人ではなく何万人、何十万人というユーザーが同時に視聴するようになることは予見されていた。5000億円のマンガ出版市場は、いつか手軽にスマホアプリとしてサクサク読める電子マンガの市場にとってかわられるだろうと思われていた。いつかは確実にこうなるだろうと思っていた未来が、2020年の春から夏にかけて突然もたらされたのだ。

コンサート会場も劇場も映画館も書店も営業が制約され、締め出された我々が向かう先は「デジタル」以外になかった。個々人のスマホだけがエンタメの生命線であり、2020年3月からほぼ1年以上にわたってユーザーたちのエンタメ消費行動は強制的にデジタル空間に移行させられたのである。

「視聴」の対象は如実に変わっている。米国では2020年4〜6月と10〜12月を比べたときに、ビデオゲームのプレイ時間は30％増え、週に平均4・4時間費やすようになった。次に増えたのはポッドキャストやクラブハウスのような音声サービスで、半年前から20％超の増加、週7・5時間も視聴するサービスへと変わった。ニュースもソーシャルメディアも、瞑想やヨガといったリラクゼーションアプリも視聴時間を増やし、動画配信などビデオ視聴にいたっては「平均で」週20時間も視聴する巨大サービスとなった。[1]家の外側の大々的な閉鎖を受け、家の内側でデジタルを通してエンタメを消費する姿が一般的になっている。

ビジネスパーソンにとっての「余裕のあるスキマ時間」は以前の15％増しとなり、スポーツやテーマパークなどアウトドアに消費する金額は30％少なくなり、政府からの財政支援などもあり以前よりも多くの貯蓄を抱え込んだ。そんな彼らの時間を救ったのは「エンタメ」であり、皆

図表1　欧米圏の週平均エンタメ消費時間の伸び率
（2020年第2四半期と第4四半期で比較）

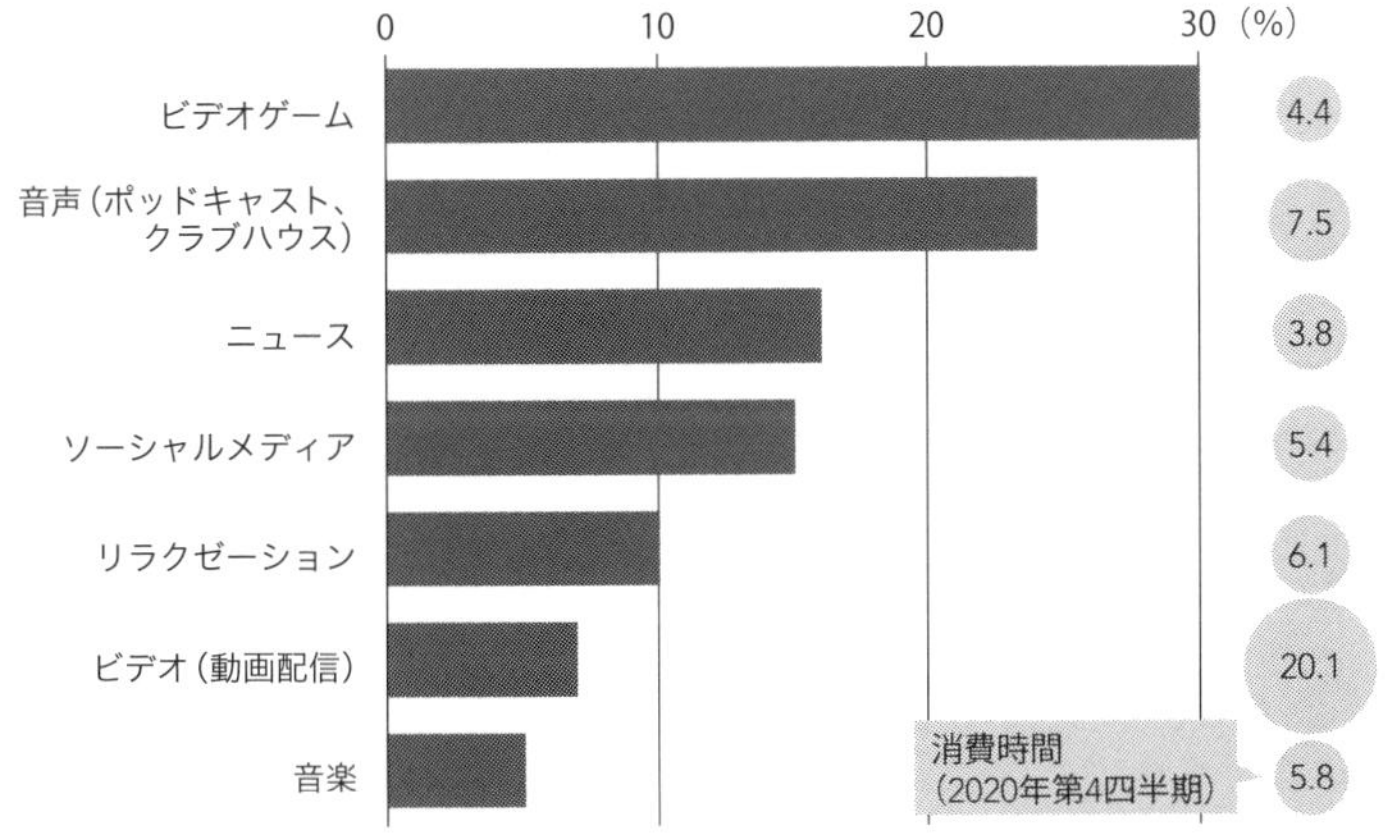

対象は、米国、カナダ、イギリス、オーストラリアの16歳以上。MIDiA Research調べ。

出典）The Economist　“Home entertainment” Jul 3rd 2021 edition

[1]「Home Entertainment: The attention recession」The Economist 2021年7月3日号

が家族ぐるみでスクリーンにはりつき、エンタメ消費の時間と市場は爆発した。

2021年の夏になるとワクチンの浸透によってリアルの場が復活してきているが、元通りにアナログに戻ってきているわけではない。一度習慣化してしまったデジタル視聴はしっかりと根付き、特にゲームは2021年夏以降もほぼ変わらないプレイ時間で、消費も落ちていない。

こうした変化を我々はどう解釈すればよいのだろうか。私自身は、最初のロックダウンに直面したときに思いついたのは、楳図かずおの『漂流教室』であった。ちょうど半世紀前に流行したこの未来へのタイムスリップ・ストーリーのように、我々は突然5年ほど先の未来に強制移送された生徒たちのようなものだったのではないだろうか。メーカーもディストリビューターもリテーラーも、全員がデジタルシフトの強制リセットでOSを入れ替えることが命じられ、ユーザー自身も困惑して複数のデジタルウィンドウを回避しながら「これならコロナ下でも遊べる」を追求し続けた。「2020年代半ばから後半には、こうなるだろうな」と思った未来が、2020年に突然として出現したのである。

意思ある楽観論なくば人は永久に悲観主義のまま

グレート・コンジャンクション（偉大なる接合）という言葉をご存じだろうか。木星と土星が重なる20年ごとの時代の節目のことだ。これまで「地の星座（牡牛座・乙女座・山羊座）」

の位置でそれが起こってきたが、実は200年単位でグレート・ミューテーション（偉大なる変態）があり、「エレメント（火・土・風・水の4種類）」が変わる。それが初めて「風の星座（みずがめ座）」の場所で起こったという節目が2020年12月22日にあった。これまでは「土の時代」として金銭・物質・権威が重視されてきたが、「風の時代」すなわち知性・コミュニケーション・個人が重視されるようになる。

スピリチュアルな話で縁遠いと感じる人も多いだろう。私自身もその1人だった。占星術の領域で話されていたこの予言めいた言説は、それまで全く刺さっていなかった。ところがコロナ流行によるロックダウンで実際に働き方にも生活にも大きな変化がもたされた2020年という特殊な時代背景があり、目の前で企業や友人の動き方がめまぐるしく変化し始めたことと、このミューテーションで語られていることとの一致に驚き、「200年前の産業革命以来の人類史の方向性が、まさにこのタイミングでシフトチェンジするのではないか」と思うようになった。つまり信じてしまったのだ。

コロナによって会社に出勤する必要がなくなった。副業の依頼も増えた。飲み会がなくなったが、リモートでもこれまで獲得した知識と経験で新たに人とつながり、仕事を生み出せるようになった。海外出張ができなくなり、それでも時差だけ考慮すればすぐに中東や北欧の顧客とつながり、むしろデジタルの結びつきと個人の力で新しい依頼が入るようになった。通勤や会議がなくなったことで、必要な作業にだけ時間を集中的に投じられるようになった。複数のチャネルで同時に知識を入れることを覚え、動画を2倍速でみながら、クラブハウスで雑談のように流れる会話から必要な部分にだけ耳を傾けるようになった。ウェビナーでの講演中に調べものをしたり、すぐに検索してヒットした動画をそのままインタラクティブに質問内容に反映したりするようになった。まさに知性とコミュニケーションと個人が、金銭や権威といったものを飛び越えて、活躍できる瞬間を味わえるようになった。

実際の歴史上での200年前に起こった変化は、これ以上にドラスティックだったはずだ。1820年ごろのイギリスを中心とする先進国では、織物の生産性が何十倍にもなり、馬車の移動から鉄道での移動になり、化学薬品が生まれ、電気が発明され、技術的進歩が大爆発した。歴史学者のウィリアム・バーンスタインも「1950年に先進国に暮らしていた人間であれば、2000年のテクノロジーを理解するのにさしたる苦労はないだろう。ところが1800年から50年後の世界にタイムスリップした人間は、間違いなく大混乱に陥る」と述べるほど、この19世紀前半は人類史の中で特別な変化を起こした時代である。❷

19世紀の変化は特別なものだった。だがしかし、その渦中にあった人々はどんな気持ちだったのだろう。経済学者アダム・スミスは当時の状況をこのように語っている。「国家の財力が急速に落ちている、人口が減少している、農業が顧みられていない、製造業が衰退している、十分な交易がおこなわれていない、などと論じる書籍や冊子が5年間出版されなかったことはこれまでほとんどない❸」。

そう、革命的だった19世紀初頭の変化に人々は「気づいていなかった」のだ。人類は「マル

❷ ウィリアム・バーンスタイン『「豊かさ」の誕生　成長と発展の文明史』日本経済新聞出版、2006

❸ Smith,A. 1776. *The Wealth of Nations.*〔『国富論：国の豊かさの本質と原因についての研究』、山岡洋一訳、日本経済新聞出版、2007年、他〕

サスの罠」として人口が増えると食糧がなくなるというプロセスを繰り返し、10万年もの間、地球の人口は増えたり減ったりを繰り返してきた。文明を得てもその均衡が変わらずに数億人前半で変わらなかったものが、石炭というエネルギー源とそれが駆動する機械の力によって生産性革命を起こし、世界人口は1800年代の100年間で突然10億人から20億人に増え始めた。同じ土地で収穫量が倍増できるようになり、それまで2000年以上かけて数億人規模からなかなか増えることのなかった世界の人口が、突然急増し始める。この人類史10万年に1度のまさに究極的なタイミングにあって、ほとんどの人々は「国家は衰退する、人口はもうこれから減る、我々は貧しくなる」と言っていた。現代で語られていることと全く変わらぬ感覚で、危機感をもちながら生き続けていたことになる。

社会が前進していようと後退していようと、恒久的に人間が続けてきた「自分自身について は楽観的、社会全体には悲観的」という姿勢は変わることはない。一個人にとっての社会的変化は毎年気温が0・01度ずつ上昇するようなもので、それを真剣に捉えることはない。

一方、社会への見方は、楽観論ではなく悲観論で語ることが「売れる」。人は社会を憂いたい。社会全体の悲観的観測は、目の前の自分個人の生活を相対的に楽観的なものにする、「他人の不幸は甘い汁」の典型的な姿勢である。

憂いながら個人の現状をかみしめることは、ファンタジーの一種である。だから「知識人」と呼ばれてきた人々は常に社会に警鐘を鳴らし続け、「売れる」議論に固執し続けて来た。これからもきっとそれは変わらないだろう。

この位相の転換のなかで、本書を執筆するひらめきが生まれた。それは「推しエコノミー」のタイトル通り、人々が殺到するヒットとなるキャラクターやタレントを「推す」というファンの行動変容がすべての基軸にある。

第1章では、テレビに囚われてきた日本のコンテンツ産業が、人々が熱狂する新たな場所としてのデジタル空間、いわば「仮想一等地」を自ら作り出すことが競争要件になったことについてみていく。そのために大事なのは「ライブ化」であり、今この瞬間にホットであること、バズっていることを、デジタル空間のなかでも周囲が見渡せる劇場のように、演出を配置していくことである。

第2章では、この変化の源泉となるユーザーの変化である。ユーザーにとって趣味趣向は「消費財」ではなく「表現財」となり、いかに自分を「関与させていくか」という対象になった。だから「推し」として関与対象を表明し、かつては個人的・非政治的だったサブカルコンテンツを、社会的でときには政治的に楽しむ「祭り」型のコンテンツとして扱うようになってきた。この領域を世界的に先導しているのは日本であり、規模で日本を圧倒する米国や中国にはない先端的な事例にあふれている。

第3章は地政学の話だ。マンガ・アニメ・ゲームというサブカル領域において、米中の覇権競争が激化している。そのなかで日本が今後歩むべき終着点について語る。すなわち規模を求めたマーケットインではなく、作家が少人数でファンと段階的に作り上げていきながらプロダクトアウト型でブランドを形成していく道のりである。ファンが関与できる「開かれた商品」を作っていくことが、そのまま米中企業の到達点とは差別化されることになる。

終章となる第4章では、前作『オタク経済圏創世記』で書いてきたマンガ・アニメ・ゲームの成長の歴史とライブコンテンツ化が、「コロナ」「中国の台頭」という2点によってどの程度の軌道修正を求められているかをふまえ、その先にある日本エンタメ業界の固有の終着点としての「推しエコノミー」、すなわちファンとの対峙による経済圏の創造についての視点を提示する。これが本書の全体像である。

第2章 「萌え」から「推し」へ、ファンの変化からみる「風の時代」

第3章 エンタメの地政学

第1章
メガヒットの裏側で進む地殻変動

1-1 『鬼滅』が「日本の時代錯誤」に突きつけた刃

日本アニメを仕切る製作委員会の複雑怪奇

キャラクターが生み出すエンタメ経済圏の地殻変動をつまびらかにするには、ひとまずアニメ製作委員会の話から始める必要がある。なぜならこの50年、『鉄腕アトム』のチョコレート菓子からユニバーサル・スタジオ・ジャパンのマリオカートに至るまで、エンタメ産業を牽引してきた基軸にあるものはキャラクターだからだ。『ドラえもん』から『ドラゴンボール』の孫悟空から『鬼滅の刃』の竈門炭治郎まで、キャラクターが人気化するメディア戦略の源泉となってきたのが「テレビアニメ」であった。そのテレビアニメを大量に生み出したのはアニメ製作委員会という仕組みだった。

1990年代半ばにテレビ東京を中心に深夜アニメ放送が一般化していくなかで、それ以前はテレビ局・広告代理店が買い上げるばかりであったアニメを、玩具メーカーやゲーム会社などが出資して共同権利保有することで、アニメ作品で得られた人気を全員でシェアしようという仕組みが一般化した。❶ 具体的には『エヴァンゲリオン』の1994年から急激に普及してく

❶ 1960-80年代のアニメはテレビ番組の1つのジャンルとして、番組制作の一環でテレビ局や広告代理店が1社で買い上げる仕組みが一般的であった。だが徐々にアニメのユーザーは子供から青年となり、深夜枠で視聴するようになると、青年向けのビデオやコレクショングッズといった異業種のメーカーがアニメ製作委員会に出資し、人気が出たアニメ作品の周辺で儲けようという形になっていく。

る。このアニメ製作委員会という異業界が参加する仕組みによって、アニメ業界だけに囚われず、玩具や音楽、コンサートに至るまでのメディアミックス❷を実行し、アニメ産業が複合エンタメ産業へと羽を広げていくことを可能にした。

最も成功したアニメ製作委員会といえば、『ポケモン』だろう。ライセンス管理の小学館プロダクション（現小学館集英社プロダクション）、広告代理店のJR東日本企画、テレビ局のテレビ東京の3社が共同出資して作った1997年のテレビ東京放送のテレビアニメである。

そのアニメの元になっているのは1996年にゲームボーイで任天堂からリリースされた『ポケットモンスター』であり、新しいモンスターづくりから商品化の監修に至るまで「原作」として世界観の基軸を握っているのは、ゲーム開発会社のゲームフリーク、パブリッシャーである任天堂、そこからブランチアウトしてゲームフリークをサポートしたクリーチャーズの3社である。

年間10億円はくだらない資金を投じて毎週放映される毎年約50話のアニメを作り続ける「アニメ製作委員会3社」は、この「原作3社」から許諾を受けてアニメを作り、そのアニメの映像や音楽やタレントの声を通じて、それ以外の商品化展開を進めている。❸

25年間続いている『ポケモン』はあまりに例外的としても、通常のアニメ製作委員会は週1回放送で3か月続く12〜13話を作り（売れれば、しばらくたってから2期目、もしくはポケモンのように長寿化するケースもある）、そこから派生する著作権をもって収益化を試みる。例

❷ メディアミックスとは1970年代後半に角川書店の角川春樹が同一作品をベースに小説と映画を複合的に展開することで、どちらも大きく拡販する宣伝効果を狙ったマーケティング手法であり、1980年代後半にその弟の角川歴彦が「メディアミックス室」を作ったところから一般的に使われ始める。

えば図表2のように、ゲーム会社のA社、放送・配信のB社、商品化のC社、その他のD・E・Fといった6社で2・5億円のアニメ製作を決定する。結果としてその出資に対してロイヤリティ（RY）が合計1・5億円しか儲からない場合、アニメ製作委員会としてはマイナス1億円となるが、それでもA社、B社、C社は構わない。それぞれが自社のビジネス（ゲーム、放送権利販売、商品化）のなかで収益を上げており、そこでの収支を入れるとプラスになっていたりするからである。

毎年300本のアニメ作品は、ほぼすべて「アニメ製作委員会」という共同出資によって作り上げられている。300本それぞれに「アニメ製作委員会」があり、1本あたり2億～3億円（30分枠の1話あたりでいうと1500万～2500万）を、それぞれ数社から船頭の多い委員会では10社近くで出資している。年間300作品に対して延べ1500社が約750億の製作資金が投じている。

実際には各社それぞれ年間何本もアニメ出資しているので、約250社がそれぞれ年間3億円ずつかけて5～10本に出資している、という規模感である。

アニメ委員会の仕組みはなかなか複雑で、1作品あたりの「経済圏」を図にすると図表3のようになる。これが本書のテーマとなる「経済圏」を一覧化したものである。出資によって期待される収益は、大きくは①アニメ委員会権利収入、②印税収入、③窓口手数料・各種印税、④各派生ビジネスの4パターンに分かれる。

❸ ポケモンの創設ストーリーについては『オタク経済圏創世記』日経BP、2019で詳述している。テレビアニメは『ポケットモンスター（緑無印、1997～2002）』『ポケットモンスターアドバンスジェネレーション（2002～2006）』『ポケットモンスター　ダイヤモンド＆パール（2006～2010）』『ポケットモンスター　ベストウィッシュ（2010～2012）』『ポケットモンスター XY（2013～2016）』『ポケットモンスター　サン＆ムーン（2016～2019）』『ポケットモンスター（青無印、2019～現在）』で、25年間休まず約1200話作り続けられている。

図表2 アニメ委員会の座組

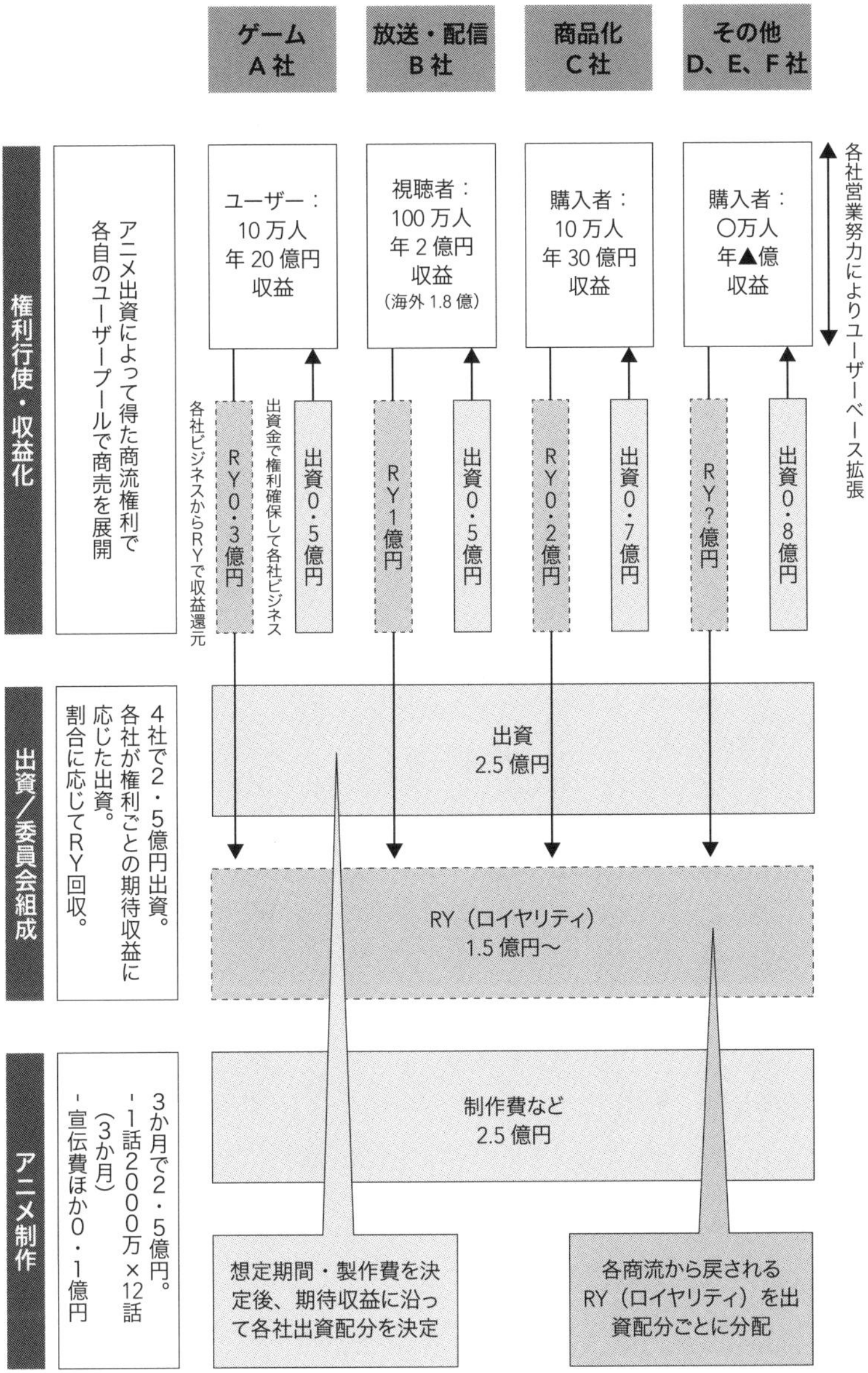

出典）各種調査結果より著者作成。RYとはロイヤリティ

一般的に理解しやすいのは①で、アニメの映像・音声などが権利となって、それを使った派生ビジネスが展開されていくなかで「著作権料」としてアニメ委員会にロイヤリティ収入を戻してもらう権利収入である。このアニメ製作委員会としての収入が図表3の恒星（太陽）のポジションにある内円である。これだけで約3000億円になり、この時点で制作費用の約4倍の収益になる、なかなかのビジネスである。

だが、「本当のアニメ市場」は外円である④なのである。アニメの映像・音楽を使ってグッズをつくったり、パチンコを開発したり、ゲームに転用したりといった派生ビジネスがあり、この全収入が年間約2・5兆円となる。初期制作費の20倍以上の規模になる。

ただもちろんこれらが制作費用750億円ポッキリでできるわけではなく、別途ゲーム開発に1本あたり5億~20億円といった金額が投じられたり、ブルーレイの映像パッケージづくりに5000万円かけたり、と派生ビジネスごとの開発投資があって投資者が利益を得られる前提で進められ、その一部がアニメ委員会に戻されるという構造になっている。

そこの間のポジショニングを担う②や③が複雑で、ひとまず出資割合に応じて各社がその派生ビジネスを「窓口担当」として占有する権利を有するのが③である。MDはA社を通さねばならず、ゲームはB社を通さねば作れない、といった具合である。この「窓口」はアニメ委員会に戻されるロイヤリティから、一般的に2割を窓口手数料として引き、残りの金額を比率に応じて配分する。

ただここに加えて点線で示されているように②「脚本印税」「原作印税」「局印税」という、

図表3　アニメ経済圏

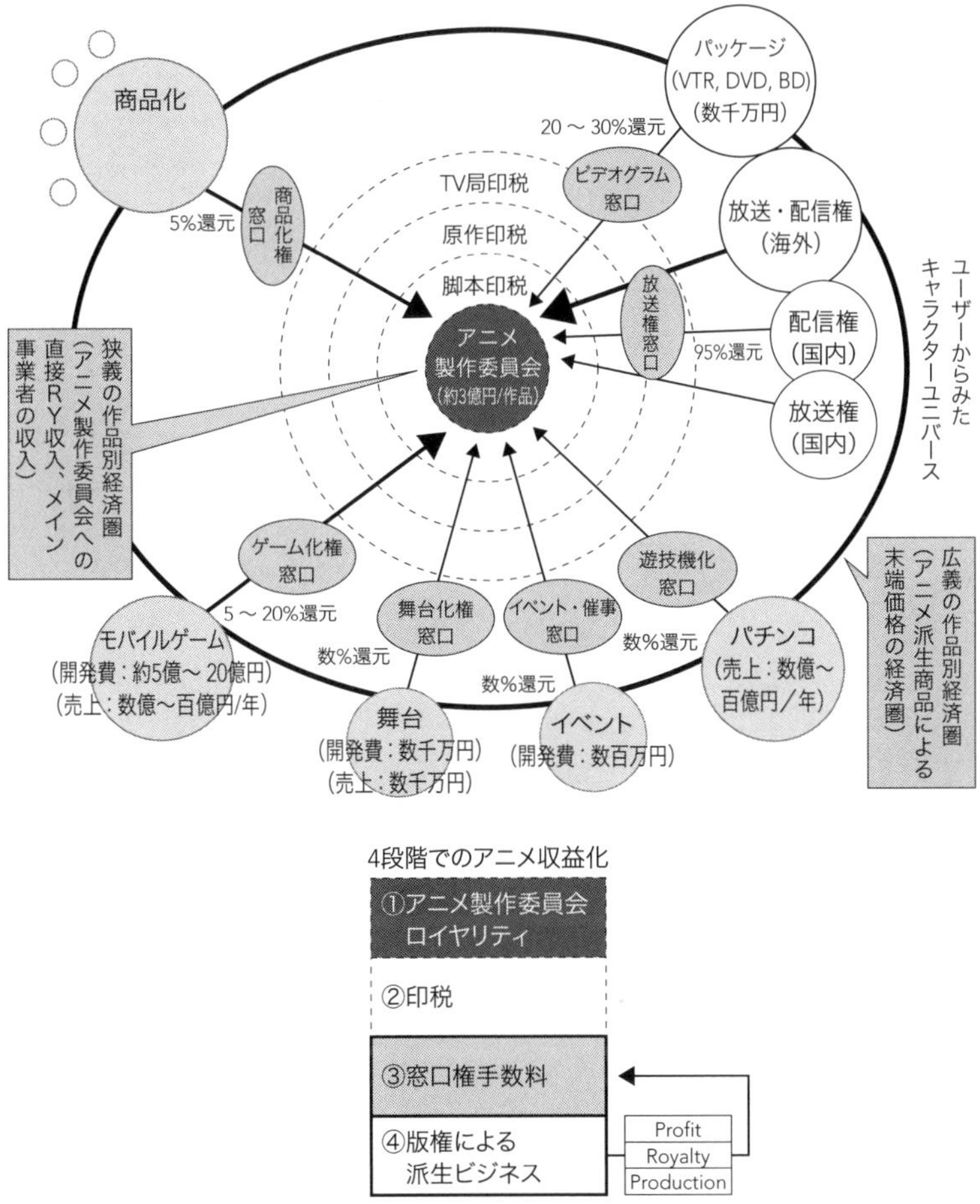

出典）各種調査結果より著者作成

アニメの「原作」というコアに近い素材をつくっている会社には特別にプラスアルファの著作権も発生する。アニメ委員会は「著作権をもつ会社群」ではあるが、そもそもアニメにする前にキャラクターや世界観がつくられたマンガやノベルなどを作った「原作者」がいて、またそれをアニメの脚本として書き上げた「脚本家」がいて、さらにそのアニメを放送することで人気を高めた「放送局」がいて、それぞれ原作者として印税ロイヤリティを引いていく。

誰がこの作品を人気にして全員を儲けさせてくれるようになった功労者か、はっきりわからないケースも多い。そのため、このように「フォーマット化した4段階の収入形式」「それぞれごとの印税比率の相場観」に従って、アニメ製作委員会は産業化し、毎年300本に向けた出資を集める形でシステム化していった。

実際のお金の流れは次のようになる。

キャラクターのイメージを使って外部のMD会社が100万円分のグッズと作りますといって、5万円の「著作権料」をアニメ委員会に納めるものの、そこから③「窓口」会社の手数料が1万円、②「原作・放送・脚本」印税が1万円で、①「アニメ委員会」に戻ってくるのは3万円だけになり、その3万円を10社が3000円ずつ分ける、ということになる。

ただし、このMD製作の事業をやっている会社自体がアニメ委員会10社のうちの1社ということも多い。「窓口」もその会社がやっている前提においては、③の1万円に加えて委員会に戻したなかでも収入があり、本業の④では原価（製造費用）30万円のものを卸・小売に55万円で売り25万円が粗利になる、といった4軸の合計での儲けを画策していくことになる。

年間300作品の8～9割は赤字

複雑怪奇なアニメ委員会ビジネスだが、実際は年間300作品の8～9割が「損失」に終わる。①だけで期待収入は制作費の4倍といいながらも、数少ない人気作品が寡占している市場環境であるため、大半の新作は失敗するのだ。ほとんどのタイトルは人気が出なかったので④の派生ビジネスをやるリスクが大きくて何も動かさず、投資の回収には至らない、という結末になる。

シリーズものを除いて毎年200本もの新規アニメ作品がリリースされるが、読者がいま思い出せるアニメ作品はなんだろう？『涼宮ハルヒの憂鬱』『けいおん！』『魔法少女まどか☆マギカ』『鬼滅の刃』…。こういった一世を風靡したタイトルはもちろん委員会全体が潤うが、そのような大ヒットは数年に1回くらいしか出ない。大事なのは10本のうち9本が当たらなかったとしても、その後ビジネスを続け、継続的に出資とユーザーを集めていくかという産業としてのサステナビリティである。

そうはいっても9割の「損失」を癒すのは、1割の「成功」以外にない。1本が10倍、20倍にもなって跳ね返ってくるおかげで、各社はその次も毎年10本に投資することを決断できるのである。

アニメビジネスは図表3の①を「狭義のアニメ市場」として約3000億円、④まで含めて「広義のアニメ市場」として約2・5兆円にざっくり分類される。本当のアニメビジネスはもちろん④が全体像なのだが、この恒星・惑星・衛星のように「系」でビジネスが構成されているため、アニメ1本あたりの正確な収支も実は委員会のなかでもファジーなケースも多く、まして業界全体の「本当の数字」となると、ことさら把握することが難しい。

この傾向は北米の映画業界でも顕著で、内円も外円も正確な数字は会社の限られた上層部に秘匿されている。[4] 不透明ななかで様々なものが経費としてカウントされており、その分、ロイヤリティとしての配分は抑えられつつ、自社内の収益を最大化するという作用が働く。

エンタメ経済圏の分析では、この④の外円＝キャラクター経済圏を可能な限り明らかにしつつ、そこのキャラクター経済圏のなかでどのくらいのボリュームのファンが浮遊したり、流入・離反したりしていくのかについてみていく。本書はキャラクターごとにその経済規模をつまびらかに分析することを目的とした書ではないが（1作品ごとに委員会構成から各商流の推定売上、取引比率、ファンのツイート数などをかなり体系的に分析する必要があり、作品ごとに章が必要になるボリュームである）、著者が研究者としてそれらを分析したものから得られた知見を抽出して今後のトレンドを語るものである。

❹ ミドリ・モール『ハリウッド・ビジネス』文藝春秋、2001

もはや人気の発火点はテレビではない

ただこのアニメ製作委員会は、「はじめに」で述べた「地の時代」から「風の時代」への移行をそのままトレースするような地殻変動のさなかにある。テレビアニメと言いながら、その人気の発火点はテレビ放送ではなく、もともとのマンガですでに数万人の購入ユーザーが出来上がっていたり、SNSや話題になった商品化、またはデジタルゲームによって人気が高騰するといった事例も散見される。「テレビ」が恒星のように最初に光を作り出す（その作品が好きなユーザーを何万人、何十万人と生み出す）のは、過去の話でしかない。いまや視聴者を増やす主役はテレビではなくなっている。

それが顕著になった事例が、2019年4〜9月に放送・配信された『鬼滅の刃』である。このアニメ作品の勝因の1つには、これまでのテレビアニメにはなかった流通戦略が寄与している。そこにこそ、今後のアニメ製作委員会の在り方が表れているといえよう。

そもそもアニメはどこで流れているのか？

ここ20年、テレビアニメがどの局で放送されているかの推移をみてみれば、「アニメが流れる場所」が変化していることがわかる。図表4は民放のアニメ番組数の推移である。1990年から2005年にかけては、テレビ東京が『エヴァンゲリオン』『ポケモン』といったタイトルをヒットさせてアニメ放送の中心局となった。ほかのキー局と違い、全国放送ではなく限られた地域での放送であるがゆえに、放送関連費（3か月アニメ放送のために枠を押さえる費用&その枠のCM枠料金）も抑えられるメリットも大きかっただろう。

2015年から半分以上のシェアをとるTOKYO MXは首都圏のみの放送局でテレビ東京以上にそうした放送関連費が抑えられる。

皆がイメージするアニメは日本テレビやフジテレビにのって全国に届けられる国民的アニメだろうが、そうしたアニメは『サザエさん』『ドラえもん』など一部の長期アニメに限られる。年間数百本になるアニメの5割がTOKYO MX、2割がテレビ東京で、いわゆるフジ・日テレ・TBS・テレ朝の4大キー局は全部合わせても全体の2割強といった状況である。

1本2億〜3億円で作られるほとんどのアニメ作品にとっては、たとえ200万〜300万世帯に届けられる全国放送局だとしても、そのために数千万円は要する波代（その30分枠をおさえる電波料）やCM枠代（番組の合間にかけられるCM料）の負担と、アニメ委員会における②となる局印税といったキー局の印税部分を含めると、採算が合わない。

そこで日本全国にネットワークがない「弱い」放送局としてのテレビ東京やTOKYO MX、あるいはBSチャンネルといった選択肢が有力になってくる。それらは数十万世帯に向けた放送としてユーザーは限られるが、波代や枠代は圧倒的に安く、局印税もとらないケースも多い。そして、録画を駆使して、深夜でも作品に張り付いてくれる青年・壮年のアニメファンがターゲットとして考えると、それでも十分に人気を博せるのである。

図表4　民放の主なアニメ番組数と放送・配信先

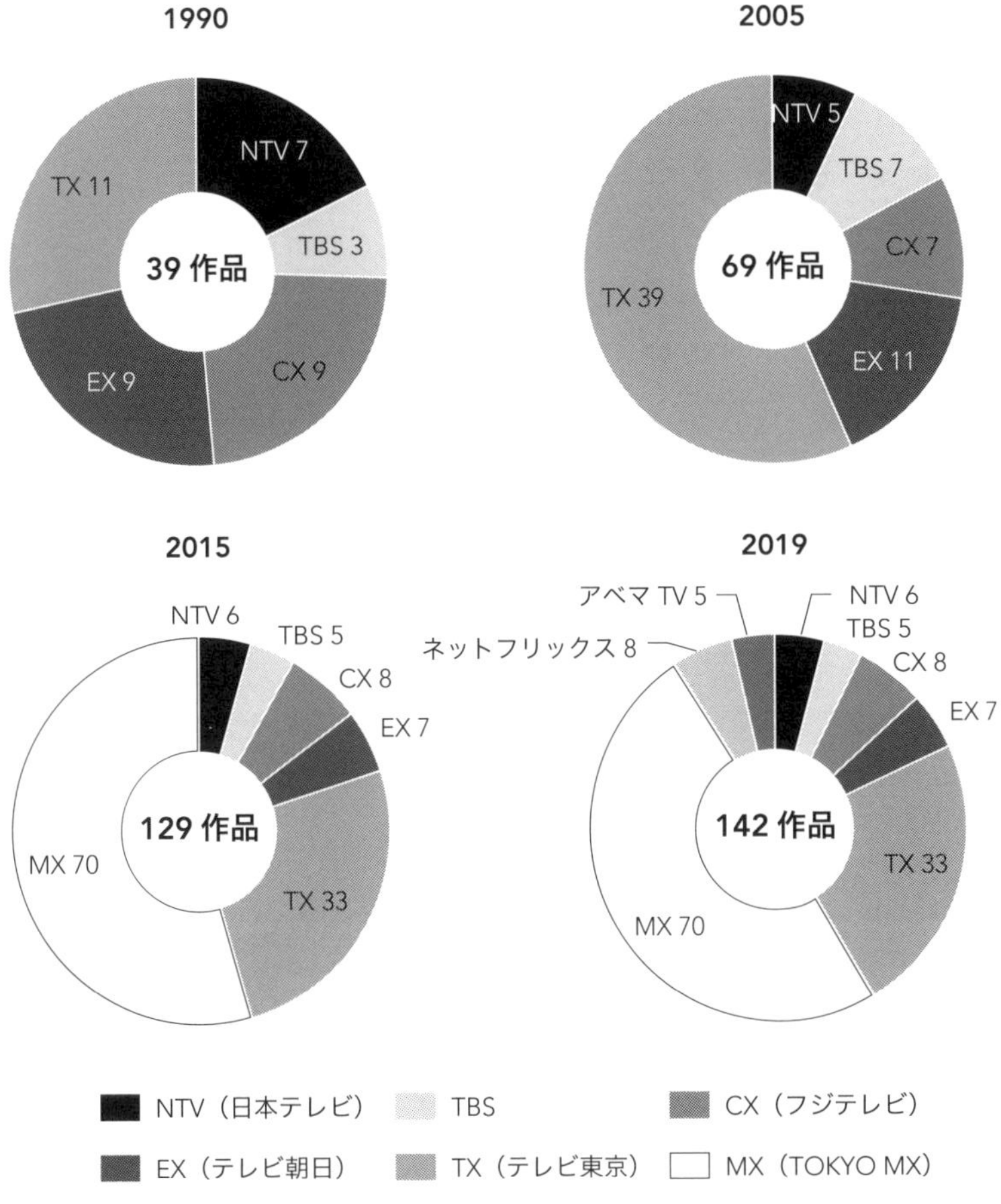

出典）渡辺哲也「ビジネスモデル学会2021」発表資料より

テレビ局は1960〜70年代に熾烈なネットワーク競争があり、地方局をすべて東京のキー局の傘下におさめていく時代があった。「日本全国どこまでネットワークを広げられるか」「広げた全世帯数で競争し、いかに高額なCM料金を担保できるか」という、かつて読売新聞と朝日新聞が1000万部構想として歩んできた道のりと同じ形跡をたどった。そのおかげもあって誰もがテレビコンテンツを同時間に視聴できるようになったが、その(日本限定ではあるが)ユニバーサリティがゆえに「重くなっている」ものを抱え込んでしまった負の部分があるといえよう。

1兆円に到達する『鬼滅の刃』経済圏の戦略

『鬼滅の刃』はこの「テレビアニメ」の矛盾を突き破り、2019年4月のテレビ放送に向けて全国21チャンネルでの同時配信に踏み切った。アニメの新しい流通戦略である。アニメ出資会社も限定し、ソニーグループでアニメプロデュースを手掛けるアニプレックス、アニメ制作(アニメを実際に手を動かして作る)のユーフォーテーブル、マンガ出版としての集英社の3社のみ。委員会には広告代理店もテレビ局も入れていないため、どこかのテレビ局1社とその系列の地方ネットワークに制限されることもない。

その代わりに、各局3か月1枠のスペース代とそこに流れるCM枠の費用を負担しなければならない(テレビ局や代理店が出資社に入っているとこの費用をそれらの会社が自社スペース

図表5 「鬼滅の刃」マンガ・アニメ・劇場版のメディアミックス

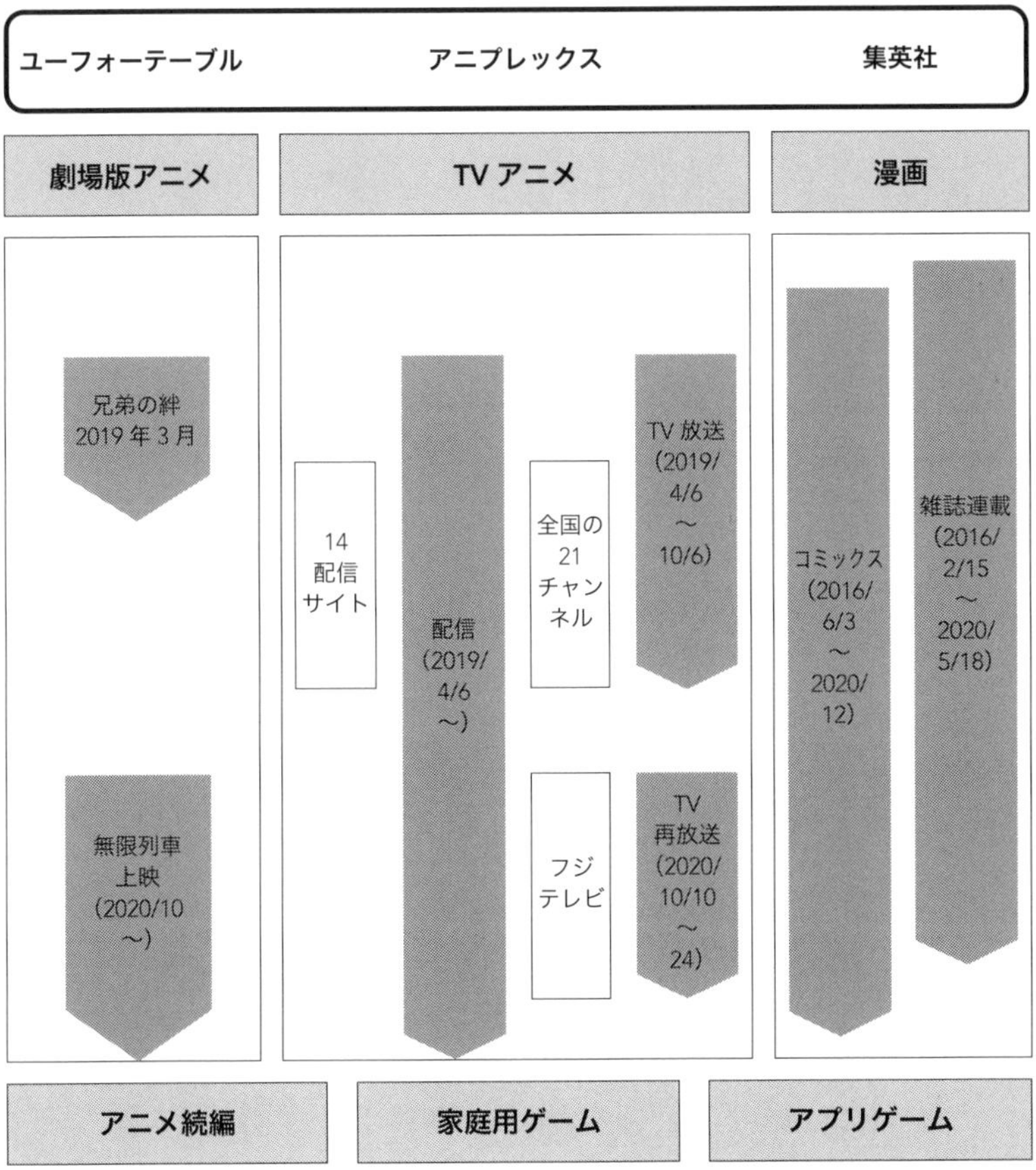

出典）各種調査結果より著者作成

ということで負担・買い上げてくれるケースが多い)。

さらにはテレビ放送だけでなく、インターネット配信であるアベマＴＶからｄＴＶ、アマゾンプライム、フールーなどおよそ14の配信サイトにも流していった。テレビ局も配信サイトも自社だけに「限定」してくれるのであれば、お金を出して放送・配信権を「買いに来てくれる」が、どこにでも流れているアニメに対して、ほとんどそうした費用はつかなかったといってよいだろう。

アニプレックスは「放送・配信はお金を稼ぐところではなく、なるべく面を広くとってユーザーに認知してもらうためのもの」と割り切ったのである。

１年間で大好評を博したあとに、２０２０年10月にフジテレビが劇場版公開にあわせて放送を行うことになる。すでに大人気となっていた鬼滅の刃だけに、ここはフジテレビがお金を出して「フジテレビのみで放送する権利」を獲得する。

ただ異例なのは、アマゾンプライムにチャネルをまわせば、そこで『鬼滅の刃』は見られる状況下にありながら大手テレビ局がお金を出したということである。すでに１年以上前に放送されたものの「再放送」であり、なおかつ配信サイトにアーカイブがあるのでいつでも見られる。そんな作品にお金をかけて放送権を取りに行くなど以前のテレビ局であれば考えられなかったことだ。

だが幸いにも、テレビ放送は「ライブ」としての機能を果たした。この時、このタイミングに皆が同時に視聴できるメディアというと確かにテレビしかなかった。もしアマゾンプライムや他の配信サイトで同じ鬼滅のアニメを視聴しても、その「場所」「時間」で他の全国の視聴者が同じものをみているという息遣いは聞こえてこない。

フジテレビでの鬼滅の再放送である2020年10月10日（土）20時からの第1夜は、結果として世帯視聴率（総合視聴率）20％を超えることになる。これは「生放送!! 半沢直樹の恩返し」（2020年9月6日、TBS）、「ゆく年くる年」（2020年12月31日、NHK総合）とほとんど変わらない高視聴率であった。

テレビはもはや貴重な映像の初出しプラットフォームではなく、ツイッターを片手にライブを楽しむアーカイブプラットフォームになっていくのでは、という未来を予見したような事件であった。テレビがユーザーベースという光を作り出す恒星ではなく、すでにそれが他のメディアで行われたあとに、その残光を使って惑星のように周辺で拡張させる「従属的な役割」になった瞬間である。

こうして「（短期的な）収益最大化」よりも「視聴の最大化」に振り切ったアニプレックスの新しい流通戦略は当たった。その大ヒットについてはもはや語る必要もないだろう。鬼滅の作品としての成長のプロセスについては第2章で詳述するが、ここではアニメ製作委員会の考え方が25年ぶりに変わる転換点となったマーケティング戦略についてのみ言及する。

その成果として『鬼滅の刃』の経済圏を想定すると図表6のようになる。

コミックスはアニメ化前の2018年11月末で累計300万部、アニメの放送・配信が終わった19年11月末で2500万部と、19年に約100億円の収入があった。それがコロナ禍でブ

図表6　『鬼滅の刃』経済圏

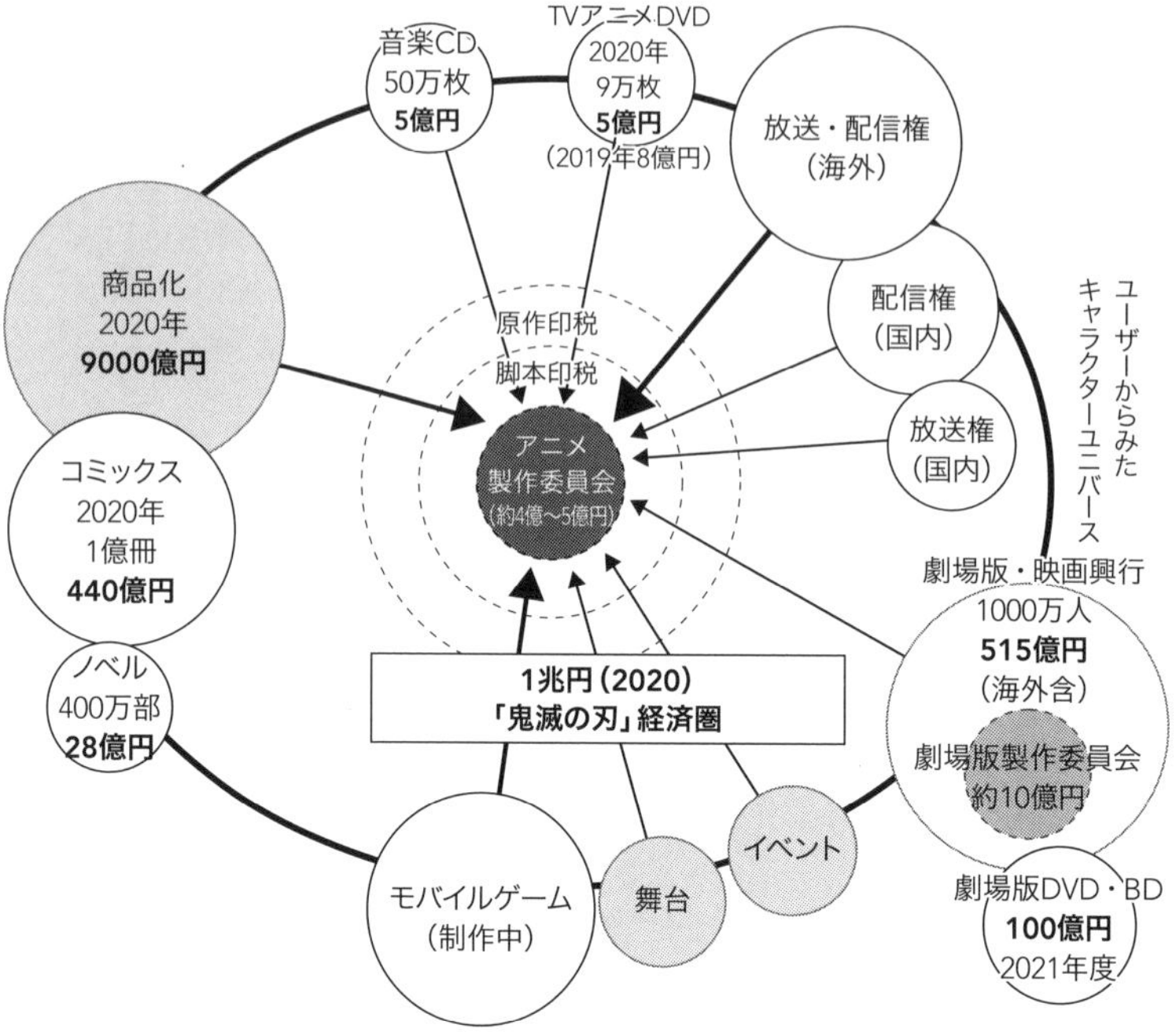

音楽CD
50万枚
5億円
TVアニメDVD
2020年
9万枚
5億円
(2019年8億円)
放送・配信権
(海外)
商品化
2020年
9000億円
配信権
(国内)
原作印税
脚本印税
アニメ
製作委員会
(約4億～5億円)
放送権
(国内)
ユーザーからみた
キャラクターユニバース
コミックス
2020年
1億冊
440億円
劇場版・映画興行
1000万人
515億円
(海外含)
ノベル
400万部
28億円
1兆円(2020)
「鬼滅の刃」経済圏
劇場版製作委員会
約10億円
イベント
舞台
モバイルゲーム
(制作中)
劇場版DVD・BD
100億円
2021年度

出典）各種調査結果より著者作成

ームがおきると20年11月末には1・25億部と前年のほぼ5倍となり、2020年だけで440億円のコミックス収入が積み上がったことになる。

ノベル（小説）も19年末の80万部から20年末で500万部と、28億円の収入が生まれている。LiSAによる主題歌「紅蓮華」のCDは19年7月に発売され、19年には27万枚で売上3億円だったが、20年になってからさらに伸びて累計76万枚、つまり5億円が追加収入となった。テレビアニメのDVD・BDは19年に発売された第6巻までで12・5万枚と8億円だったが、20年の追加5巻は8・7万枚で売上5億円が計上されている。映画版の興行収入が515億円となり、その映画版のDVD・BDは150万枚を超える記録的な販売数で2021年の収入として100億円超がそこに追加される。

このように、放送や配信をリーチのツールにしてそこでの収益を捨てていたとしても、総額でいうと2020年で1兆円規模の経済圏が形成されており、そのうちのロイヤリティとしてかなりの金額がアニメ制作の3社に還元される。

アニプレックスの法人としての収益は図表7の通り、2019年度には1509億円だった売上が2020年度には2068億円に増加した。もともとの売上のうちモバイルアプリゲーム『Fate/Grand Order』（FGO）の収入割合が非常に大きいが、それが6年目となる減少トレンドも見込むと、『鬼滅の刃』関連で1000億円程度の増収があったと考えられるのが2020年度である。

大ブームとなった『妖怪ウォッチ』は2014年度にバンダイナムコHDに552億円の売

上をもたらし、レベルファイブの売上を200億円超まで引き上げた。この経済圏が合計2000億円の商品化収入であったことから推定すると、[5]2020年の鬼滅の経済圏は合計1兆円規模、アニプレックスへの還元売上が1000億円という想定に違和感はない。これが2億〜3億円といったアニメ製作委員会の出資で叶えうる、およそ最高峰の期待収益と言えるだろう。まさにIP(知的財産)創出のジャパニーズドリームであり、アニメ業界のみならずすべてのエンタメ産業

図表7　アニプレックスの売上・営業利益・資産合計

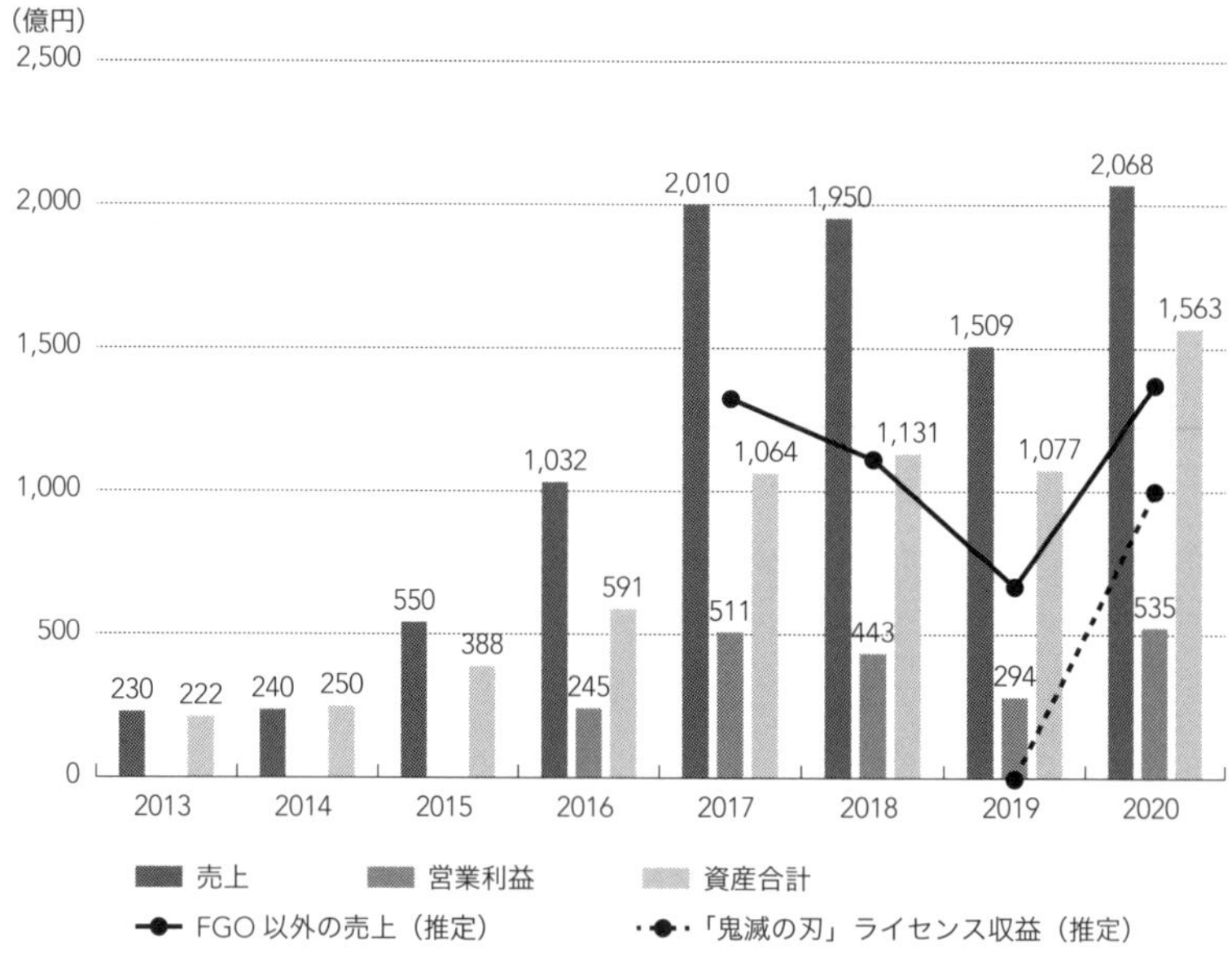

出典)決算公告より著者作成

❺「『妖怪ウォッチ』商品市場規模が2000億円を突破！妖怪メダルを中心に関連商品が大ヒット」ファミ通.com2015年4月7日< https://www.famitsu.com/news/201504/07076126.html>

のプレイヤーが目指している到達点である。❻

売れる商品は流通を選ばない

鬼滅に代表されるアニメの新しいメディア流通戦略は、一言でいうと「脱テレビ」である。1963年にフジテレビで放送された『鉄腕アトム』から始まった「テレビアニメ」は、1995年の『エヴァンゲリオン』よりアニメ製作委員会方式として進化しながらも、2000年代に入ると衰退が予想されていた。だが2000年代も出版や新聞ほどにはテレビが凋落をみせず、またソフトバンクやライブドア、楽天が目論んだ買収やメディアと通信の統合の波も乗り切ったテレビ局が古い構造を温存したことによって、そこから20年以上も残り続けたのが「テレビアニメ業界」なのである。

だが、果たして、今の2021年でも、「テレビ放送」が作品を最も輝かせている恒星だといえるだろうか？　テレビ局は、原作を創り出した立場として、（1960～80年代は間違いなくテレビ局の製作費によってアニメが成り立ってきたことは事実だが）印税収入を得るだけの視聴・ファンを創り出していると言えるだろうか？

複数のアニメの実態をみるに、作品のストーリーをどんどん展開し、ファンの数を積み上げているのは「放送」であるケースはむしろ稀で、「配信」であったり、「電子書籍」であったり、「アプリゲーム」であったり、ほかのチャネルのほうが大きな役割を果たしている。むしろ数

❻ IPとはIntellectual Property（知的財産権）の略称である。キャラクター商品をビジネスの根幹にする企業にとっては、いかに自社が作ったキャラクター・世界がIPとして権利化し、ライセンス収入を得られるほどに人気度がでるかどうかに事業の存続を賭けている。

年に1回しかできないテレビアニメ放送はすでに出来上がったストーリーの後追いをし、作品としての世界観の展開はアプリゲームで、となっている作品も少なくない。

そうしたなかで、テレビを恒星として市場展開がなされ、ライセンスが発生するという、数十年来の慣習に従った委員会構成は今後そう長くは続かないだろう。

代表的なテレビアニメの視聴率は図表8のように急落している。1970年代は視聴率10％を切れば失敗と言われ、アニメ作品は途中でも打ち切りされた時代である。『ドラえもん』も1973年から日テレで放送されたバージョンは26回、約半年で打ち切りとなり（3か月で主役のドラえもんの声優すら代わっている）、そこから雑誌『小学1年生』やコミックスで大人気となり、新たにテレビ朝日とシンエイ動画で始まった1979年版が現在まで続くシリーズとなっている。だがそういった「国民的アニメ」も凋落はなはだしい。トップタイトルでも2000年代に入ると20％を超えることは珍しくなり、2010年代はさらに凋

図表8　マス向けアニメのテレビ視聴率推移（1972〜2019年）

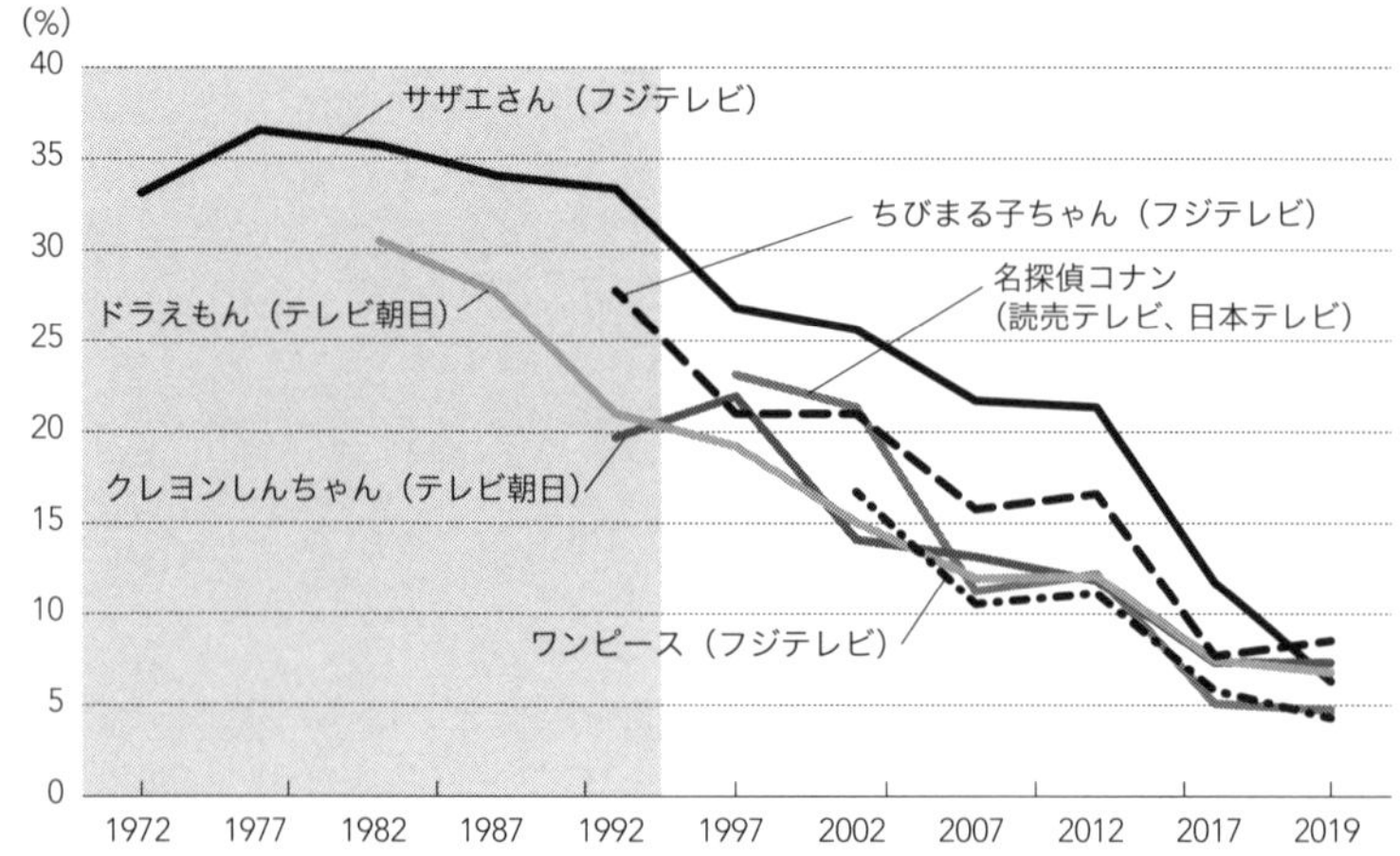

出典）ビデオリサーチ

落して5%前後にはりついているものがほとんどなのだ。アニメが日本を代表する商品といわれていながら、この視聴率との乖離は何なのだろうか。

これはいわば、1960～70年代の家電メーカーの競争のようなものだ。パナソニックはパナソニックの代理店のみで取り扱い、日立は日立の代理店のみで製品を取り扱い、ユーザーはわざわざその専門店を探し、その商品を求めて買いに行く時代があった。放送局が買い上げたアニメは当然ながらその放送局の系列でしか放送はされない。日テレならば読売テレビや中京テレビ、TBSならば毎日放送と中部日本放送といった具合に全国の地方放送局はすべて系列につながっている「専業販売代理店」である。

いまやユーザーは必要な商品は、どこでも手近なチャネルで手に入れる時代になったが、テレビの世界ではこうしたメーカー・卸・小売の流通大改革が起きずに1970年代体制が保全され、いまも大半はユーザーが番組表をみながら目的買いでそのチャンネルを訪れるか録画しなくては視聴できない状態なのである。

50年前はこれが勝ちパターンだった。テレビという箱はあるけれど、流通網としての放送局プラットフォームが出来上がっていなかった時代に、どこよりもネットワーク構築の早かったTBS、日テレ、それに追従するフジテレビの番組は、誰もが歓迎して視聴するコンテンツとなった。❼

だが流通革命を果たし、全国に店舗網を抱えたダイエーが不動産負債で倒産したように、「日本中にいきわたらせること」が最優先の価値ではなくなった。むしろそのネットワークを

❼ 境政郎『そして、フジネットワークは生まれた』扶桑社、2020

維持するためのコストが放送にのっかっていると思うと、魅力的なコンテンツはその放送局を選ぶことがなくなってくる。

ユーザーからしても、配信のネットフリックスやアマゾンはボタン1つでコンテンツを「呼び出す」時代に入り、時間別の番組枠とチャンネルの制約はあまりに時代錯誤である。この時代錯誤に挑戦状を突きつけ、勝ち星を取ったのが『鬼滅の刃』なのである。

アップルのｉＰｈｏｎｅは、ドコモ、ＫＤＤＩ、ソフトバンクといった通信キャリアに囚われることも、専門店、量販店、自社ＥＣといった販売チャネルに囚われることもなく、ひたすらに売れていく。売れる商品は流通を選ばない。コンテンツ業界も同様である。

アニメはアニメとしてのコンテンツの力でメディアを乗り換える地力をもっている。すでに「海外・配信」というネットフリックスによって、２０２０年には20本のアニメがほぼ1社独占の出資で作られ、２０２1年はそれが40本になる予定と発表されている。フールーやビリビリといったほかの配信大手も出資を強めており、ここ数年で「テレビ局と作るアニメ」という構図は時代遅れのものになりつつある。

いまだ日本全国数百万人に視聴してもらえる強力なブランドをもっているテレビ局が、出資社の1社として、ほかの出資社と同じように汗をかいてアニメ業界でのプレゼンスを守らなければいけない時代なのである。

1-2 フォートナイトが見せつけたゲーム空間によるエンタメ市場の侵食

ゲームはもはや「テレビ」でも「プレイ」でもない

「テレビ時代の終焉」はアニメ以外の領域ではもっと早いペースで進んでいる。音楽も映画もそうだが、特にその代表格となるのがゲームである。

Ｗｉｉやプレイステーションといった家庭用ゲームの筐体が以前ほど売れなくなっているのは実感できている話だろう。ただこれは、あくまで「テレビ」ゲームの売上であることを念頭に置いておきたい。

１９８０年代から現在までゲームの最も象徴的なプレイのイメージは、お茶の間の大きなテレビ前に陣取って遊ぶ家庭用ゲームだ。いま家庭用ゲームをそんな形でプレイしている人はどのくらいいるだろうか？

テレビがゲームにとってのデバイスとして「恒星」のような輝きを得ていたのは１９９０年代までの話。２０００年代以降、ゲームは早々とモバイルディスプレイ、ＰＣディスプレイへと較替えをして、市場規模を倍以上に成長させている。ディスプレイさえあればテレビなど必要ない。そして多くの家庭用ゲームソフトはPCゲームのプラットフォームである「Steam」を通じて販売されており、より安く購入できる。サーバーベースでプレイするため、自宅でプレイしていた続きを大学の研究室などの違うPCから呼び出すことだって可能である。

ゲーム自体が飽きられているわけでは決してない。「リビングのテレビでゲームをする」という行為自体が時代遅れとなり、人々はどのウィンドウ、どの端末から、「いつゲームを呼び出すか」というものになっているがゆえに、市場構造が変わっている。

アニメのテレビ離れが明確に進んできたのはほんのここ数年の話だが、ゲームはすでに21世紀に入ったころからずっとその脅威のなかを生き続けてきた。図表9にみるように2010年代は完全にモバイル端末でのゲームが他を圧倒するようになり、家庭用が7000億円→3000億円と縮小したのをあざ笑うかごとく、1・2兆円の「別の」ゲーム市場を作り上げてしまった。

さらには最近になって「ゲームをプレイすること」という概念自体も大きく変化しつつある。2014年にアマゾンが9・7億ドルで買収した「Twitch」、2021年3月にマイクロソフトが100億ドルで買収しようとしていた「Discord」といったサービスをご存じだろうか。いずれも「ゲームプレイをほかの人に視聴してもらう」「ゲームプレイについて

図表9　国内ゲーム市場

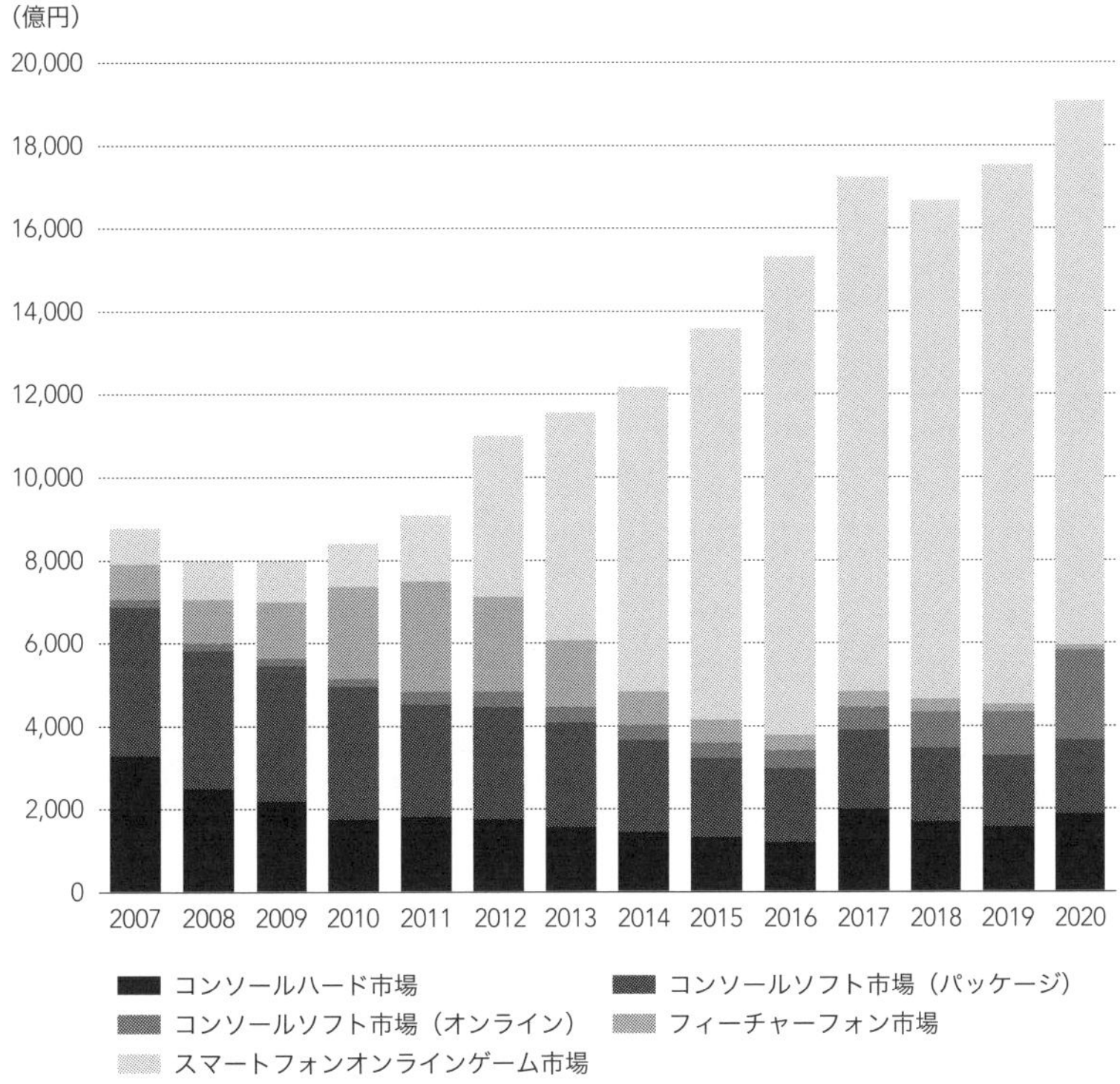

出典）ファミ通ゲーム白書、モバイル・コンテンツ・フォーラム調査資料より著者作成

語り合う」ためのツールである。Ｔｗｉｔｃｈは世界で月間３００万人のアクティブクリエイター（自分で動画配信をする人々）がおり、１日平均１５００万人がログインしている。Ｄｉｓｃｏｒｄは月間１・４億人のアクティブユーザーがいる。その数はインスタグラムやＬＩＮＥとそん色ないレベルであり、これだけの「ゲーマー」もしくは「ゲーム視聴者」がいるのである。どちらも日本でも展開されており、基本無料のためあまり目立たないが、Ｔｗｉｔｃｈは50万人、Ｄｉｓｃｏｒｄは１００万人程度のユーザーがいる。

日本ローカルのゲーム視聴・配信サービスもあり、「ミラティブ」はゲームの配信者３００万人を確保し、中国の斗魚（Ｄｏｕｙｕ）と三井物産がジョイントベンチャーで作った「ミルダム（Ｍｉｌｄｏｍ）」は月５００万人強、毎日１００万人がログインするゲーム視聴マーケットを作り上げている。

つまり約３０００万〜４０００万人がプレイするモバイルゲームアプリ市場で、少なくとも５００万〜１０００万人は「ゲームプレイ」ではなく、「他人のゲームプレイの視聴」「それをみたチャット」という機能で、ゲーム空間で遊んでいる。まさにオンラインで他人がプレイしている空間に入り、ゲームプレイというライブ自体を楽しむという新しいゲーム業界の派生形態が生まれている。

ゲーム業界のライブコンテンツ性は、コロナ禍で外出できないユーザーにはもろ手を挙げて歓迎された。コロナ前の２０１９年第４四半期と比較して、モバイルアプリはダウンロードで30％増、消費支出でも40％増とこれまでの成長市場に輪をかけた成長をみせた。それだけでなく、PC市場も北米中心のＳｔｅａｍは２０１９年10月から２０２０年４月にかけて１日あたりの同時接続ユーザーが46％増加して２４５０万人。ネットワークにコネクトされた携帯やPCのゲームサービスがいま大活性化している状態である。

家庭用ゲームもオンライン化とサブスクで再飛躍

こうした中で、家庭用ゲームの会社もまた座して縮小するわけもなく、彼らとしての生き筋を見つけ出す。２０２０年のゲーム関連事業売上はソニーが約２・５兆円、任天堂が１・８兆円、マイクロソフトが１・２兆円という水準にある。

２０１０年代前半から、モバイルゲームへの切り替わりで家庭用ゲームプラットフォームに対する悲観論は叫ばれてきた。マイクロソフトがＸｂｏｘ事業を売却する話は何度となく出ていたし、ソニーもゲーム事業は別会社化すべきという圧力が投資家から持ち上がった。ところが、「最後の世代」と言われたプレステ４は結果的に順調に販売台数を伸ばし、これこそがラストと言われたプレステ５が出てからも後続シリーズの開発が止む気配はない。

実は家庭用ゲームの業界もまた２０１０年代後半になってから絶好調で盛り返しているのである。

兆しは「プレイステーションプラス（ＰＳＰ）」などの会員制サービスであった。オンラインで他のプレイヤーと一緒に遊ぶには定額サブスクリプションが必要になる。２００６年にスタートしたＰＳネットワークは、その後ＰＳＰとして進化し、有料登録者数は２０１６年以降、毎年５００万単位で増加し、特にコロナ後はその成長が伸び、20年末には４７４０万人に達した。月額８５０円なので、これだけでソニーには年間約５０００億円の収益となる。

任天堂の「Ｓｗｉｔｃｈオンライン」もまた、だいぶ遅れて２０１８年９月スタートながら、20年９月段階ですでに２６００万人の有料登録者を獲得し、ソニーを猛追している。

マイクロソフトの有料定額サービスである「Ｘｂｏｘゲームパス」は21年１月時点で１８００万人が登録している。Ｘｂｏｘ自体が19年末の月間ユーザー６５００万人から、20年末には１億人を超えるという成長のなかで、単品購入モデルから定額課金モデルへのシフトで他の２社に競り合わんとしている。

つまり日本国内の家庭用ゲーム市場は低迷していても、海外も含めた家庭用市場、またオンライン化して

図表10　コンソールゲーム大手3社のゲーム事業収益

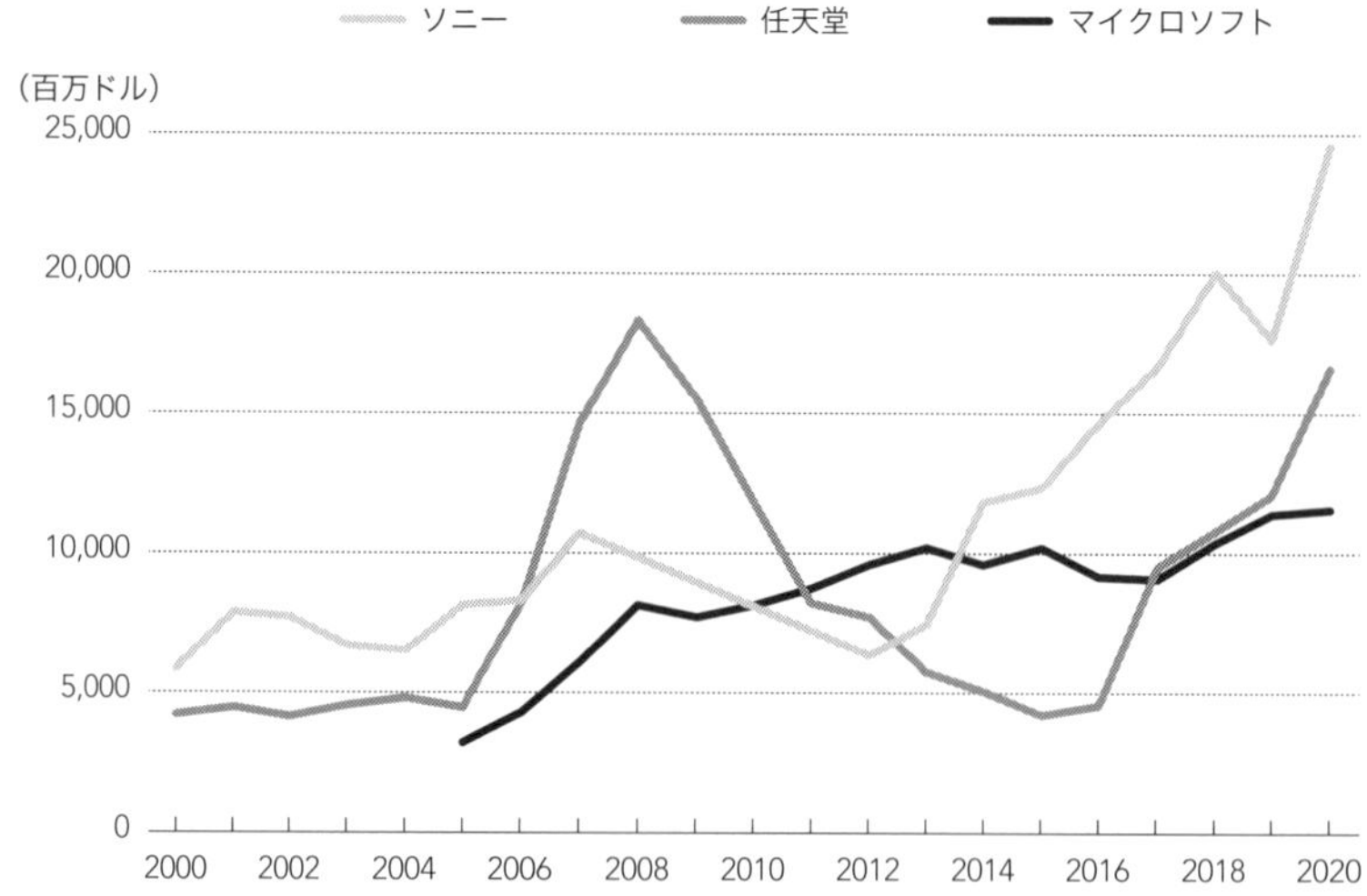

出典）各社IR資料より

サブスクを含めた収益で考えると、家庭用ゲーム業界もまたコンテンツの「ライブ化」❶の後押しをうけて今再び飛躍期のさなかにある。この5年急激に成長していたが、コロナをきっかけにその成長率はさらに大きなものになっている。2020年はソニーもマイクロソフトもゲーム事業収益は過去最高、任天堂もWiiの2008年ピークを越えようとするところである。

3社のどん欲な成長の背景には、ある種の危機感がある。様々な業界が怯えるように、家庭用ゲーム業界もまたGAFAの業界参入を恐れている。グーグルは「Stadia」というクラウドベースのゲームプラットフォーム参入を2019年に発表し、アップルもまた2019年3月に「アップルアーケード」に参入してきている。アマゾンは2020年9月に「アマゾンLuna」の開発をスタートさせ、フェイスブックも同年10月にクラウドゲーム参入を発表した。ついにはネットフリックスも21年7月にゲーム事業への参入を報告した。

彼らが目指すクラウドゲームという領域は、クラウド技術を使って、SwitchやiPhoneのような端末にはデータを置かず、ネットワークの先にあるクラウド空間からデータを都度呼び出しながら行うゲームである。大量のデータを蓄積しておくハイスペックな端末を必要としないし、スマートテレビに差し込むアップルTVやFireTVStickのように「呼び出す機能」だけあれば手のひらサイズの端末で十分になる。

ただクラウドでのゲームを実現するには通信速度の問題をクリアする必要がある。1つのゲームを呼び出すのに数分かかっていたらユーザーのストレスになる。通信中にゲームが止まるようなことは完全にユーザー体験の棄損である。こうした通信インフラを含めた高度化の上に

❶ 本書ではコンテンツがオンラインにつながり、ソーシャルな対人で随時反応がアップデートされ続けること、画面の中が生のものとして常に生々流転されることを「ライブ化」と呼んでいる。またこれはゲーム内だけでなく、日々、月々にコンテンツがアップデートされ、進化しつづけている「運営」という意味も含めての「ライブ化」である。詳しくは拙著『オタク経済圏創世記』日経BP、2019を参照されたい

成り立つため、いまだ実験段階であることは確かだろう。

巨大なユーザープラットフォームをもつGAFAにとって、ゲームはとてもサービス親和性が高い。グーグルはユーチューブで配信するユーチューバーたちの人気プレイをみながら、ボタン1つで同じゲームにその瞬間に入れるような仕組みを取り入れている。アップルはアップルウォッチとの連動でゲームプレイしているユーザーの身体データをモニタリングしながら、ゲーム自体に反映させるような仕組みも導入できる。

なにより「人が同時に集まって、好き勝手にいろいろできる」というゲームインフラ自体が、テレビでもユーチューブでも「視聴」に特化したメディアにはなかなか実現できない新しいユーザー体験である。

ゲームがもつコミュニティ機能、そのユーザーの継続性をGAFAは是が非でも手に入れたいと思っている。

ゲームのライブ化という大事件

ゲーム業界の「ライブ」化の象徴的な事件は、2020年4月にオンラインシューティングゲーム『フォートナイト（Fortnite）』で行われた、ミュージシャン、トラビス・スコットのライブである。ゲーム空間内で開催されたこのライブは1230万人が同時視聴した。「音楽ライブ」としては史上最大の観客動員である。

フォートナイトは2017年に米国エピックゲームスからリリースされたゲーム空間である。各プレイヤーは自分のアバターで参加し、同じ時間にログインした最大100人のプレイヤーと戦い、最後の1人あるいは1組に残るまで、トラップを仕掛けたり自分の武器をグレードアップしながら戦うシューティングゲームである。1プレイはだいたい15分から30分で終わる。アップルやグーグルのモバイルだけでなく、SwitchやプレイステーションPCからでも入ることができるマルチプラットフォームゲームで、2020年末には「毎日」平均3130万人、月でも5600万人がプレイしている。

フォートナイトはアップルのゲーム内課金の手数料に反対し、2020年8月にアップルのアプリストアから削除されるという事件も起こったが、その後も順調に他のプラットフォームを使って成長しているようだ。

トラビス・スコットのライブ❷では、あらかじめ用意されていたステージでコンサートをするかと思いきや、対プレイヤーとのサイズ比較で数百メートルもの巨大なアバターとして登場し、瞬間移動したり雷を落としたり表情やポージングを変えて歌うというコンサートを実施した（プレイヤーは自分のアバターを移動させ、その足元でも頭上でも好きに移動できる）。ゲーム内で何かを破壊するわけでも倒すものでもなく、ただ周囲で多くのプレイヤーが一緒になって踊ったり武器を振り回す「祭り」であった。ゲーム内音楽コンサートはこれが初めてではなく、2019年2月にも米国アーティストのマシュメロがコンサートを実施し、その時も同時接続のユーザーは1000万人を超えている。

❷「トラヴィス・スコット×フォートナイト なぜ「歴史的」だったのか？」CINRA.NET <https://www.cinra.net/column/202005-travisscott_gtmnmcl>

これは「ゲーム空間」が他のあらゆるデジタルエンターテイメントを侵食していく可能性を示している。ゲームの中をコンサート会場にすれば人は集まるし、ゲーム内で入場チケットやアーティスト関連グッズを売ることもできるだろう。ユーザーはすでにゲーム内のデジタルアバターをもっているため、そこでファッションや装飾品をデジタルに売ることもできる。別に3Dアセットが用意できるなら、ゲームの中で落語や歌舞伎を展開したってよい。物理世界が中心だった20世紀においては「そんなリアルじゃない世界で何か買ったって無駄だよ」と思うかもしれないが、すでにデジタル内にも社会的空間があり、どう見せるかということに人々が新しい消費行動をしてきたことは、過去20年のＨＰやブログ設置ブームやソーシャルゲームブームをみても、理解できない話ではないだろう。

エンタメの未来はゲームがつれてくる

誰もが、エンタメ業界を牽引するデジタルテクノロジーとして、ゲーム業界に成長の期待を抱いている。それもそのはず、21世紀に入って出版も音楽もテレビもみな凋落する中で、明確な成長をみせてきたのがゲーム市場であるからだ。

２０２０年に世界ゲーム市場は20兆円近くに及び、２０２５年には30兆円規模になることが予想されている。テレビ・ホームビデオの20兆円、新聞・雑誌市場や広告市場の10兆円、音楽市場の7兆円といったサイズを大きく飛び越えて、エンターテイメント産業のなかでは最大のコンテンツ市場になる。❸すでにTVやPCなどハードウェアの制約を超えて商売を実現している。

ゲーム業界という「系」はユーザーがプレイするという一局面だけを見て商売をしていない。人が集まっているというベースの部分に、「プレイする」のみならず「視聴する」「語り合う」「表現する」といったゲームプレイ自体を2次利用する形でどんどんサービスが展開されている。

アニメ製作委員会とは形式こそ異なるが、ゲーム業界としての「系」は、中心軸をゲームとしてその周辺に明確な「インタラクティブサービス」の経済圏が育っている。エンターテイメントの未来は、ゲームが連れてきてくれる。

❸ PwC “Perspectives from the Global Entertainment & Media Outlook 2021-2025” https://www.pwc.com/gx/en/entertainment-media/outlook-2021/perspectives-2021-2025.pdf

1-3 半沢「劇場」が見せたテレビ業界の未来

「テレビ番組」が「脱テレビ」するために

アニメともゲームとも違って、大いなる自己矛盾をはらんでいる話だが、「テレビ番組」もまた「テレビ」という箱から脱することを迫られている。

現時点で日本で3・4兆円規模になる「コンテンツを制作する費用」の約半分は、テレビ局のテレビ番組としての映像コンテンツだ。1000社近い企業が昼夜を問わず番組企画をし、1作品45〜50分単位で映像パッケージを制作している。年間1・7兆円もの制作費が、誰かが視聴しているかしていないかわからない24時間を埋めるために総動員されている。残りの製作費は新聞が7000億円、ゲームが2000億円、雑誌・ラジオが1000億円、音楽が700億円といったところだ。

すでにユーザーが視聴しなくなってきている「テレビ」にとっては、正直無駄も多いだろう。1・7兆円かけて24時間垂れ流されるテレビ番組制作よりも、数百万円で制作されるヒカキンやはじめしゃちょーの動画が、スマートテレビを通して視聴されて月1億ビューを集め、年間

図表11　日本のメディアソフト制作費（2019年）

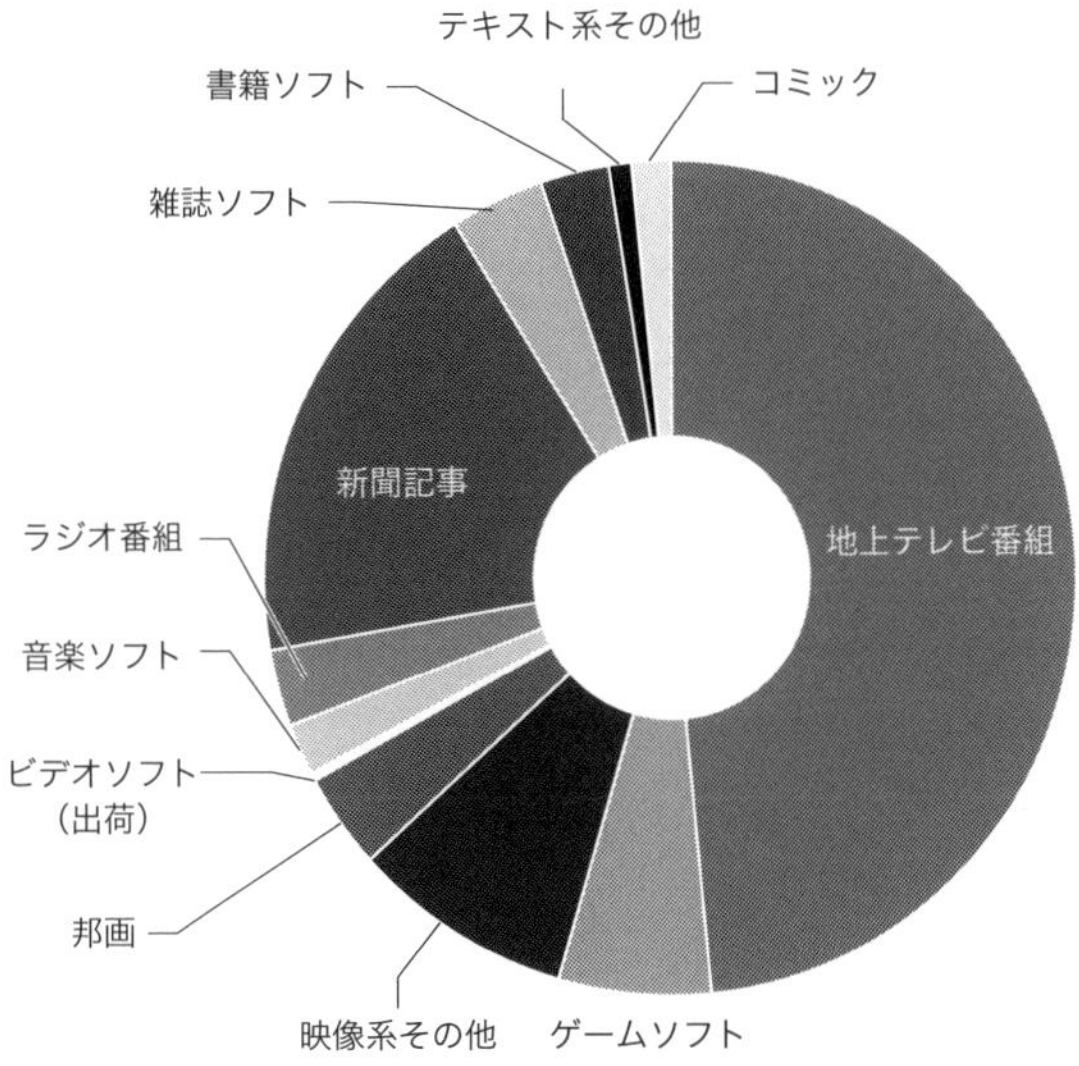

	制作費（億円）	流通市場（億円）	レバレッジ（倍）
地上テレビ番組	17,430	27,492	1.6
ゲームソフト	2,167	16,005	7.4
映像系その他	3,142	26,535	8.4
邦画	1,332	1,442	1.1
ビデオソフト（出荷）	109	1,006	9.2
音楽ソフト	720	6,145	8.5
ラジオ番組	1,073	1,950	1.8
新聞記事	6,728	13,959	2.1
雑誌ソフト	1,329	8,334	6.3
書籍ソフト	974	8,384	8.6
コミック	323	723	2.2
テキスト系その他	557	10,672	19.2

レバレッジ＝流通市場／制作費

出典）総務省「メディア・ソフトの制作及び流通の実態に関する調査」

4億円の収益を生んでいたりもする。❶

「テレビ」がスマートテレビ化し、テレビ局やテレビ番組だけのものではなくなった。PCと変わらないディスプレイとして、中身はインターネット映像にも変わりうる「箱」となったとき、テレビ局の栄華の時代に終わりの始まりの音が響いた。

だが映像を作るというテレビ番組制作の機能は「映画製作」にもなるし、「音楽プロモーションビデオ制作」にもなるし、「会社内でのブランディングCM制作」にもなる。映像を作って人を感動させるというコンテンツの力は、100年後だろうと200年後だろうと普遍的な価値をもち続けるだろう。

アニメに遅れをとるテレビドラマの海外展開

アニメやゲームのようにテレビ番組にもヒット作はある。IP（知的財産）として後に資産として積み上がるものもなくはない。1996年に北海道テレビ（テレビ朝日系列）がつくった『水曜どうでしょう』（当初は『モザイクな夜V3』という番組名）などはその一例だろう。全く期待されていなかった深夜23時台からのこの番組は、鈴井貴之と大泉洋が過酷な旅のさなかに緩い会話を重ねていく形式で徐々に人気を博し、1999年には18・6％の視聴率をたたき出し、ゴールデンタイムにスペシャル番組として放映されるまでになった。DVDの累計出荷枚数500万枚で2014年度にはこの番組だけで24億円の収入を上げている。

❶「日本一YouTuberはじめしゃちょーの年収は？固定給ってマジ？」比較Plus 2021年3月26日<https://tenshoku-plus.com/hajimesyatyo-nensyu/>

だがアニメやゲームの2次元キャラクター版権と大きく異なるのは、こうしたテレビ番組はタレントという個々人の「肖像権」を借り、BGMや音楽をJASRAC信託から借り、借り物の集合体から成り立っているという点である。

この番組を海外のテレビ局が流したいとなれば、登場するタレントの所属する事務所1つ1つに確認と2次使用料の支払いなどが必要になる。利害関係者の1人でも「自分はこの映像にうつっている自分自身に納得していない。この映像は二度と公開しないでくれ」とごねる場合は（それを防ぐために事前に契約書を結ぶ通例はあるが、慣習的にそれを締結していない番組もある）、それだけで再び放送することもどこかに売ることもできなくなってしまう。

クリエイティブ性の高いCM映像も同様だろう。タレントとの放送契約は期間で縛られているため、古いCM映像で出演タレントが死亡しており、誰がその肖像権を管理しているかたどれなくなっていればアウトである。もう誰も文句を言わないだろうと先走って放送してしまったあとに、「いったい誰の許可をとってこれを放映したんだ」と関係者が騒ぎ立てれば訴訟リスクが生じる。

映像の使いづらさは、アニメなどの2次元系のコンテンツと違って、グローバル展開や古いアーカイブの発掘展開といった「再利用」を妨げる大きな障害となっている。それがゆえに「テレビ番組」は版権展開の観点では常にほかの2次元コンテンツの後塵を拝してきた。

海外番組販売の形で国境の壁を乗り越えたのは、1980年代以降である。「おしん」などのヒット作が表れてからようやく徐々に進んだ。1990年代には民放のドラマなど日本コンテンツが海賊版を通してアジア諸国で大量に視聴されはじめていたが、その高額な放送権料や扱いづらさといった隙を縫ってアジアの実写映像のカルチャーを制したのが韓国ドラマだった。

2000年代に入って海外市場の重要性が叫ばれる時代に各テレビ局が海外市場展開に力を入れるようになるころにも、結局価格がつくのはアニメ作品だった。高い制作費をかけてトップ級のタレントが使われた番組でも、韓国ドラマや国内アニメ作品から大きく引き離されているのが現状である。

人々を習慣的に動員して「祭り」を起こすお茶の間劇場

ではテレビ番組がどうやって「テレビを脱却」することができるのだろうか。図表12はツイッターで「#鬼滅の刃」「#半沢直樹」が毎日平均で何回つぶやかれているかを計測したものである。さすがにロックダウン期間の国民的アニメ、国民的ドラマで、それぞれの日次のツイート数はピークには50万人を超えている。

#鬼滅の刃は『劇場版「鬼滅の刃」無限列車編』が公開された2020年10月16日（金）は44・6万回、10月17日（土）は54・3万回、10月18日（日）は44・6万回、日本全国でツイートされている。これは初日3日間で映画館に342万人動員、興行収入46億円という歴史的記録になったタイミングである。フジテレビで再放送が始まったのはその1週間前の10月10日（土）の21時～23時10分のプレミアム枠で、この日のツイート数は27・6万回（その後深夜ま

で「祭り」は続くため、本来なら翌11日の14・7万回も含めるべきだろうが）。その後も話題がつづいた#鬼滅の刃は、毎日10万〜20万といった高いツイート数を維持している。これだけ多くのユーザーが自ら発信をしている。

それに対して、波形が異なる#半沢直樹は、テレビ番組の特徴を明確に捉えている。なにせ2013年7〜9月に放送された最初のシリーズが大好評を博したにも関わらず、配役のスケジュールなどの問題もあり、2020年までほとんどアップデートがなかった作品である。それから長い間、毎日300〜500といったネタ的なツイートがほとんどだった。

だが、19年5月21日にヤフーニュースで「続編制作か」という報道に1・3万回がツイートされたところから数年ぶりに話題にのぼり、❷ 2020年7月19日（日）の第1回と26日（日）の第2回にはそれぞれ約12万回ツイートされている。

このドラマがすごいのは歌舞伎役者たちの過剰なる顔

図表12 「#半沢直樹」「#鬼滅の刃」の日次ツイート数（2020年）

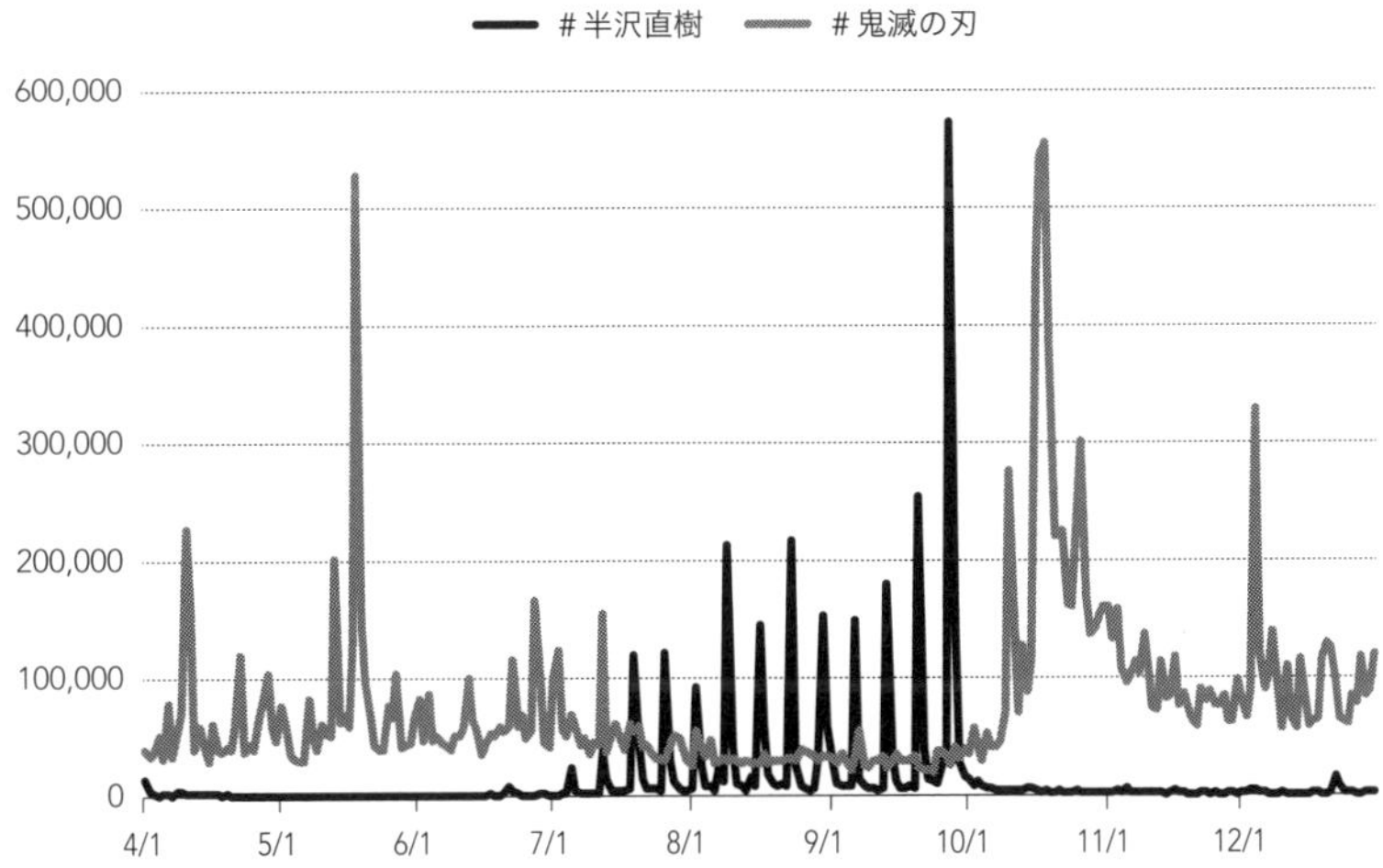

出典）ツイッターより抽出

芸や捨て台詞が話題を呼び、毎週のようにこの「ネタ的な画像や台詞」をユーザーが模倣したり、拡散する「祭り」が拡大していく。ツイート数は8月9日には21・3万回、8月23日には21・8万回、9月20日には25・5万回、9月27日の「千秋楽」には57・3万回に到達する。これらのツイート数はすべて「世界トレンド1位」に入っている。最終回の世帯平均視聴率32・7%は2013年版の半沢直樹以来であり、総合視聴率44・1%も2016年からのビデオリサーチ調査開始以来の最高視聴率である。

ただ、商品コラボからアニメ・映画・ゲームなど話題が「広い」鬼滅に比べ、半沢はあくまでテレビドラマのみである。3か月の「毎週」放送のタイミングのみにおこる定期的な祭りのような数字をみていくと、テレビというメディアの特性が如実に表れる。それは「人々を習慣的に動員する力」である。日曜の夜は、翌日の仕事に向けて気持ちが沈みがちな「サザエさん症候群」におそわれつつ、リビング着座率が高い時間帯である。ここにこの番組をネタに祭りを楽しむ「デジタル劇場」を開くことが認知された。そのタイミングごとにバズらせるための仕掛けが用意され、日曜の夜を演出していたのである。

テレビメディアはさながら季節ごとに全国巡業するサーカスやプロレス団体のようなものだ。習慣化した視聴は崩れにくい。同じシチュエーションでの視聴が約束されるため、ユーザーの共体験を生み出しやすい。

毎話どのショットを切り取り、どの台詞をつぶやいてやろうと自分のフォロワー数だけ追いかけているようなツイッター民はもちろん、2013年の最初のシリーズをみたことがないよ

❷ Yahoo!ニュース @YahooNewsTopics【半沢直樹 堺雅人で続編制作か】平均視聴率28.7%、最終回は平成最高の42.2%を記録したドラマ「半沢直樹」の続編が決まったという。TBS関係者は「キャスティングに関しては、まだ堺さんしか決まっていない、香川さんなどはまだ白紙」。

うな層であっても、この半沢の祭りは乗らないと損だと思える勢いのあるものだった。初回放送をみていた10万のつぶやきは半沢を待ち望んだ人々によるものだったはずだ。だが話題が話題を呼んで、最終回50万のツイートを構成した人々の半分以上は、半沢を待っていた人々ではなく、巨大な祭りの周辺でちょっと一緒に踊らせてもらった人々で膨れ上がっていた。

集団の力の偉大さはその集団の大きさそのものにこそある。世界トレンド1位、その数時間に50万人がつぶやくような「事件」は世界的にも注目され、日本語のわからない私のシンガポールの友人ですら「半沢って何だ⁉」とメールをしてくるような状態であった。

同時にみんなが見て叫ぶライブ感

もし半沢がアマゾンプライムでアーカイブありの配信をしたらどうなっていただろうか。月曜でも火曜でも、それぞれが思い思いの便利な時間帯に、ツイッターでここ数日つぶやかれたあとの「冷たくなった」リアクションの残滓などもみながら、それはそれで楽しんだに違いない。話題にもなったはずだ。

だが、人々を最も駆り立てるのは「この1時間の放送中に誰よりも面白いことを叫んでやりたい」「面白すぎた今回の香川照之の顔芸に、いったい皆どう反応したのだろう」というその瞬間に「劇場を見渡すような」回遊行動である。隣で泣き叫んだり、みんなを爆笑させるような掛け声を上げたり、観客全体の熱気と参加感そのものが、半沢というコンテンツのインパクトを2倍にも3倍にもする。

日曜のこの1時間を終えた後、「劇場」を去るのがもったいなくて、ずっとSNSを回遊していた人も多いはずだ。なんなら翌日まで持ち越して、昨日の「公演」の話題を同僚友人と話し続けた人もいただろう。テレビはライブなのだ。


テレビの未来は、お茶の間を使ったライブコンサートである。

リビングルームにテレビが鎮座し、その前にソファという「観客席」が用意されている空間は、多少の違いはあれどほとんどの家庭にあるのではないだろうか。実はテレビにとっての絶対的な優位性はこの「家の間取り」である。1970代ごろから建築された住宅は軒並みテレビを家の中心に据えた間取り構成になっている。テレビをどこに置くかという視点でリビングが設計され、それを取り囲むようにキッチンや寝室が配置されている。

このリアルな空間デザインを巻き込んだテレビのアドバンテージは、今後数十年にわたって確実に続いていく、他のウィンドウにはない絶対的なポジショニングであり、テレビを通じた放送・配信は、この「お茶の間劇場」をどう利用するかが試される。

「この時間しか流れない」という共時エンタメの絶対的優位性

もちろんこれはすべてのテレビ番組にとっての福音、というわけではない。すでにスマート化したテレビウィンドウはアベマTVもボタン1つでみせてくれる。若年層が最も視聴している「テレビウィンドウでの視聴番組」は「ユーチューブ」という現状もある。インターネット空間とデバイス上でコンフリクトするようになった今、テレビ業界にとっての優位性は、「アーカイブではない、今この時間にしか放送されない『ライブ』感」である。別にそれは録画してあるものであってもかまわない。その時間、その枠でしか流れないという同時性、その不便きわまるスタイルが、逆に絶対的な強みになっているのである。

半沢直樹のようなライブ感の演出をするのであれば、テレビ番組はドラマやスポーツ、ニュースなどライブ性の高いコンテンツに特化していく必要があるだろう。またツイートを誘発し、ユーザー自身をメディアとして参画してもらうための仕掛けをコンテンツの内部に仕込む必要もある。バラエティもアニメも情報番組も、必ずしもライブでなくて構わない内容は、どんどんアーカイブメディア（現在の定義であれば配信メディア）に吸収されていく傾向にある。そうしたときに、「テレビ番組」を作っていた人たちは、どのメディアで誰のためにどんな作品を作っているだろうか。

改良の余地があるのは、テレビ番組の短命な性質である。ライブ性の高さとのトレードオフでもあるが、これだけ日本中を沸かせた半沢直樹も、テレビ放送が終わるとぴたりとツイートが止まる。2020年の9月に毎日平均5万人につぶやかれていた#半沢直樹が、10月に4000、11月に2000、21年に入ると毎日1000以下に落ち着いている。

認知度が高くても、「更新されるネタ」がなければ、誰も取り上げることはない。誰も取り上げなければ思い出されることもなく、「昔流行ったよね」のビンテージ作品の1つに組み込まれてしまう。対する#鬼滅の刃が、テレビアニメも劇場版アニメも終わったとしても、コラボや次回ゲーム化案件などでどんどん継続的な話題をつくっているのに対して、テレビ番組は続編づくりや派生商品をつくれないという致命的な欠点を負っている。

半沢は、記録的な数字をあげた2013年から、役者のスケジュールブッキング問題もあり、7年以上もたってからの2期目であった。この間、待っていたユーザーが多かっただろう。アニメ文脈であれば商品化も継続するし、1〜2年のうちに次回作もつくるだろう。

ファンの熱量が高く、彼らが欲していても、それに見合う供給ができない、この「非ライブ性」はテレビ番組に今後も突きつけられる大きな課題であるとも言える。

1-4 オンラインキャバクラが物語るライブエンタメの「むき出しの価値」

コロナによる大ダメージと、サザン・BTSの配信ライブ

ここまではアニメ・ゲーム・テレビ番組がいかに「ライブ化」してユーザーを巻き込み、リアルなライブエンタメに寄っていくかという話をしてきた。では逆に、もともとライブなコンテンツは今後どうなっていくのだろうか。舞台演劇やスポーツ興行、映画館といったリアル会場でライブ視聴するようなコンテンツがこのコロナ禍でどういう岐路に立たされているかについても話したい。

ゲームは20％増、動画配信は30％増、電子マンガは20％増と「コロナ景気」の後押しを受けた業界もあれば、アニメは10％減、テレビは20％減と制作の目詰まりによってダメージを受けた業界もある。特に、アナログのライブコンテンツにとっての2020年は「凄惨」の一言に尽きる。

例えば映画市場は過去10年上昇傾向にあり、2019年には2000億円に達したが、

２０２０年は4割減となり１５００億円まで下がった。映画の公開本数も邦画５０６本と例年の7割程度にとどまった。

こんな状況で映画史を塗り替える興行収入３６５億円（２０２０年中）の『鬼滅の刃』劇場版が出るのだから皮肉なものだ。日本全体がエンタメ不足だったからこそテレビアニメとしての『鬼滅の刃』に視聴が集中し、また劇場版もちょうどロックダウン明けの11月に差し込め、21年4月の新たなロックダウン前に収穫しきった。綱渡りではあったが最高のウィンドウセッティングができたからこその「奇跡」ともいえる。

舞台演劇・音楽ライブはさらにダメージが大きい。舞台演劇（演劇・ミュージカル・演芸）の市場は２０１９年の２０００億円が20年に６００億円と7割減の状況。音楽ライブに至ってはこの10年で２・５倍へ急成長した業界ではあったが、19年の４２００億円から20年は７００億円へと8割減となっている。20年3月以降、開催自体が禁じられていたのだからどうしようもない。壊滅的な状況である。

致し方なく始まった無観客での「有料音楽ライブ配信」は年間４４８億円の市場となり、これまでとは違うビジネス軸を打ち立てるきっかけにもなった。２０１９年以前には存在しなかった市場であることを考えるとかなりの数字だが、音楽ライブから失われた４０００億円の10分の1を補填したに過ぎない。本来あるべきだった市場の1割程度がデジタルに転換した、というくらいの状況である。

ただし、興行の世界にとって２０２０年は「何もできなかった1年間」では決してなかった。

図表13 映画・ライブエンタメ業界のコロナダメージ

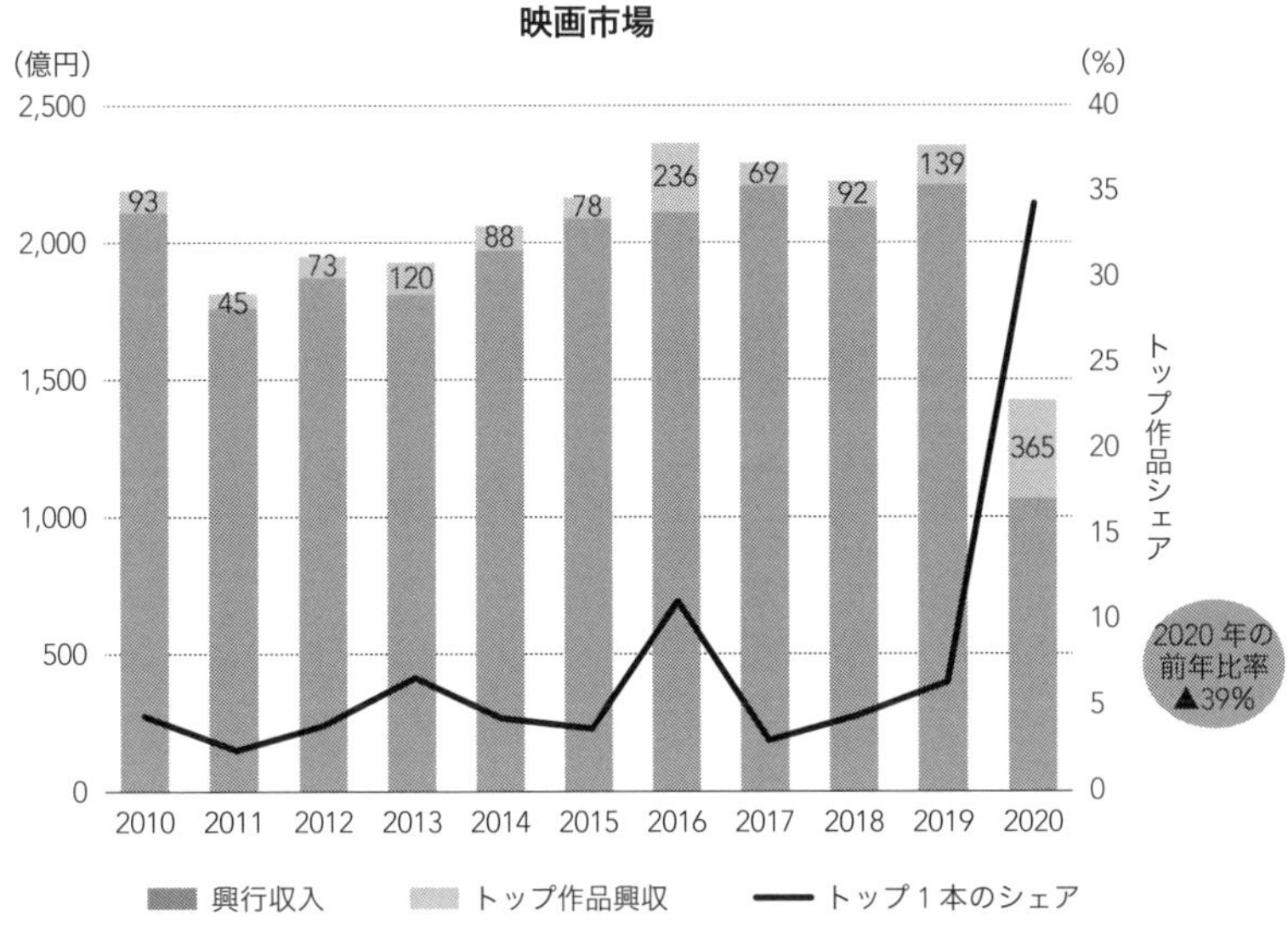

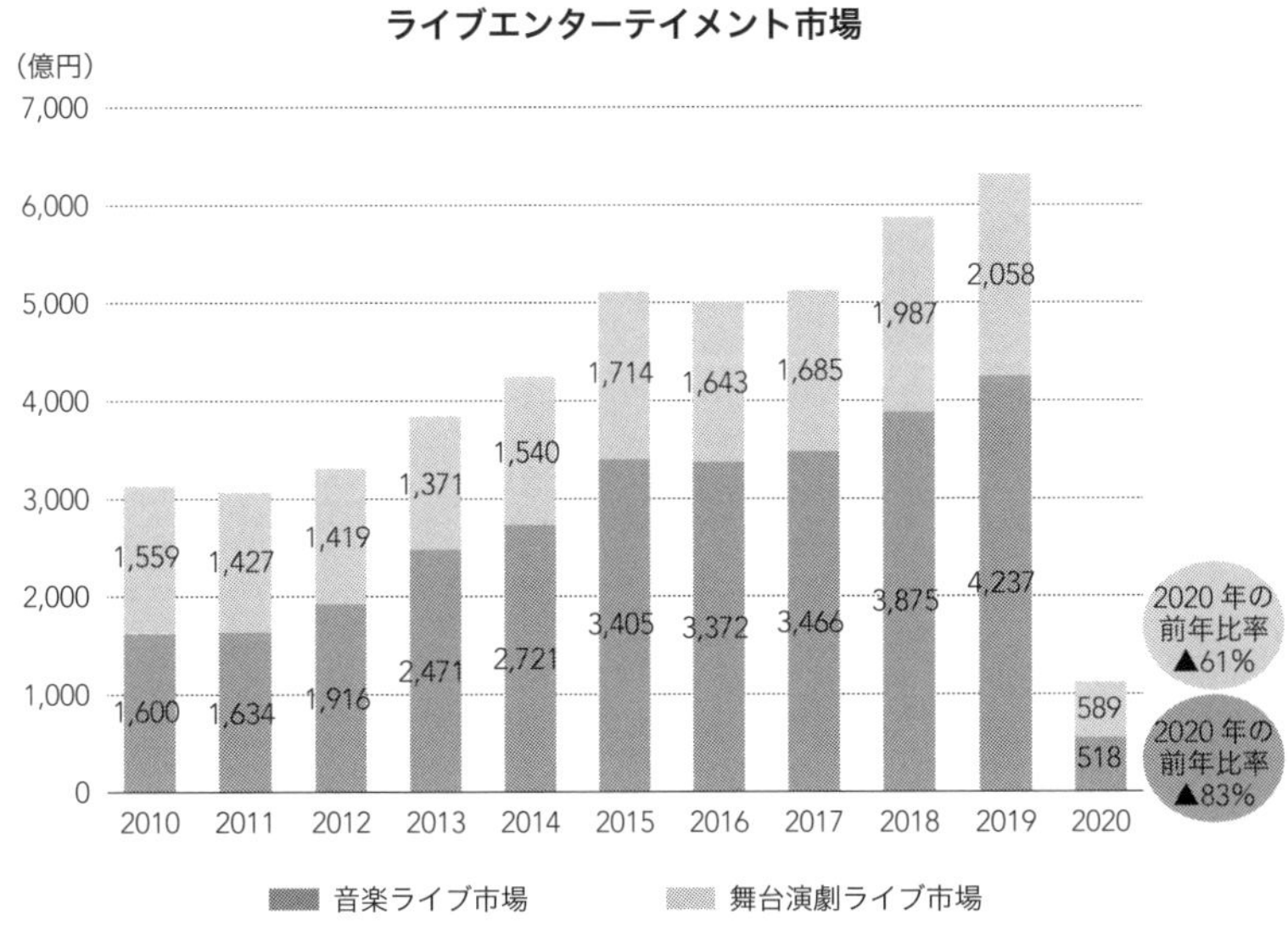

出典）日本映画製作者連盟、ぴあ総研

サザンオールスターズは2020年6月の音楽配信ライブで3600円のチケットが18万人に購入され、これだけで6億円以上の収益を上げた。

韓国の人気バンドBTSに至っては、同月のBANG BANG CON The Liveで75・6万人を全世界107か国で集め、「世界で最もユーザーを集めた音楽コンサートライブストリーム」でギネス登録された（前述のトラビス・スコットの事例はゲーム内のためカウント外である）。1人4000円程度の視聴料だったことを考えるとこれだけで30億円の収益である。曲にあわせて配布されたペンライトがリモートでもカラーが変わる仕組みが導入され、あたかも70万人を超えるファンが同じコンサート会場で参加しているようなライブ感があり、今後さらに改良の余地があるポテンシャルを秘めている。

「規模（熱量）×価格」ではかるリアルエンタメ勢力マップ

コロナ前のライブエンタメを整理してみたい。図表14はアナログジャンルにおけるエンターテイメントを1興行あたりの平均視聴者（＝ハコのサイズ）と1興行あたりのチケット費用（＝1人視聴者あたりの価格）で分類している。

歌舞伎・能やミュージカル、演劇などはそれぞれ数百億円規模の市場をもちつつ、1回あたり数百人規模の興行を1人あたり5000〜1万円で集客して、同じ演目を再演することで稼いできた。演芸（落語・講談）やコメディは演者数人による話芸が中心で舞台装置もいらない、

図表14 ライブエンタメのチケット単価・同時観客数マッピング

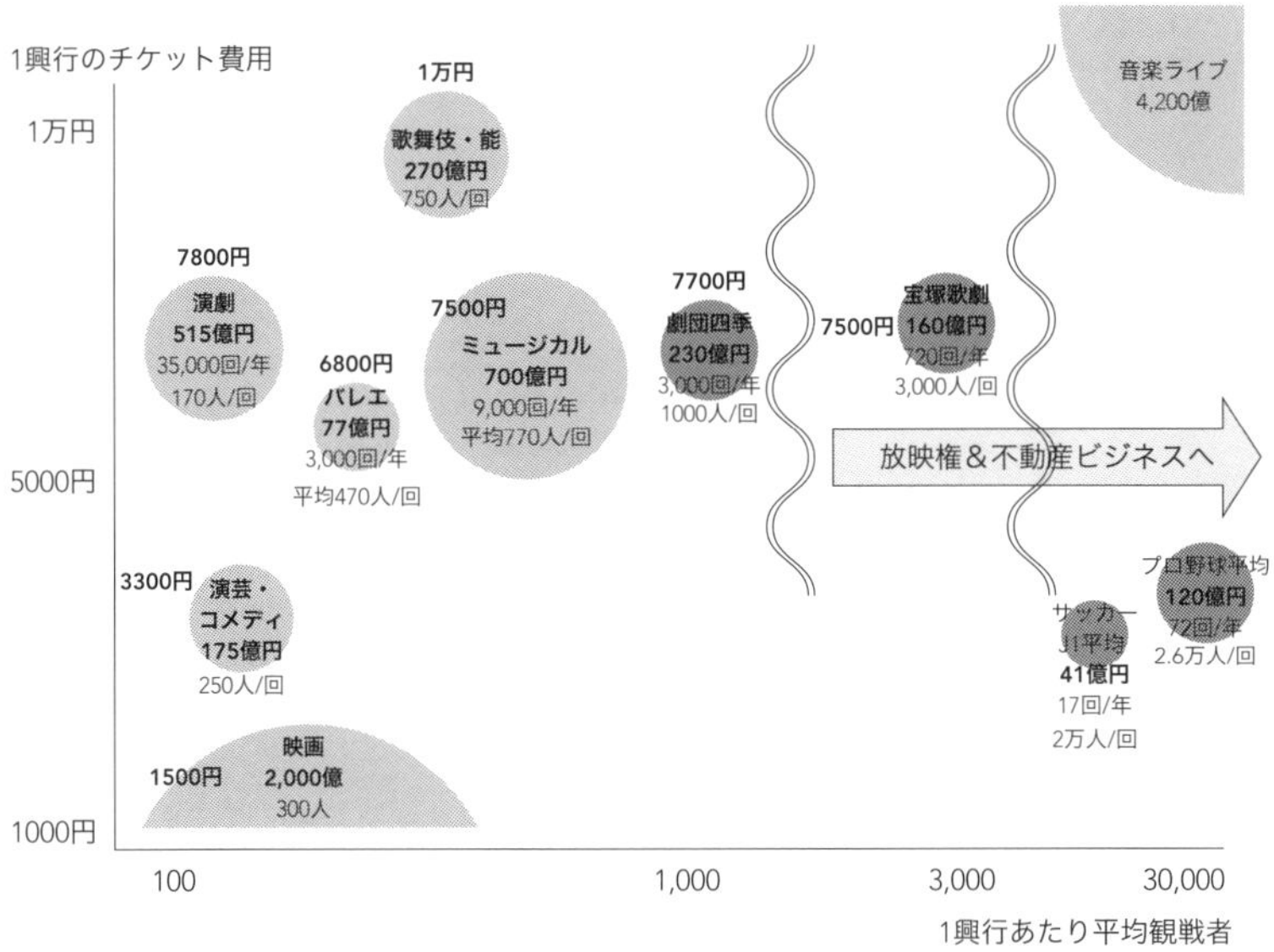

出典）レジャー白書・芸能白書などから著者作成、円の大きさは市場規模、年間興行回数・観客動員数から1興行あたりの平均値を算出

ということで1人3000円未満で平均100人ちょっとのエコノミーなエンタメを展開し、200億円弱の市場となっている。

これらと比較すると1920年代から頭角を現した映画がどれほど革命的だったかもわかる。演者もいらず、1人2000円未満でスペクタクルな映像を複数の場所で繰り返し上映することができる。劇場を改造して映画館にすることで、小さな単位でのエンタメが全国に届けられるようになった。2019年には2500億円を稼いでいた。

ミュージカルから演芸、そして映画といった1000人未満単位の競争は、さながらデパートからスーパー、そしてコンビニへと転換していった小売・流通革命に近い動きである。いかに安く提供し、いかに中小規模の会場を埋めるかという日常的なライブエンターテイメントのコンテンツである。

対するプレミアム路線として劇団四季や宝塚歌劇は特別な存在で、常設のハコを保有し、毎回1000人以上を集める公演を年間何百回と行うような仕組みで100億~200億円もの市場を生み出している。集団の規模はその熱量でコンテンツの質を高める。

音楽ライブは演出を行う興行モノとしては最高品質・最高額である。1万人以上を集める日本武道館やさいたまスーパーアリーナといった大型会場で、1人当たり1万円単位の料金を取り、まさに「祭り」としては最もプレミアムかつ最も大規模に行う。2億円で制作し、3万人を集めて3億円を回収しながら、なんとかトントンでまわす、といった具合である。

サッカーや野球といったスポーツ興行は、大規模×安価を実現し、常設のスタジアムで都度演出の舞台装置をつくりこむ必要もなく、5000円未満でスリリングな試合をヒト（選手）が演出する。

こうしてみると、ヒトで楽しませる落語からスポーツまでという安価なコンテンツと、演出で楽しませる演劇から音楽ライブまでという高価なコンテンツに二分されるが、共通するのはデジタルなコンテンツと違ってその場限りの1回性の「ライブ」コンテンツであるという点である。

ライブだからこそ、コロナ禍でほとんどの公演が実現できないものとなり、市場が6〜8割マイナスという憂き目に遭っている。同時にゲームやアニメ、マンガといったコンテンツが「ライブ性」を取り入れ、こうしたリアルのライブエンタメからユーザーを奪ってしまった、というのが2020年であった。

「感動コスパ」をどう上げていくか

リアル・ライブコンテンツの業界では、2020年の1年間は様々な実験が展開されてきた。それが図表15である。リアル部分が封鎖されたときに、リアルコンテンツをいかにデジタル空間にデコードしていくかが模索された。

ちょっと意外な展開をした事例としてキャバクラがあった。本来数人単位の空間でキャバ嬢とのおしゃべりを楽しむ空間は、1人あたり1万円以上の高級な空間であった。だがコロナ後に「オンラインキャバクラ」として、1対1でキャバ嬢とZｏｏm越しに乾杯し、ゆっくり話ができるサービスに一定の需要が発生した。単価設定が難しく、1人当たり1時間2000～3000円といった形で、自宅の冷蔵庫にあるお酒をキャバ嬢が飲むとそれが追加課金される仕組みである。

お店のような演出空間がなくなったときに、(Zｏｏm越しだが着飾っている)ピンとしてのキャバ嬢とお客の会話・時間そのものの価値が浮き彫りになる。お酒をつくったりおしぼりで水滴をふいたりといったサービスの提供や演出でまぶされていた時間が「会話」という1点に絞られ、その特定のキャバ嬢との会話時間そのものへの価格付けがなされる。お客によっては、ゆっくり話せるようになってより長い時間をチャージするケースもある。だが明確にお酒は進まなくなり、追加課金としてキャバ嬢の収入は減少傾向である。

同じようなことはオンラインサロンやアイドルのチャット配信市場にも言える。デジタルになると、演出空間なしの情報交換としての価値だけがむき出しになる。ライブエンタメがライブであるがゆえにかさ上げしていた価値は、デジタルになったことで明確にデフレ化している。

では左右方向の動きはどうだろうか。デジタルではコンテンツまでの心理距離が「遠く」なる。だがフォートナイトやBTSのように「集まっているファンの熱狂のボリューム」自体は際限なく増やせるし、共体験としての質は変わりうる。ペンライトを連動させるBTSも、フォートナイトでつなぎこみながら別ウィンドウでDｉｓｃｏｒdを立ち上げてチャットしているのも「デジタル内空間をより盛り上げる工夫」と言えるだろう。

図表15　コロナ後のライブエンタメマッピング

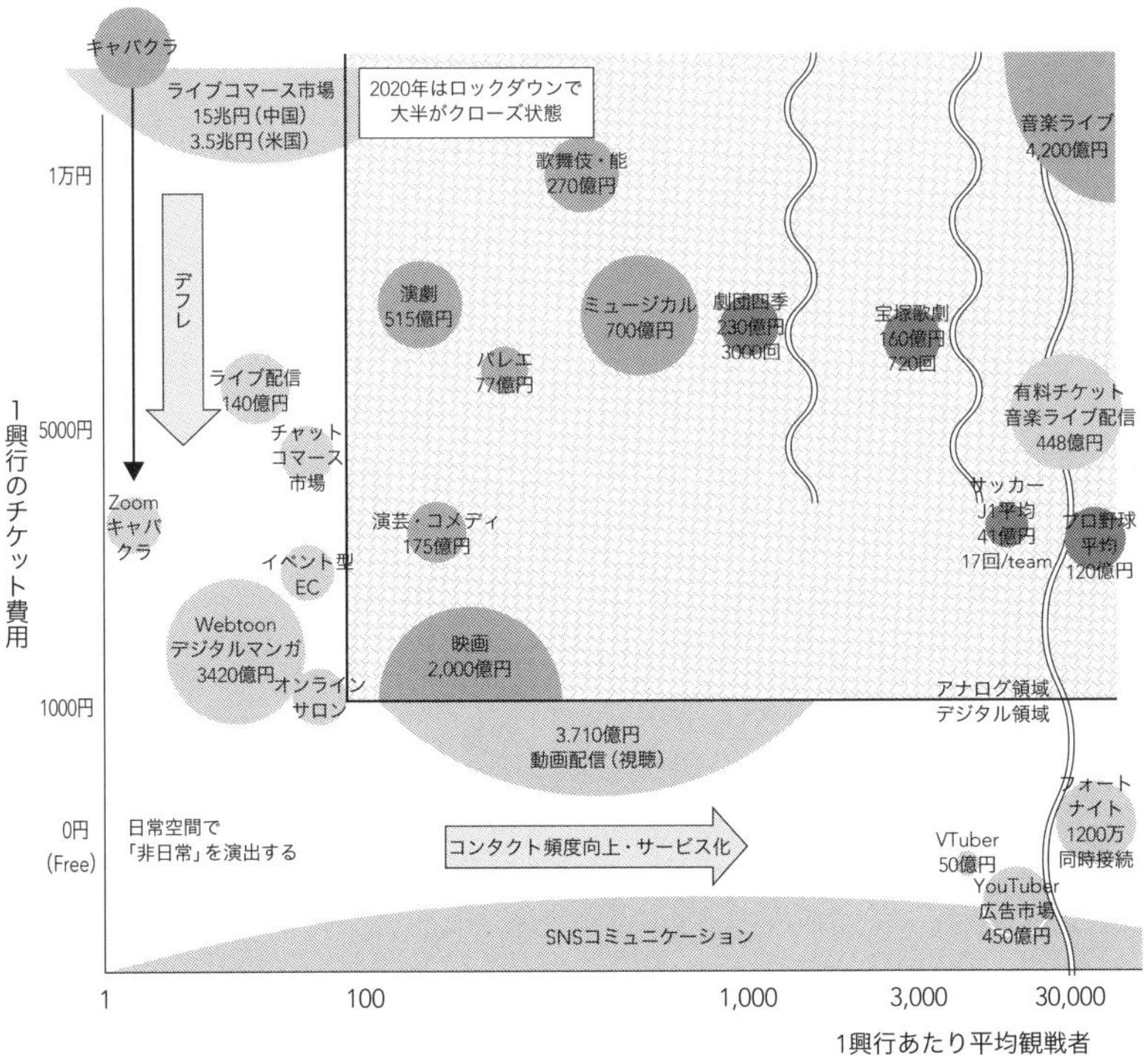

空間演出も含めて、人々の「時間単価」の考え方は大きく変化している。プレミアムな空間・体験を高価格で、パッケージ空間・体験をより低価格で、こうした価格と規模と演出の掛け算で成り立っていたこの業界は、「リスク回避」を前提としたデジタル併用の選択型空間へとコンバートされることになる。

エンタメの世界は、歴史上ほとんどの変化は事業者側ではなくユーザー側によって引き起こされている。

第2章で詳しく見ていくが、ユーザーは「自分が本当に好きなものにだけに時間を使いたい」と思うようになっている。広告も無駄だし、好きでもないコンテンツを無料だとしても見させられ続けるのは無駄だし、さらには好きになったものだとしてもいつかその作品が終わってしまうのであればそれもまた無駄である。彼らは「失敗すること」を恐れている。

こうしたときに、ユーザーの時間対感動という「感動コスパ指数」の高さはエンタメ全体のなかでユーザー奪い合いの絶対的優位性になる。供給者としてユーザーの感動コスパをどう上げていくかは、アナログとデジタルを併用して、常に注視していかなければいけない課題である。

1-5 産業カテゴリーの大変革

コンテンツ屋としての「眼」はあるか

2020〜21年という時代は、エンタメ業界の市場環境であるユーザーを取り巻く世界がドラスティックに変わった。ゲーム市場はコロナを追い風として2〜3割増加し、2〜3割減のアニメやテレビ番組は多チャンネル構想を推進し、4割減の映画が配信へのシフトに挑戦し、6割減の舞台演劇や8割減の音楽ライブがデジタル配信を画策した。

これほどの変化は過去100年でも起こったことのないものだ。1920年代にデパートの客寄せや舞台演劇の代替としての映画が流行したときも、1960年代にテレビがすべての視聴を奪っていったときも、これほどまでに横断的に全産業を巻き込んでいったものではなかったはずだ。

こうした環境激変への対応という意味では、経済史よりも生物史から学びをくみ取るほうが示唆深い。現在のコンテンツ産業の競争環境を観ていると『眼の誕生』を思い起こす。[1]

5・4億年前のカンブリア紀に生物が急激に多様化した「カンブリア紀の大爆発」を引き起

[1] アンドリュー・パーカー著、渡辺政隆訳『眼の誕生——カンブリア紀大進化の謎を解く』草思社、2006

こしたのは、特定の生物が「眼」を獲得したからだということだ。

それまで生物は皆やわらかく、固い骨格もなく、色も単調だった。誰も「眼」をもっていないため、見つかって捕食されるリスクが低かった。しかし、探索手段が嗅覚や体の触れ合いしかない暗闇の世界だったときには必要のなかった「眼」を手に入れた生物の出現によって、あっという間に発見され捕食される世界に一変した。生物はその後、体の骨格をつくり、運動能力を多様化させ、光の当たるところ当たらないところと生息場所も広げていった。これが生物の多様性を広げ、様々な生物が生まれるようになった原因であった。

コンテンツ屋としての「眼」は、これまで映画／テレビ／インターネット／通信など、メディアごとの〝城下町〟で守られていた制作ラインが、実はもうすでにその縛りから解放され、1つ1つの領域に縛られる必要などないのだということに気づく必要がある。まさに眼をもっているかどうかが問われているように。今後はテキスト／音声／動画／ゲームといったコンテンツの属性の違いをふまえつつも、メディアの境界に囚われず、それぞれごとの特徴ある表現に注力すべきなのだ（正直なところ、実はこの定義すら早晩古くなるかもしれない。動画はインタラクティブ性を取り入れてゲーム的なものになりつつあり、マンガ動画や音声ゲームのように、ここにも境域的な動きは起こっている）。

これまではメディアとコンテンツ制作が一体化してきた。映画は映画会社がつくり、テレビはテレビ制作会社が作り、インターネットはインターネット配信業者が作った。こうした「縦軸」の分断に囚われていると、コンテンツ企業は大事なことを見落とす。もうメディアごとの境に絶対的なものは何も存在せず、テレビには番組もネットコンテンツも映画も詰め込まれるようになった。

マンガアプリからスマートスピーカーに至るまで、映像を必要としないメディアは限られてくる。ゲーム会社もテレビやアニメ制作会社が作った映像を組み込み、電子マンガですら、ある程度動く絵とボイスを必要とする時代だ。ユーチューブでの動画制作は15年の歴史となり、動画づくりのノウハウが確立しつつある。

いま「テレビ番組制作会社」を名乗ることは、もっと速い馬車を作ろうと躍起になった19世紀初頭の企業と変わらない。自動車が普及することは誰もがわかっていることなのに、「機械がわからないから」という理由で人の移動を助け続けてきたブランドある馬車会社は、これからあと何年続けられるかわからない先細りの馬車需要にしがみついてしまう。

「テレビ画面でテレビ番組を見ること」の時間が急激にしぼんでいる反面、「映像を見ること」自体の総消費量は成長している。映像の制作会社にとって、メディアを越えて、メディアごとにコンテンツも改修しながら、越境していくことだけが先に続く道なはずだ。

「光のない世界」と「光のある世界」

もちろん、まだユーザーがいない市場で生きるのは、生易しいものではない。例えば動画配信プラットフォーム市場は2021年現在でいえばアマゾンプライム、ネットフリックス、アべマTVなど群雄割拠状態で、テレビ局もIT企業もコンテンツ会社も殺到する有望成長市場である。だが、ここはかつてとんでもない赤字市場だった。「動画配信の時代だ」と人々が叫んだ15年前ほどから日本企業も長いこと取り組んできたものの、彼らは早すぎたファーストペンギンだった。2006年からのニコニコ動画は唯一ユーザーを集めて業界を牽引したが、ほとんどのプレイヤーが水温の上がらない海で凍死し続けてきた。それが10年前の動画配信業界の私のイメージだった。

ベンチャーたちの産業は、酸素もない環境から始まる。酸素（ユーザーからの消費マネー）がなければ二酸化炭素（B to Bのスポンサーマネー）の嫌気呼吸で生きられる体になってしまえばいい、とばかりに、例えば現状のｅスポーツ産業はそれに近い状態となっている。

ｅスポーツの2020年の市場規模は67億円だが、その7割は「スポンサー」である。これは通常の商品広告とは違い、「ブランディング広告」と呼ばれる企業イメージなどをロゴでつけてブランドを宣伝するためのもので、まだｅスポーツの会場や放映に商品CMを入れても効果がない段階で、関係会社が注入している出資マネーと考えたほうがよいだろう。[2] 会場に視聴しにくるユーザーからのチケット収入が全体に占める比率はわずか1％で年間1億円にも満たない。ユーザーがお金を払っているのではなく、ユーザーがそのうち集まることを期待した企業群が業界を支えるためにお金を出し合って運営している資金によって産業が生かされているに過ぎない。

もちろんB to Cだけでなく、こうしたB to Bも大事ではある。不自然にも思えるこうした

[2] https://prtimes.jp/main/html/rd/p/000008428・000007006.html

状態は、革新技術による黎明期の産業にとっては「常態」であるともいえる。消費者に比べて企業のほうが中長期の市場環境を踏まえ、「期待値」によってお金を払う存在だからだ。

だが2010年以前のVRやブロックチェーン技術がそうであったように、ユーザーが生まれ、消費が生まれるまでの時間が長すぎれば、いずれB to Bは枯渇する。ベンチャーキャピタルがどんどん出資するけれど、一向にユーザーがついてこない商品開発のようなものだ。

市場黎明期はほとんどがこうした生存環境で企業が生まれる。深い深海で光合成もできないなかで、二酸化炭素(市場成長を期待する先験的な企業の資金)によって生きながらえ、なんとか浮上して、そのうちに光と酸素(ユーザーからの自律的な消費マネー)を手に入れるのである。

ほかの生物と異なる深度で生きる逞しいベンチャーがあるから、ユーチューバー市場が2013年に生まれ、Vチューバー市場が2017年に活性化し、NFT市場が2021年に急騰している。これらは死屍累々の上に築か

図表16　eスポーツの市場規模

		日本市場				世界市場
		2017	2018	2019	2020	2019
eスポーツ市場規模(億円)		3.7	48.3	61.2	66.8	1,096.0
	スポンサー		75.9%	75.7%	67.3%	42%
	広告					17%
	放映権		8.4%	8.4%	19.2%	23%
	チケット		5.3%	5.5%	1.2%	9%
	アイテム課金・賞金		8.9%	8.9%	11.5%	
	グッズ		1.1%	1.1%	0.2%	
	著作権		0.3%	0.3%	0.4%	9%

出典) KADOKAWA Game Linkage, Newzoo

れた奇跡のような生存事例である。

今、アニメやゲーム、テレビ番組やライブコンテンツ業界が求められる「変態」は、これほど激しいものではないはずだ。目の前に多くの〝浮上してきた〞成功事例がある光ある世界である。そこで変革に目を向けないのは、馬車に固執し、木靴を機織機に投げ込んだ「技術・科学に目を背ける人々」と同じくらい愚かなことだ。

第2章

「萌え」から「推し」へ、ファンの変化からみる「風の時代」

2-1 しがらみなく夢中になれる共体験がエンタメになる

コンテンツのライブ化によって、競争条件が変わってきている話を第1章では進めた。この本当の背景となるのは実はメディアの変化よりも先んじてユーザーの変化がある。ユーザーが選択したからメディアが変わり、メディアを通してコンテンツが変わってきている。

ユーザーは、もはや「消費者」と呼んでいたころの行動特性をもっていない。彼らはむしろ「表現者」のようにコンテンツとの付き合い方を変えるようになってきた。第2章ではユーザーにフォーカスを当てて、変化をみていきたい。

「宝塚」「ジャニーズ」から学ぶ「推しの美学」

「推し」は、以前は主に女性の世界だけに閉じていて、例えば宝塚やジャニーズのファンに昔からみられた現象である。舞台演劇で数十人のキャストのなかで、まだ若手の特定の俳優・タレントを「推し」として入れ込み、その推しタレントが団体のなかでどんどん成長・出世していく様をともに喜び、ともに感動する。

毎回帝国劇場の地下で出待ちをして一瞬目が合う。何度も何度も通ううちに、自分に向かってお辞儀をしてくれているように感じてくる。自分を認識してくれているような気がする。出費をおさえながら、公演費用を捻出し、週次で行われる日本全国の地方巡業もまわりながら、ささやかながら身に着けるTシャツやアクセサリーなどを差し入れてみる。するとその推しタレントがさりげなくそのTシャツを身に着けてインスタをアップしている。そのタレントを推している数百人もの先輩ファンを押しのけて、誰も気づいていないが、そのTシャツは自分があげたものなのだ、という快感に酔いしれる。❶

推しは遠く憧れ、皆で見守っている集団的なアイコンであるため、あまりに自分だけが特別な関係となることを望んでいるわけではない。ファンの中には明確な序列がある。もう10年近く、そのタレントが10代前半だったころから支え続けているAさんのまわりにはファン同士の集いがある。共感するストーリーやAさんしか知らない推しの昔話に心ときめかせ、むしろ皆で支援することで推しがどんどん輝いていく様を、共体験として純粋に楽しんでいる。

いつまでも終わらないでほしい。結婚や卒業によって、その推しの活動が止まってしまうことは絶望である。

ときたまその輝きが到達点にむかうような特別な公演もある。この次の1回、自分がちょっとした用事で行けなかった回がそうであったなら、見逃してしまったことを一生後悔するのではないかと、どうしても地方巡業まで足を運ぶ理由にもなる。

❶ 劇団雌猫『浪費図鑑　悪友たちのないしょ話』小学館、2017

恋愛とも友情とも親子愛とも異なる不思議な感情。ただ、間違いなくこの「推し」による活動は自分に活力をもたらす。毎週末が鮮やかに彩られ、平日も前向きに仕事に打ち込むことができる。

かつて男性オタクは「萌え」を使い、いわゆるかわいいキャラクター・タレントへの恋愛とも性愛ともいえない愛着を表現していた。テレビドラマにもなった『電車男』❷がヒットした2005年がいわば「萌え」のピークで、その後は廃れていく。使われる頻度が徐々に少なくなっていったのだ。それと交代するように「推し」が女性のみならず男性にも広がるようになってきた。グーグルトレンドで2つの言葉の検索数をみてみると、面白いほど対極的に、廃れた「萌え」と勃興する「推し」の違いが見えてくる。

「萌え」から「推し」という変化は単なる言葉遊びではない。これは確実に、対象（キャラやその作品の世界観）に対する人々の態度や価値観が如実に変化している事例である。「萌え」のように対象への内的な感情で対する姿勢ではなくなり、「推し」としてキャラ・タレントに活動として何かを与える、一緒に何かをしていくことを重視するようになっている。宝塚やジャニーズファンが昔からやっていたような行為を、男性ファンもまた乃木坂46やＮｉｚｉＵに対して行うようになっていく。

❷ ネット掲示板への書き込みをもとにオタク男性（ハンドルネーム「電車男」）が恋愛のノウハウなどを集合知でガイドされながら恋愛を成就させていった実話をもとにしたストーリーで、マンガ・映画・テレビドラマ・舞台にもなって社会現象を巻き起こした。「オタク」の実像が社会的に認知され、受容されていくきっかけをつくった作品とも言われている。（中野独人『電車男』新潮社、2004）

「幸せへの道」の変化

なぜ内的な「萌え」から、外的な「推し」へとファンの心理が変化したのか。これは「家族」との関係が大いに関係している。家族形成が幸せへの道でなくなったことが知れ渡ってしまった現代にあって、その役割からの自由・解放を求める行動だと私は考えている。

50年前の日本社会には「恋愛→結婚→性愛→出産」という大きな物語が共通認識として存在していた。恋愛の先には明確に結婚と性愛があり、恋愛は最終的に出産を通して家族をつくるための最初の入り口であった。この前提にはサラリーマンの夫、専業主婦の妻と子供という典型的な「近代家族」像があり、離婚や不倫に対しては不寛容な統一的なモデルであった。こうした「安定的な家族形成への道」=幸せ、という物語は強力で、一旗揚げて東京に上京してくる郊外・農村の人々の希望の道となっていた。

だがこの「幸せにむけた家族形成への道」は人類の歴史上において、思いのほか短命に終わってしまったファンタジーに過ぎない。戦前の明治・大正は夜這い文化が残っていたことからもわかるように、また離婚歴が多くてもそれが悪い履歴にならず再婚が容易であり、「1人の相手と添い遂げる」ような文化は存在しなかった。❸日本全国の世帯の家族構成・離婚歴を追ってみれば、この近代家族も一部の都市のホワイトカラーに閉じた、団塊世代だけに通用する神話であったこともわかってくる。

❸ 戦前の離婚率は意外にも高く、明治初期の1880年前後は0.34%（人口1000人中3.4件）と近年のピークの2000年前後の0.2%よりも高かった。この数字は戦後になって大きく下がっていき、1965年で0.07%で底を打ったが、離婚率が極端に低い時期は戦後から1980年ごろまでにとどまり、その後は明治時代のように離婚件数が戻っていった。

バブル期にはすでにほころびは見えており、恋愛・性愛革命が起きた1980〜90年代の緩やかな自由化のなかで、結婚をゴールとして見据えながら、性愛から恋愛へのルートは手段として器用に使う層が一般化していく。「恋愛→性愛…結婚→出産」といえる時代であり、「…」は厳密にはつながっていない。女性からみると手慣れた男性と恋愛・性愛は経験するも、結婚は手堅くまじめな男性に、といった具合である。

また、この時代はお見合い婚から自由恋愛婚に変化し、異性にお金を使っていた時代である。車もスキーも飲食も、異性のために費やした時代は、当時の月9ドラマにもよく表れている。だが、バブルがはじけてお金がなくなったとき、皆質素になった。

2000年代に入ると、皆が自分のためにお金を使うようになる。恋愛も結婚も、約束されたルートではなくなり、どちらにも興味を示さない草食男子・草食女子が現れてきたのもこの21世紀に入ってからである。ミレニアル世代、Z世代と呼ばれる人々をみると、彼らの考え方は「恋愛／性愛／結婚／出産」と、すべてが分断されている。ソフレ（添い寝フレンド）のように性愛とは隔絶した友情に近い恋愛があり、感情がいらない相手とセフレ（セックスをするだけのフレンド）として部分外注する。

結婚となると再び話は別で、子育て費用や姻戚関係、仕事のキャリアの断絶など結婚で負うリスク・重荷がどんどん上がっていることで、なかなか相手を選べない。1周まわって家族の協力体制が一番だから、親が認めた相手とのお見合いがベストという若者も今となると珍しい話ではない。

さらには結婚しても出産自体がまた選択肢となっており、個々人のライフスタイルを重視するため、恋愛‐性愛‐結婚が奇跡的につながっても、出産だけはしませんという夫婦もいる。❹

こうした「政治」でがんじがらめの性愛／結婚／出産から隔絶する「恋愛」に近い感覚として、「推し」が生まれたのではないかと思われる。おひとり様でも幸せでいられる時代に、「推し」は無色透明に人々の感情のスキマに入るようになった。

独身で、恋愛にはあまり興味がなく、でも自分のことは愛している、趣味や好きなことには時間もお金も使う、という人々が、この2010年代の「推し」ブームの一番のボリュームゾーンとして育ってきているのである。

アイドルが与える「生きなおし」の体験

推しという行動が男性も巻き込んで広がった原初をたどっていくと、「モーニング娘。」にたどり着く。恋愛から結婚につなぐ道を必死に開拓していたバブル期の消費が、その後自分のために使われる時代になった。ただそれだけだと虚しい。そこで純粋に応援できる物語を探したときに、「モーニング娘。」のように純粋な競争と成長物語を人々が〝応援〟するようになる。

当時、つんく♂がこのアイドルシステムを開発したときに、仮想ターゲットにしていたのがナインティナインの岡村隆史である。❺ 独身貴族、お金には不自由がない。ただ青春時代に凝り固まった自信のなさと同居する強い自己愛、そんな自分自身を「女」としてではなく「母」の

❹ 中山淳雄「〝推し〟が生む圧倒的な熱量と消費―キャラクタービジネスのこれから」『企画会議』＜https://www.advertimes.com/author/atsuo_nakayama/＞

❺ つんく♂、高橋がなり『てっぺん』ビジネス社、2003

ように受け入れてくれる対象を求めている。成熟した男女関係よりも、母子関係に近い恋愛を求める彼のスタイルが21世紀の「性愛／恋愛／結婚／出産」分断時代におけるミレニアル世代、Z世代の感性とマッチした。

その後、これがAKB48や乃木坂46といった3次元アイドル文化と、「ラブライブ！」や「BanGDream!」（どちらも女性アイドルを主人公にしたアニメ、ゲーム、コミック、ライブなどを展開するメディアミックスプロジェクト）といった2次元アイドル文化に昇華していく。戦後から50年続いていた「恋愛→結婚→性愛→出産」という近代家族の物語が終わりを迎え、次のフェーズとして「恋愛／性愛／結婚／出産」という分断時代に、それらのつながりようのない虚無感の合間を穴埋めしてくれる2次元コンテンツが人々の姿勢にぴったりとフィットするようになった。その感情のあらわれとして「推し」があり、これは今後も時間をかけて1つの社会的活動として成熟していくのではないかと思われる。

恋愛、性愛、結婚、出産の1つ1つに内包されるしがらみや自分の自我から解放されて、自分の代わりに頑張っている「推し」を応援する。多くの人にとって、自分の人生の中には感動するような物語にはなかなか出会えない。そんな自分の代わりに、「推し」は頑張って何かを実現してくれて、感動を与えてくれる。そこで人々は理想の人生を「生きなおし」をするような作用を与えるものになっているのではないだろうか。

演出家鈴木聡氏が、ももいろクローバーZについて語った次の言葉がそれを代表しているように思える。

（ももクロには）どこか部活をやっているような、良い意味でのアマチュアスピリッツも漂う。突出した美人というわけでもないので、異性としてみたり、彼女にしたいというより、高校野球の球児に対するような、「親戚の子」的親しみが湧いて、応援したくなってしまうんです。[6]

この「推し」の感情は、結婚や出産といった「ゴール」を必要としない。男性・女性としての「役割」を生きることのしんどさに代わって、「推し」としての活動は、自分の役割を忘れさせてくれる。見返りを（そんなに多くは）期待する必要もなく、自分自身の身の丈にあった消費でそれ以上の感動を与えてくれる。高校時代に戻ったようなドキドキを、同じ背丈の推し友とそれぞれの処遇やステータスに関わらずワーキャーできていることが純粋にうれしい。推しとはがんじがらめの役割とリスクから逃れての青春時代の追体験と、「生きなおし」なのである。

どうでもいいコンテンツだからこそ夢中になるし、活力にもなる

役割からの積極的逃避は、まさにゲーム・アニメ・マンガといった本書のテーマとなるポップカルチャーの世界が最も象徴的にそれを体現してくれるジャンルである。自分の社会的生活とは隔絶した、あくまで個人的な趣味である。さらには推しとの関係性というのはゴールもな

❻ 安西信一『ももクロの美学 〈わけのわからなさ〉の秘密』廣済堂出版、2013

く、ただひたすらに体験型の消費活動としてお金を奪われるものでもある。いったい何のために…と思う外野も多いことだろう。

だが、例えばゲームに熱中できる条件とは、とにもかくにも「どうでもいい」という点に尽きる。自分の社会的生活とは無関係に隔絶されているからこそ、ゲーム的にその世界を楽しめる。現実からの逃避と言われようとも、あまりに子供じみた愛着行動とも言われようとも、これが「どうでもいい」コンテンツだからこそ、夢中になって感情的な満足感を得て、厳しさのある日常で、毎週末の夢から覚めるような月曜日を乗り越える力になる。

だが、1周まわって、この「どうでもいい」空間が、再び人に活力を与え、人々との関係性をつなぎ、最終的にはそこで恋愛相手や結婚相手を見つけるということを助けるコミュニティ機能を担うようになっている。よく年長者から「勇気がない若者は1人前にリアルで相手も見つけられないのか」という嘆きも聞かれるが、これは決してリアルとバーチャルの戦いではない。若者にとってリアルもバーチャルも、最終的な人と人との関係をつなぐものという感覚は変わらない。

デジタルネイティブ世代にとっては、ZoomやTikTokで知る相手であってもデジタルという場所を「借りている」に過ぎないリアルである。役割や建前を持ち込まれ、扱いづらくなってきたリアルに対して、デジタルのほうが昔のディスコや飲み屋のような「祭り」を演出する機能が便利になって、より相手を「リアル」に感じやすい。バーチャルにおいても社交性やマナーは存在し、モテる人間はモテるし、モテない人間はモテない。あくまでツールとしての「場」がデジタルに移行しているというだけの話なのだ。

『鬼滅の刃』に見るライフタイム志向

デジタルの世界でユーザーとコンテンツの関係が明確に「進化」した点がある。それはユーザーの行動が数字としてトラッキングされ、アーカイブとしてずっと残されるということだ。このデジタルの最大の利点（かつ時に欠点になる）を捉え、ビジネスに生かそうとする概念がある。それは「LTV（ライフタイムバリュー）」である。そのユーザーは、ユーザーとしての寿命（ライフ）の期間にどのくらいのバリューを実感し、お金を払うかという話である。

10人のユーザーがそのサービスを使い始めて即9人がやめたとしても、残った1人が1か月後に1万円を払えば、1万円÷10人＝1000円／人が1人あたりのLTVとなる。そうなるとこのサービスは1人あたり1000円の広告費をかけて集めても、収支としてはトントンになるという話になる。これは10人が誰もやめることのないサービスで1か月後に全員が1000円払ったとしてもLTVは同じになる。つまり「いかに今のユーザーが長く使ってくれるか（継続率）」×「いかに続けたユーザーが高く購入してくれるか（収益性）」の掛け算で、サービスの経済圏の大きさが決まる。気にすべきは継続率と収益性である。

このLTV志向は本書を貫くテーマの1つである。コンテンツの提供者とユーザーは「商品を購入する」という1点の関係性ではない。ユーザーのログが補捉可能となり、これまでの購入履歴や広告のクリックで興味の幅を捕捉しながら、何か月ぶりに来店したのかなどのデータが抽出され、それがデータベースとして分析可能になった中で、いかに「関係性のなかでLTVとしてのサービス満足を『してもらい続けるか』」を考える時代に入っている。

ライフタイム志向を実践している事例として、2020年に最も象徴的な動きをしたのが『鬼滅の刃』である。図表17は鬼滅のファンの規模を可視化した図である。あえて自分からツイートするつぶやき数がファンの「濃さ」を表す1つの指標になることは前章で『半沢直樹』との比較で語ったとおりである。2019年3月まではほとんど底に張り付いた状態(毎日数百件程度)だが、2019年4月からのアニメ放送・配信で人気を博す。アニメ放送が終了する19年9月で11・5万/日とアニメ作品としては十分に成功した数字だろう。

その後は他アニメがそうであるように落ち込んでいくが、アニメ放送が終わっても5万/日程度を維持し、むしろ2021年3月ごろには2回目のヤマとして8万/日をつける。放送はとっくに終わり配信アーカイブしか残っていない。さらには20年5月にもう一度3回目のヤマで9万/日をつける。劇場版の予告編が出たり、アサヒ飲料や白十字、ローソンとのコラボキャンペーンなど絶え間なく話題は続き、重ね塗りするかのように人々に『鬼滅の刃』のイメージが刷り込まれた。この時期にアニメをみはじめた、コミックスを読み始めたという人が多いのではないだろうか。

明確にコロナの流行とロックダウンの時期にあわせて2回目、3回目の波が大きくなり、ほかのエンタメがなくなっていること、大半が自宅に閉じ込められたことが後押しになっている

図表17 『鬼滅の刃』のファン創造プロセス

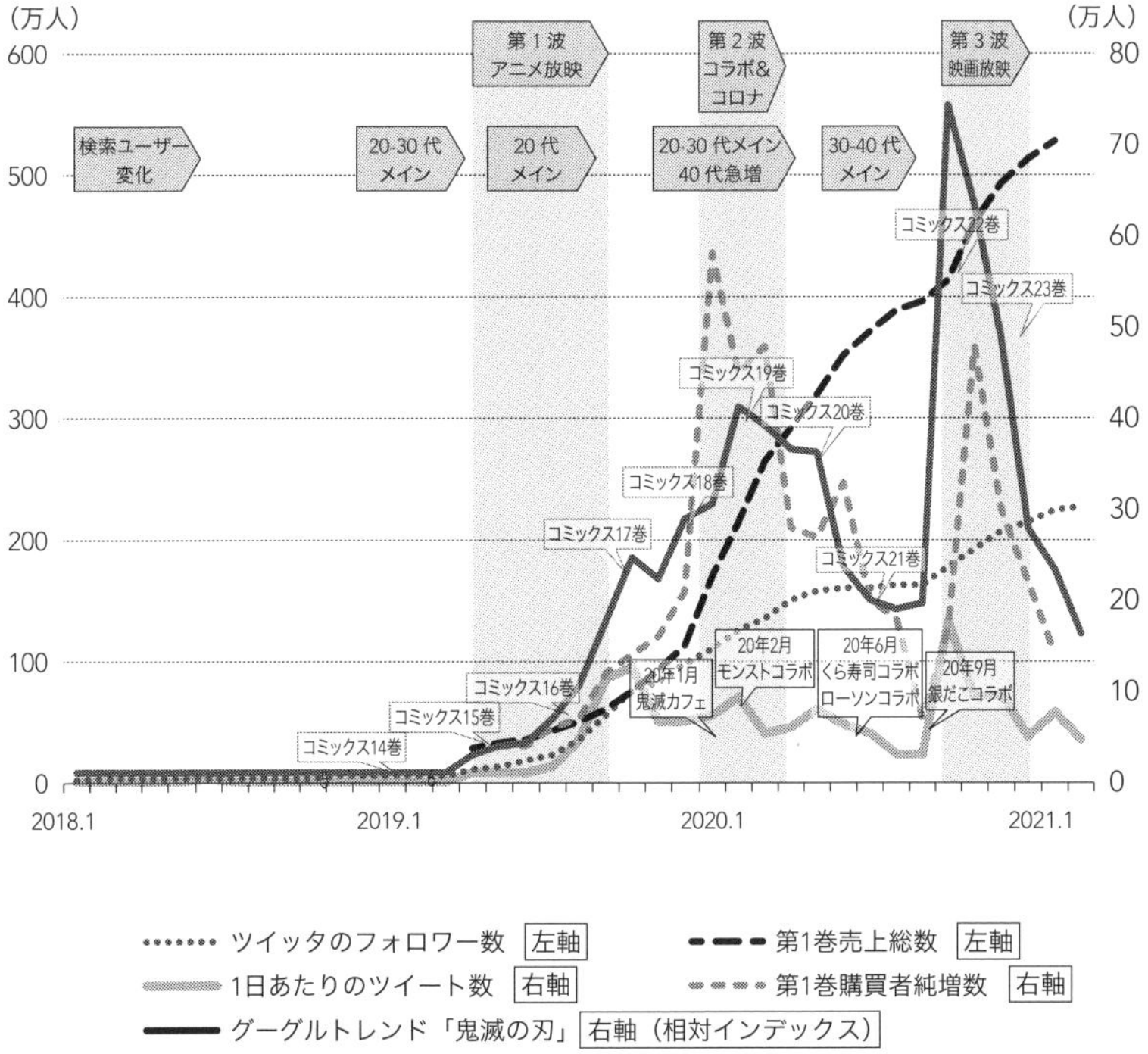

出典)ツイッター、各記事(https://manamina.valuesccg.com/articles/1123)から著者作成

ことがわかる。
またユーザー層も変化している。2019年までのユーザーは主に「週刊少年ジャンプ」の愛好者やアニメの定期的視聴をしている「20代」が中心であった。だが2020年に入ってからは子供が視聴しているのに影響されて年齢層が上がり、20年4月ごろから顕著にコミックスを大人買いするユーザーが増えてくる。すでに1年前から20代以下の間ではそれなりのブームになっていたものを、人数層ではもっと大きく可処分所得も高い「30~40代」が拾い上げたことで、2020年に入って爆発的なものに変わる。「第1巻」(2016年6月に発売された4年前のもの)が何冊売れたのかという数字を月別にみていくと、明確にこの2020年1月から4月の間にヤマが集中している。❼
2020年夏までの間にかなり広い層まで「認知」や「購買」が進み、一度はマスユーザーが一通り視聴を終わった格好となった。だがそこから(大ヒット作品ですら当然落ち込む)潜伏期間には陥らず、秋には次のブームとなる劇場版が盛大に打ち上げられ、ここで鬼滅は伝説をつくることになる。戦後かつてないレベルでの「国民的なブーム」である。20年10月のツイート数は平均で17・6万/日、ピークは50万を超えており、まさに歴史上、最もツイッターが活用されていた瞬間でもあるだろう。
2019年8月30日に「バルス祭り」と有名になった『天空の城ラピュタ』で60・8万/日ツイート、21年7月23日の東京オリンピック開会式での五輪関連ツイートで100万/日である。#鬼滅の刃や#半沢直樹の50万ツイートがどれほど大きなものかがわかる。

❼「『鬼滅の刃』はいつからバズった!? 止まない鬼滅旋風を検索データで徹底分析!」マナミナ2020年11月18日<https://manamina.valuesccg.com/articles/1123>

世界3億人のツイッターユーザーのなかでも、日本は4500万人もの月間ユーザーを維持し、2010年の東日本大震災で倍以上に増えた時点からずっと2010年代のエンタメシーンを彩るSNSメディアであった。その日本でのトレンド大賞でも、2020年の年間で#鬼滅の刃は5位、#半沢直樹は17位となり、#コロナや#緊急事態宣言などに次いでつぶやかれ、国民的な行事に比するレベルで「祭り」を起こしたことがうかがい知れる。

鬼滅の作品はライブ化しており、幕合いごとに異なる続編・アンソロジー・総集編が編まれ、常にその作品への関心を絶やさないように常時「運営」されてきた。

2018年にアニメ化が発表され、断続的に決まったキャストが発表される。直前にはアフレコ台本プレゼントキャンペーンが走り、19年4〜9月のアニメ放送は大いに注目を浴びる。アニメ放送後にはさらに1年後の劇場版：無限列車編が発表され、その後も残るアマゾンプライムなどの配信アーカイブでいつでも見ることができるようインフラが整備される。

コミックスは3〜4か月ごとの新刊発売のたびに売り切れ御免のニュースで売れていることをアピールし、19年末にはＬｉＳＡの「紅蓮華」がＮＨＫ紅白歌合戦に初登場、年始には一挙再放送でテレビ視聴層にも再びアピールをする。バンダイ一番くじ、モンスターハンター、あらいぐまラスカル、アプリゲームのモンスターストライクコラボ、白猫プロジェクトコラボ、くら寿司、ダイドードリンコ、ローソン、息つく暇もないほどコラボが重ねて編まれ続けた。

たまりにたまった認知と関心のカタマリは巨大化した。そして20年9月、ロックダウンで映画館どころかライブにもデパートにすら行けなかった人々の鬱屈したマグマは、劇場版の初公開とともにフジテレビでの再々放送を着火点に爆発する。勢いに乗った興行収入は同時にコミックスの売上も押し上げ、記録が記録を呼ぶ大連鎖が起こり続けた。

こうして鬼滅が実行したように、アニメはテレビ局が買い受けて決まったルートで流すマスメディア型ではなく、放送・配信サイトを20も30も横断しながらどこでも見られるような形に流通させ、時には時差をもってプレミアム感をつける運用型になってきている。ゲームは作り置きの家庭用ゲームではなく、Ｓｗｉｔｃｈを通じてそれぞれのプレイデータを抽出し、時にはアップデートや追加コンテンツの提供を必要とする。

「ライブコンテンツ＝作品が動き続けているもの」はこれからの時代における必要不可欠な作品展開である。動き続ける組織と動き続けるユーザーを結びつける力学であるライフタイムはエンタメ業界の基礎中の基礎となる。

夢を絶やさないように運営してほしい

視聴者側から見ても、３か月ごとに50〜60本も新作があるようなアニメ過当競争の時代である。不人気アニメに時間を割いても、そのアニメを推している絶対数が少ないため、共感をする相手もいない。ツイッターでフォロワーが1万人いかないものはもう「負け」が確定しているのだから、絵が気に入っているとしても、その内容が面白そうだと思っても、あえてそこにはいかない。誰もがチェックしている、今期の覇権アニメ（ハケンアニメ）をとりあえずはチェックしておきたい。話題に入れるようにしておきたい。

「推す」は、希少な時間資源の投下によって行われる。基本的には、未来永劫それが続く前提で、有限な時間資源を投じていきたい。『推しが武道館いってくれたら死ぬ』というアニメもあるが、実は推しが武道館にいくことを避けたいと思うファン心理も同時に存在する。アーティストとしてのゴールともいえる武道館単独公演を実現してしまうと、「卒業」と称してコンテンツが終わってしまうかもしれないという不安があるからだ。願わくば完成しないでほしい、できる限り永続しながら、それでも成長の夢を絶やさないように運営してほしい。

安パイなコンテンツを求める人が増えると、新奇なものが展開されづらくなる。ある程度ブランドがあり、約束されたコンテンツに人々は群がるようになる。大ヒットがさらに大ヒットする現象は今後さらに強くなるだろう。

ただ、彼らはファンではない。ファンに群がる浮動ユーザーである。浮動ユーザーを味方につけるためにファンが必要であり、インフルエンサーが必要になる。「このコンテンツは安パイだよ。時間を費やしても、その体験は無駄にはならないよ」という信号をブランドとして送る必要がある。

広告時代の終焉――「視線の前の陳列」の限界

20世紀は「顧客の財布に飛び込め」という合言葉があった。クレジットカードも店舗のポイントカードも、限られたお財布のカード枠に入り込んで、常に出し入れするユーザーの手元でブランドを毎日毎時間築き上げる競争だった。結果的にユーザーの財布はポケットに入り切れないほどのカードとレシートの束であふれ、使いづらいユーザーインターフェースがおサイフケータイ、そしてキャッシュレスアイテムへと流れていった。

現在は「顧客のスマホに飛び込め」をあらゆるサービスが合言葉にしていることだろう。だが以前ならデータストレージを気にしながらアプリの編集・削除で最後までスクリーンの1枚目に残ることにこだわり続けたが、256GB、512GB、1TBへとスマホのストレージが増えるにつれ、ユーザーは5枚も10枚も複数のスクリーンを使い分けるようになった。煩雑は煩雑だが、「スマホに入っていること」のプレミアム感は薄くなり、毎日アイコンを眺めていようと、数か月起動していなければそれは実質的に機能を果たしてはいない。プッシュノーティフィケーションで毎日フィードを飛ばすも、〝うざがられ〟て、削除される始末となる。

そもそも「視点の先に必ず目につくように」という押し出しの強いあつかましい戦略がもはやマーケティングとして機能しないのかもしれない。Slackでもしばらく起動していないコミュニケーションフレームは「削除しますか?」と自動編集のプッシュ機能までご丁寧につけられており、情報の嵐のなかでスクリーンシェアを競い続けても徐々にその意味はなくなっていく。

もう150年前から続いてきた「視線の前の陳列」というアピール方法自体を見直すべきタイミングなのかもしれない。人々は、視線の先にあふれかえりすぎたサービスを目の当たりにして、自分のタイミングで商品をみたいと思うようになり、プッシュ型の広告を忌避している。強引にその状況に何の関連性もない商品を喧伝するような広告はやめてほしい。

グーグルのように裏側でアルゴリズムを握っていれば、「あたかも自分を迎えに来たかのように、うざい広告ではなく、ふっと自然なタイミングで興味があった商品が表示される」ということも可能になる。ユーチューブで『呪術廻戦』のアニメをみている合間に、それに似ていると思っていた『幽☆遊☆白書』のアプリゲームの広告ならばクリックしてインストールまではするかもしれない。

ユーザーが今何を視聴しているのかという関心状況に依存した「提案」に近いものが、デジタルの広告世界で実現されるようになってきた。そうなってくると、商品価格設計やユーザーとの付き合い方も、ずいぶんと変わっていくことだろう。

2-2 タムパ重視のユーザーにとっての価値最大化

19世紀のフランスで始まった「デパート商法」が人々を変えた

ファンが尋常でない熱量をもって商品・サービスに執着するようになったとき、プライシングがものをいう。永く続いてきた定額販売の買い切りビジネスモデルは、ネットで顧客・ニーズごとに流動的に（ダイナミックに）価格を変えられるようになり、また顧客の課金履歴を調べながら複数の課金形式（1回限りの課金から定額サブスクリプション課金まで）を提案するといったことすら多様に展開できるようになっている。

初めて人々が「消費に殺到」したのはいつごろからだろうか。株式や金といったコモディティを別にすれば、実は「商品」として陳列し、人々が殺到するほどに購買方法を洗練させたのは19世紀後半のフランスのデパート「ボン・マルシェ」が最初である。

それまでは「店舗」という店の形式自体が希少なもので、外商員が手持ちで品物を持っていき、顧客にあわせて価格も変えて、すべてがカスタムメイドであった。店舗を開いたとしても、店に入ってみるだけみて、何も買わずに出ていくことは「失礼」にあたった。お金をもった消費者は、頭を下げて店の軒先をくぐり、モノ少なげな陳列棚をみながらめぼしい物がなかったとしても、訪問した手前、少額の小物を手に取り、「買わせてもらう」という立場にあった。「モノ>お金」だった時代である。モノをもっている人間が偉く、お金はそれほど価値をもっていなかった。たくさんお金があってもその取引量は限定的で、基本的には誰もがもっていない着物や懐中時計といったモノそれ自体の価値が希少で、その希少性にあわせて店舗では価格をつりあげていた。

競争相手がそれほど多くないので、他店舗が何を陳列し、いくらで売っているかは気にならなかった。モノとお金が交換されるボリュームが少ない時代にあって、また資本を投資したり金利を稼いだりする時代でなかったから、お金は豊かさのシンボルでもなかった。

19世紀後半、デパートの発明は画期的だった。まず返品できるようにした。広告で何を買うべきかを提案するようにした。スタッフに高学歴の人間を入れ、売上で給与が変動するように動機づけした。「パリ万国博覧会」をきっかけに一般大衆が必需品以外を購入することを習慣化することに成功したのは、当時のフランスで生まれた大きな店舗が、「買う」ことになれていなかった人々を変えていったからである。

1850年前後には絹・綿・ラシャ生地の既製服しかデパートになかったが、60年代に手袋、ワイシャツ、ネクタイ、傘や靴下が加わり、70年代にはスーツ、ドレス、子供服、そして家具や文房具から、おもちゃやスポーツ用具に至るまで、デパートは19世紀後半の30年間に、今現在のデパートとほぼ変わらない商品ラインナップに進化した。「百貨店」の誕生である。

それらは決して消費者が欲しがったから陳列するようになったのでなく、「デパートで高級品を購入する」という習慣を教育し、罪悪感を薄めて購入させ、実際にその体験によって人の消費形式が日常化したことで、「需要がゼロイチで生み出されたもの」であった。[1] ちなみに「映画」の浸透は、1920年代にこうしたデパートの客寄せ効果を期待して上映されたところから始まる客寄せコンテンツだった。

こうした定額販売、掛け値なし、といった商売方法は日本でも三越の源流をなす「越後屋」が、ボン・マルシェからさらにさかのぼる150年前、18世紀初頭に浸透していたものでもある。

買切型の定価販売モデルから、運営型のダイナミック価格設計モデルへ

数世紀続いてきた固定価格での販売方法は、厳密にいうと図表18の上のモデルように3階建てだった。

まずは「定額販売」でユーザーのボリュームが一番とれる定価を設定し、それを売る。ただそれだけではまだ三角形の余白が余り過ぎている。「プレミアムモデル」では、その商品への費用を惜しまない限られた人向けに、特別なおまけやオプションを用意して販売される。一通り浸透すると、中古本や中古ゲームのような「割引販売」が出てくる。しばらく時期がたって、もう話題的にはホットではないが、安ければ手を取るという層にむけて薄く広くとっていく。

[1] 鹿島茂『デパートを発明した夫婦』講談社、1991

図表18 買切型／運営型の商品価格設計モデル

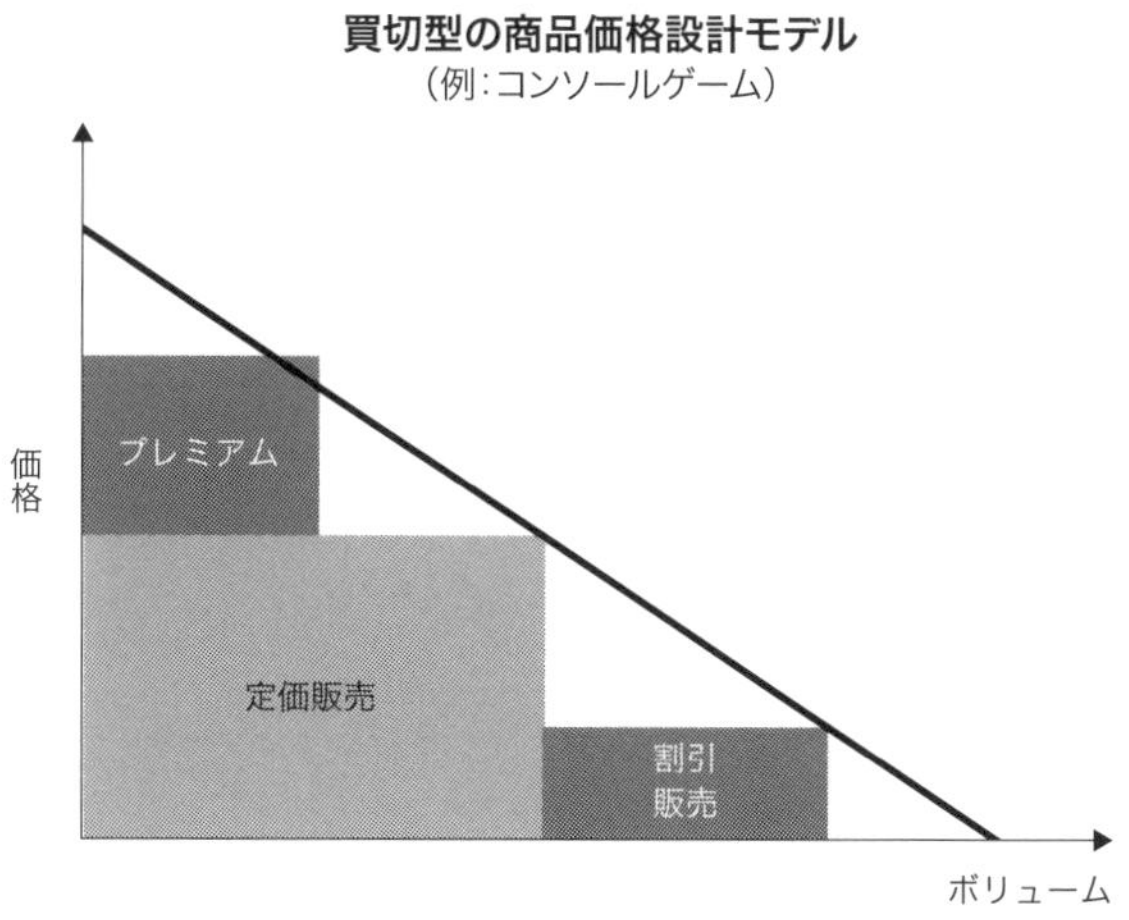

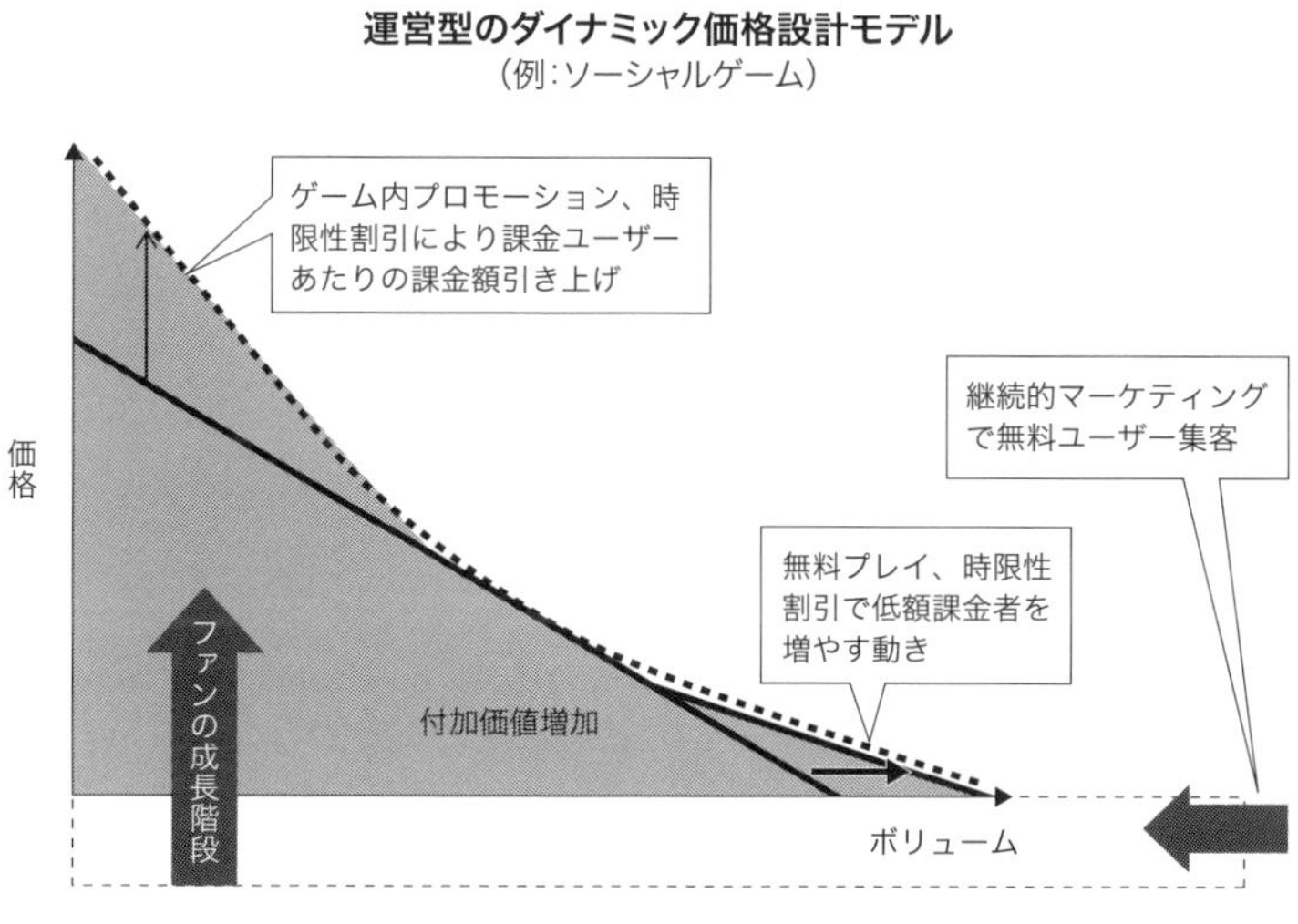

出典）小山友介「ゲーム産業講義2020年6月」＜https://www.slideshare.net/yuhsukek/20206-235886942＞をもとに著者設計

図表18ではコンソールゲームを例にとったが、アパレルにせよ、食材にせよ、商品の販売はこの3パターンをうまく使い分けて販売量の最大化を目指すものだった。

だがそれでも「価格を設定する↓製造し在庫をもって販売する↓ユーザーの購入」という時間のかかりすぎるサイクルを1周も2周もしているうちに機会損失は起こってしまう。デジタルでサービスを提供する商品に関しては、買い切り型で売り残しているこの余白部分が気になる。また、商品を購入しないけど商品を認知していて、興味をもっているという未購買層のユーザーが大事になってきている(デジタルのお陰で顕在化するようになった)。そこで図表18の下のようなダイナミック価格設計モデルが出てくる。❷

我々はモノだけではなく体験をも売っている。ゲーム体験からスポーツの試合体験まで、その体験をいくらくらいの価格と感じるかというのは主観に依存し、人によってバラバラだ。そういったときに、価格は実は安すぎても高すぎてもいけないという状況も起こりえる。

買い切り型でいってしまうと、時に「こんなに安く手に入ってしまってよいのか」という気持ちを生み出したり、「この体験は実はそれほどの価値しかないのではないか」と体験価値自体を貶める副作用を作り出すこともある。例えば「贈り物」としてモノの価値が客観的な視点にさらされるときに、誰もが共通でもっている「ブランド」は大事になる。たとえそれがコストパフォーマンスの良いものだったとしても「コスパがよいものを贈った」という事実は受け手に対してネガティブに働く。

「推し」に対して購入しているユーザーにとっては、購入は推しへの贈り物という感覚に近い。

❷ 小山友介「ゲーム産業講義2020年6月」<https://www.slideshare.net/yuhsukek/20206-235886942>をもとに著者設計

図表18の右方向ではなく上方向にどれだけ多くのオプションが用意されているかのほうが気になる。

より強くその商品、関連商品、作品全体、タレントに興味をもち、コレクションしたり贈り物をあげたいと考えるユーザーにとって、体験価値を最大化するならばコナンの映画を何度もみたり握手券をもとめてAKBのCDを大量購入するように上方向にひっぱられる「高ARPU（Average Revenue Per User：ユーザー1人あたりの平均単価）」型になっていく。

興味はあるが、すでにほかの推しをもっているユーザーにとっては、それがどれほどの体験を与えてくれるのか、「味見」してみたい。図表18の運営型モデルの下部にある点線ゾーンは「無料ユーザー・関心ユーザー」の獲得である。まだ購入者にはなっていないが、その商品に興味を持っているファン未満のユーザーである。運営を続けるなかで、価値を感じてくれれば「低ARPU」でもお金を払うようになる。それがほかの推しよりも投資に値すると思えば、徐々にユーザーはファンとなり、コアファンへと成長していくだろう。

この「ダイナミック価格設計モデル」は単にガチャを何回も回して高収益化するという話ではない。1商品・1体験で提供できるモノ・サービスをなるべく多く派生させて、「価格を払うに値するもの」を提供することである。人によって商品の価格を変えることは（道義上）できないが、より高い付加価値のサービスを提供することで（同じものをたくさん買った人には、その人しか得られない、例えば発表会イベントで15分だけ先に入ってタレントと少人数で話せる機会を作る等）全体のボリュームを上方に広げていくことができる。

このように、ファンの熱量によって、価格・提供の仕方・サービスのオプションを使い分けていくことが「運営型のコンテンツのダイナミック価格設計モデル」となる。その人にとっての「需要」が枯れない価格設計モデルというのが肝になる。

時間対効果としてのエンタメ

タイムパフォーマンスという言葉を知っているだろうか。人々はより「時間」に対してはセンシティブになってきている。

映画は1800円払って2時間視聴する。割引チケットやレイトショーなど含め1人が平均で支払っているのが1600円とすると、1時間あたり800円のコンテンツと言えるだろう。スポーツも映画も800円／時というところである。トップアーティストの音楽ライブやブロードウェイミュージカルとなると5000円／時といった最高額に及ぶ。

時間対効果はエンタメ業界に限らない。ダイソーの平均滞在時間は30分、平均購入単価は500円。そうなると1000円／時のコンテンツと言えるだろう。緊急事態宣言が明けたあと、消費者が100円ショップに殺到した。まだ飲食店もデパートも開いていなかった当時、久々にみる店舗でとにかく時間をつぶすのが楽しかった。100種類も200種類もあるようなアイテムのなかで、想定していない面白いものを見つけるのが面白かった。ドン・キホーテも、ヴィレッジヴァンガードも、ダイソーも、人々と商品との「出会い」を演出する意味では、単なる購入行為以上の価値を提供している。これもエンターテイメントである。

お金を払わなかったとしても、そこにいて視聴・体験をしているということはユーザーとしては消費している状態といえる。視聴無料だとしても、その広告に費やされた投資額とユーザーが費やした時間をもとに、1時間あたりの「コスト」を分析した研究がある。例えば北米ではテレビに毎年5000万時間が費やされているが、時間あたり0・2ドルしか生み出していない。1時間みても20円程度の経済価値ということだ。新聞になると100円程度、本は500円を超える。ユーザーが「その1時間」にかけたいと思うコストはこのように大きく異なる。

では音楽、本、新聞、テレビなどすべてのメディアへの1時間視聴あたりコストはどんな変化を起こしてきたのだろうか。実はこれは驚くほど不変であった。1995年は3・08ドル、2000年は2・69ドル、2015年は3・37ドルであり、20年にわたってそれほど変わっていない。[3] 実はGDPあたりで広告費をどのくらいかけているかという観点でも北米はずっと一定である。1920年はGDP比2・5%、1950年は1・9%、2000年は2・5%、2010年は2・1%。100年以上にわたって米国GDPのうち約2%が残り9割の（正確には個人消費による7割だが）消費を喚起するための安定的なレバーになっている。

1時間の視聴価値（＝1時間視聴してもらって生み出せる消費価値）が変わらないとすると、ユーザーがこれだけ目うつろいして消費の回転が速くなるのは、明らかに「ネット普及によるコンテンツの供給過多」である。メディアにかける消費時間自体は純増しており、2000年

[3] ケヴィン・ケリー、服部桂訳『〈インターネット〉の次に来るもの　未来を決める12の法則』NHK出版、2016

に毎日7時間だったテレビ中心のメディア視聴は、2020年時点ではネット中心で10時間近くになってきている。メディア視聴が1・5倍になったのに、視聴あたりの消費単価が伸びていないということは、ある意味無料で視聴できるが経済的に有効でないものに対する時間消費だけが伸びており、それがGDP還元はされていないということになる。

広告が多すぎて視聴が購入につながらないというのもあるだろう。ネットの低単価広告がこれを助長しているきらいはある。

また同時に、好きでずっと追いかけていたのにコンテンツ自体が終わってしまう「作品寿命の短命化」も手伝っている。デジタルでKPI判断できてしまうため、ユーザーが集まらないものからは撤退しようという企業の意思決定が早くなっているのである。これはよいことともいえるし、振り回されるユーザーにとっては悪いことでもある。

いずれにせよ、情報氾濫時代においてユーザーがより「自分の視聴時間の投資対効果」を気にするようになっているのは厳然たる事実である。

いままで「推し」にどのくらい時間を「投資」したか、その結果どのくらい感情的な揺さぶりを報酬として得ることができたのか。注意や関心も無限ではない。毎日10時間以上も携帯画面に接しながらも、ユーザーは賢く時間をマネジメントしており、それが関心に値するものなのかどうかを見張っている。

ユーチューブもアマゾンプライムも基本は1・5倍速視聴、複数のウィンドウを使って2本同時観といったことも行う。新しい作品をみるときには結末までのダイジェスト動画やまとめサイトで全体とユーザー反応をさらって、「価値あること」（駄作ではないこと）を確認してから視聴に入る。ランキングが気になり、毎クールで「観るべきアニメリスト」は上から5本だけ必ず見るようにしている。

タムパを求める人々の視聴行動は時間の投資対効果を最大化する方向へと向かっている。

2-3 なぜ必死になってコンテンツを見るのか？

エンタメは「教養」であり「SNSに安心してさらせるコンテンツ」

なぜこんなにも必死にコンテンツを観るのか。それは自分のまわりの同僚友人といったコミュニティでは、マンガ・アニメ・ゲームのリテラシーが高く、トレンドになるものは一通り見ておく必要のある「教養」だからだ。『シン・エヴァンゲリオン』から『ゆるキャン△』『PUI PUI モルカー』に至るまで、1980年代に当時のポスト団塊世代が浅田彰『構造と力』に殺到し、構造主義という哲学を教養としたように、いまはエンタメコンテンツが若者世代の教養となっている。彼らの口癖は「外したくない」。皆がみているものをみて、皆が話しているように話したい。これがミレニアル世代のメンタリティである。❶

コンテンツ消費でユーザーそれぞれが「冒険」をしなくなったのには理由がある。コンテンツ消費はもはや個人消費の域をはずれ、自分がどんな人間であるかという表現財の1つになっている。

これは部屋着とよそゆきの服と同じような話である。利便性と着心地で選んでいたパジャマ

❶ 稲田豊史"失敗したくない若者たち。映画も倍速試聴する「タイパ至上主義」の裏にあるもの" 現代ビジネス2021年6月12日<https://gendai.ismedia.jp/articles/-/84099?imp=0>

のような個人消費だった20世紀のアニメ視聴は、いまは若者の5割以上が定常的に視聴する昔の「野球」のような共通性をもち、またそれがSNSを通して意思表明することが常態化していくなかで、自分自身のアイデンティティの一種としてよそゆきの服のように他人からの視線によって選択するものに変わった。

SNSが多分にソーシャル化しすぎていることも理由だろう。エンタメは比較的「安心してさらせるコンテンツ」でもある。

フェイスブックは友人だけでなく上司や元カレに至るまでこれまでの黒歴史もすべてひきずった政治色ガチガチのメディアとなり、何をポストするかだけでなく何にいいねを押しているかすら監視されているような気分になる。かろうじて結婚報告と出産報告だけは素直にいいねを押せるが、よほどのリア充か自己顕示したい人間でないとポストできなくなっている。個人的な生活はインスタグラムのストーリー投稿（24時間で消える）か届け先が限定されたLINEグループのみ。

そうした中で仕事も家庭もさらさずに中立的な「自分の趣味」としてのキャラクターは、誰も傷つかず、誰の目もひいてくれる。ディズニーランドの投稿は「映える」し、「安室の女」となってコナンで7回執行された話は半ば自虐で半ばファン度の強い友人からの称賛も集める。[2] テーマパークも映画も音楽ライブも、体験型エンタメがこの10年おしなべて成長市場だったのは「映える」部分でのソーシャル効果がほかのコンテンツにない副次機能として十分効果を果たしていたからといえるだろう。

[2] 2018年4月公開の『劇場版名探偵コナン　ゼロの執行人』では主人公だった「安室透」を興行収入100億の男にすべく、何度も映画館に通い、興行収入に貢献しようというファンが続出した。主に女性だったファンは「安室の女」を自称し、何回この映画をみたかを「執行」に置き換え、「今日は7回目の〝執行〟をされに行ってきます！」といったつぶやきが散見された。

FOMOとJOMO

この感覚も世代による違いは目立つ。1981〜95年生まれのミレニアル世代も生まれたときからスマホに囲まれていたわけではなく、かろうじてアナログの時代とPCの時代で育ちながら、急激な情報の波にキャッチアップしてきた世代である。彼らこそが「外したくない」というある種の恐怖感でコンテンツ消費しているとも言われるが、次の世代となってくるとまたメンタリティも変わってくる。

ミレニアル世代以前が「FOMO（Fear of Missing Out）」に取りつかれ、SNSを回遊し、自分がコミュニティの先端情報からおいていかれることを恐れているのに対して、1996〜2015年生まれのZ世代に関しては物心がついたころには携帯・スマホに触れ、情報にキャッチアップすることへの諦観すらみせており、JOMO（Joy of Missing Out）という態度が散見される。見逃すことの喜びとも翻訳できるこの言葉は、もはや大量すぎる情報とコンテンツに、キャッチアップすることを諦め、「いま偶然得られた、この情報やつながりを楽しもう」というしなやかなスタンスを示すようになっている。[3]

これは推し活やライフタイム志向、そして2次元アイドルやライブ市場の隆盛をも説明しうる概念である。皆が盛り上がっているものへの参加権はSNSを使うことでかなりハードルが下がった一方で、「参加していない」ことでのFOMOの共同体圧力も強い。クラスのほぼ全

[3] 尾原和啓・牛窪恵 "「コスパ」だけでなく「タムパ」も意識する若者たち" 日経ビジネス2021年3月24日<https://business.nikkei.com/atcl/gen/19/00087/030900193/>

員がつぶやいている内輪のネタに1人だけ入れていないような疎外感がある。

推し活は自分自身の嗜好性であるはずなのに、誰を推しているというアイデンティティの表明があるところから、とみに社会的活動である。同じ推しをもつ集団への同化圧力もあり、そこにもFOMOは存在する。

だが一方で、リアルライブや演劇を1つたりとも見逃すまいという気持ちはFOMOもありながら、JOMOでもある。プロレスファンの中でも「1976年に猪木対アリのあの日本武道館に、俺はいた」といった、奇跡的な瞬間への立ちあいがアイデンティティの証明になる。前田敦子が「私のことは嫌いでもAKBのことは嫌いにならないでください」と叫んだあの2011年6月の日本武道館に立ち会った希少性は、その集団の中での自分の立ち位置を確かなものにする。

どちらが正しく、どちらが誤っているということではない。誰しもがFOMOとJOMOの間でコンテンツを楽しんでいる。個人的な趣味活動であるはずのエンタメは、SNS社会を通して互いに非政治的に（見えるが実は政治的な）アイデンティティを表明しあう、アナログとデジタルの良さを両にらみで味わい続ける、社会的な消費活動・参加活動なのである。

世代別のメディア視聴時間が示す未来

図表19のように世代別の消費メディアはかくもドラスティックに変化している。団塊ジュニ

図表19　2020年の世代別メディア消費時間（分／日）

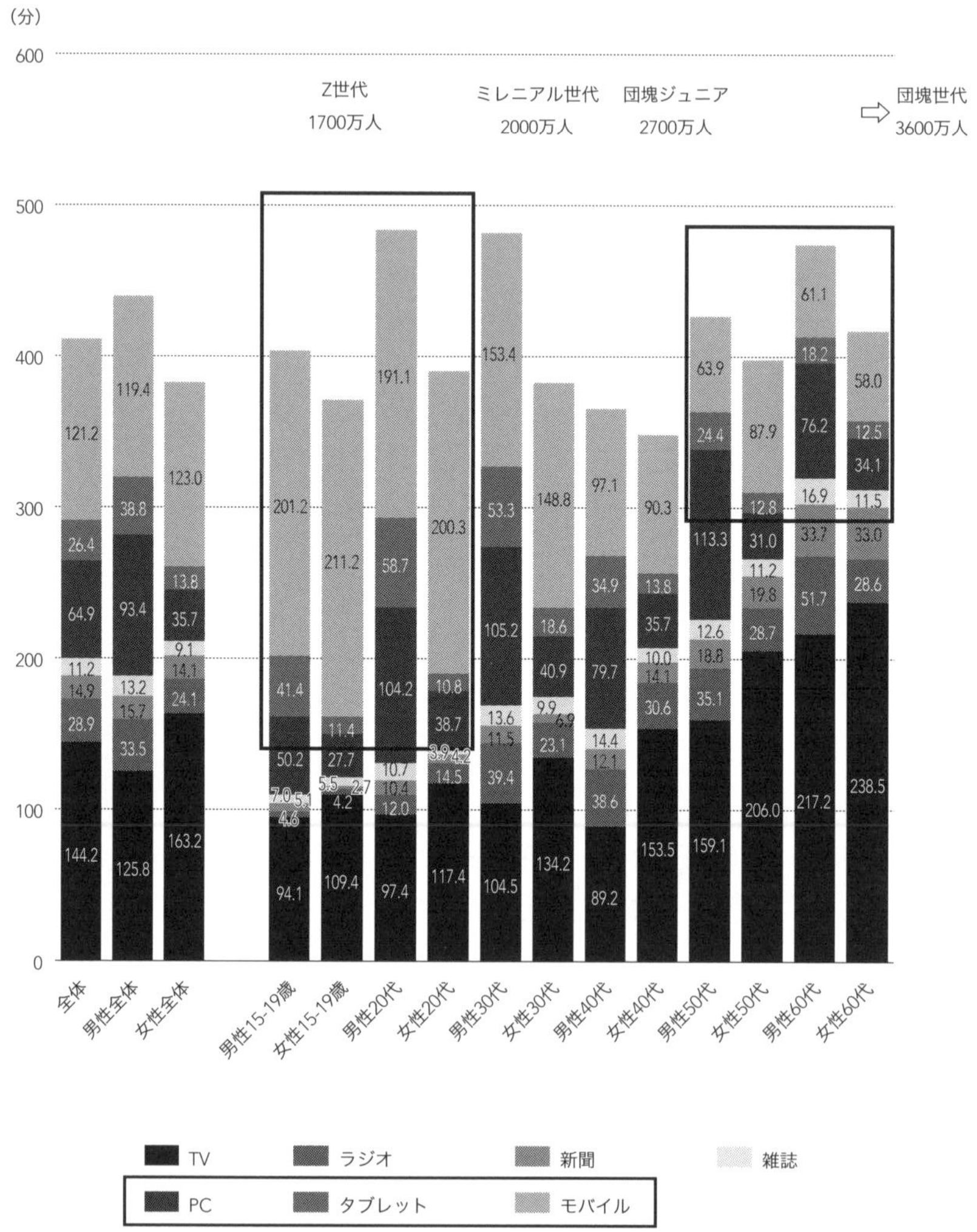

出典）博報堂DYメディアパートナーズ「メディア定点調査2020」

ア以前の世代がテレビを1日2・5〜4・0時間みる反面、モバイルは1時間程度と少ない。Z世代は完全に逆転しており、1・5時間程度のテレビ消費に対して、モバイル・タブレット・PC視聴は4時間程度となっており、すでにテレビウィンドウはサブの消費メディアになっている。ミレニアル世代はちょうどその中間点に位置している。「若者のテレビ離れ」は語られ始めてからすでに20年はたっているが、最もその傾向が促進されたのが2010年代であり、さらには2020年だったというわけだ。

この逆転したメディアウィンドウを使いながら、一方では半沢直樹のように「JOMO」でいまここでしか味わえない劇場的な演出で沸かせながら、一方では時間資源が希少になってきたユーザーの「FOMO」をうまくくすぐり、SNSでシェアを連発させるような、アナログ×デジタルの連鎖型の作品展開が、2020年代は主流になってくることだろう。

「ファンが訪れる空間」をつくっていく

150年前にデパートという「場」が登場し、消費刺激による定価販売が生まれた。定価販売は消費者のリテラシーに寄らずに〝大衆〟を消費者に変えていった。徐々に広告がそれを促進し、誰もが対象者となってマス広告が一番広い面を埋めようという競争状態になった。時にそれはテレビの時間帯であり、スマホのフロント画面であった。

だがデジタル中心になると、消費者の履歴が見え、消費者が単なるユーザーなのか、熱心なファンなのかといったことも可視化できるようになる。ライフタイム志向のなかで、ユーザーの時間投資に見合う感動やリラックスを提供する必要が出てくる。

ユーザーがファンになる瞬間や、ファンがファンでい続ける心地よい関係を維持するために、価格から提供時間、商品内容までなめらかに調整すべき時代になってくる。

間違った人に間違った広告を出す「誤配」は、マスメディア中心の20世紀には許されていた。それが操作しきれないことを皆が知っていたからだ。

だがもはやそれがコントロール可能であることに気づいた21世紀において、そうした誤配を繰り返す企業は、それが意図せざるものであったとしてもブランド棄損は免れない。人々はもはや広告にそれほど寛容にはなれない。押しつけがましい情報は不要だ。

今後のマーケティングはユーザーのパーソナルな空間を埋めることではない。ユーザーがタレント・キャラクター・その世界のファンとなって、その空間を「訪れる」。空間にいかに自主的に友人を引き連れてくるかという「ファン化」の度合いが試される。その意味では、コロナ禍でパーソナルな空間を独占しきったエンタメコンテンツから学ぶべきことは多い。

2-4 なぜバトルロワイヤルゲームだけが流行るのか？

「荒野行動」でカップルが異常発達する理由

フォートナイト、PUBG、荒野行動、Call of Duty：Mobileなど「バトルロワイヤル」と呼ばれるシューティングゲームジャンルが大爆発している。フォートナイトでの音楽ライブの件は第1章に述べた通りだが、日本でも2017年11月にリリースされた『荒野行動（原題「Knives Out」）』というアプリゲームは、3500万人いる日本のアプリゲームユーザーのなかで、1年で2500万ダウンロードを達成し、月間数百万人がプレイし、「荒野チャンピオンシップ」というeスポーツ大会にも50万人が参加するような日本のプレイヤー数トップレベルのアプリである。

このゲームの肝はオンライン同時対戦型シューティングのゲーム性を生かして、ゲーム内フレンド同士で協力関係を築く点であり、これを利用してゲーム内におけるカップルが異常発達するという事態になった。リリース1年後の2018年には1年間で86万組の「ゲーム内」カップルを作り上げている。日本の年間結婚数が60万組弱であることを考えると、1つのゲームが作り上げた「出会いの規模」はあまりにも大きい。

なぜこれほど多くの人が1つのゲームに集中し、なおかつシューティングゲームという一見殺伐としたジャンルが男女の出会いの場となるのだろうか。男性を持ち上げるためのモテる女のさしすせそ（さすがです、知らなかった、すごいです、センスが良い、そうなんですか）という会話スキルがあるが、荒野行動におけるさしすせそ（「さ」いしょだけ弱いフリ、「し」りたがり女子になる、「す」ごい下手なんで守ってください、「せ」んとうエリアに入ったら、「そ」くキル（すぐに敵を倒してできる女アピール））といったものも定式化されている。❶ソーシャル性を追求したゲームは、必然的に「出会いやすい」「恋愛しやすい」要素を伴う。

バトルロワイヤルゲームが人気を博しているのは、ゲームという空間が自分のソーシャルな欲求を多様に叶えてくれる「プラットフォーム」になっているからだ。ゲームは基本的に強くなって、ゴールに到達するためのものである。だがそれを実現するためにコントローラーがあり、自ら操作して（以前はプログラムでセットされたものだったが）ユーザーのインプットにリアクションとして何かアウトプットを返すという「インタラクティブ性」を1980年代からずっと突き詰め続けてきたメディア・コンテンツである。

米国と中国が先行した理由

このインタラクティブ性は元来デジタルの世界には存在しなかったものだ。

❶ アプリマーケティング研究所〝荒野行動で彼氏つくった「戦場系女子」が語る戦場出会いアプリのモテ即キル論。86万組のゲーム恋人「荒野彼氏・荒野彼女」の話〟<https://markelabo.com/n/ne5a1b8bcdf68>

２０２１年現在でも難しいと言われるのは、ｅスポーツにおけるストリートファイターⅡや鉄拳といった格闘ゲームでの同期オンライン化である。１秒間で60フレーム（アニメのコマでいう60枚が１秒間に分割されている状態）の動作環境があるため、０・01秒目のコマで操作をインプットしたのか０・03秒目にインプットしたのか、相手よりもコンマゼロイチの勝負に興じているのが格闘ゲームである。そのなかで通信問題やゲーム機の問題で、地方からアクセスしているユーザーが遅かった場合に、平等であるはずの競争環境が壊れてしまう。

格闘ゲームは極端な事例だが、このように「ユーザーＡがインプットしたこの瞬間のアクションが、アクセスしている数百万人のＰＣで同時に起こせるか」という意味では、相当なサーバーデータ容量と処理速度が必要になってくる。

リアルはインタラクティブな世界だが、デジタルは用意された非インタラクティブな世界である。これはコンピューターが発明されて半世紀以上たち、インターネットの普及がなされて30年たっても、まだ完璧には程遠いレベルではある。だが、この「疑似インタラクティブ」が今後のメディア・コンテンツにとってユーザーを摑む必要不可欠な要素なのだ。

荒野行動のユーザーは、まさにリアルの社会同様に、様々な目的をもってジョインできる環境である。シューティングは同期化に一番センシティブなジャンルでもあるため、クイックレスポンスの「疑似インタラクティブ」に高精度の機能を実装している。

これらのタイトルが米国と中国を中心に作られているのは偶然ではない。この２つの国はＰＣゲーム市場が潤沢にあり（それぞれ日本の１０００億円市場の10倍以上の規模がある）、携帯に比べてハイスペックだったPCをベースにインタラクティブ性を追求し続けてきた20年という先行優位性がある（中国に関しては韓国のPC文化を輸入、自前化することで育成してきた背景がある）。

ゲームのインタラクティブ性が「新しい公共空間」を作り出す

インタラクティブ性の高い空間の流行という意味では『ROBLOX』に触れないわけにはいかないだろう。ゲーム業界に革命的な変化をもたらしたサンフランシスコのゲームベンチャーであり、2004年に設立されてから、ユーザーが自分たちの好きなオンラインゲームを開発しアップロードできるプラットフォームとして徐々にその数字を伸ばしてきた。ほぼ大半のゲームは無料だが、ゲーム内の仮想通貨消費額の30％と、サブスクサービスであるRoblox Premium課金（仮想通貨が安く手に入る）が主な収益源である。

長く続けてきたこのサイトも、急成長は実はここ3年のことだ。売上は2018年に3・3億ドル、2019年に5億ドル、20年に9億ドルと急成長を見せている。2021年3月にニューヨーク証券取引所（NYSE）に上場したとき、時価総額は500億ドル、約6兆円規模にも達する勢いで、もはや任天堂に比肩する規模になってきている。

驚くべきはその月1・5億人近いユーザー（Ｓｗｉｔｃｈやプレイステーションの3倍規模のユーザーがいる状態）の半分以上が13歳未満という事実だろう。かつプラットフォームと

してゲームをアップしたユーザーが稼ぐこともできるため、10万ドル以上稼いでいるユーザーも250人いる状態である。❷

つまりシューティングゲームである必要はなく、「あつまれどうぶつの森」のようなほっこりした交流でも、ROBLOXのようにインディーゲームのプラットフォームでも、ソーシャルでライブなつながりの中で、ユーザーの参加を加速しながら経済圏を大きくしていくような「ゲーム的なサービス」が異次元の成長をみせた、というのが2020年の顚末と言える。

バトルロワイヤルが流行っているのではなく、バトルロワイヤルがもっている「インタラクティブ性」が社会的な公共空間として流行っているに過ぎない。以前ミクシィとグリーに固定化したSNSに、その後多くの企業が参入してもほとんど流行る気配がなかったのと同じように、「ユーザーがたくさんいること」が絶対的な優位性をもつこの世界においては、すでに覇権が決まりつつあるバトルロワイヤルジャンルで日系ゲームメーカーが同レベルのプラットフォームを展開できる可能性は限りなく低いだろう。

儲かっているゲームはオンラインばかり

図表20は全世界の基本プレイ無料ゲーム（ゲーム内仮想通貨で課金）の年間収益ランキングである。プレイ無料と謳いながら高収益という大いなる矛盾をはらんだランキングでもあるが、過去の有料ゲームである『ワールドオブウォークラフト』などのオンラインPCゲームに勝る

❷「Robloxも新規上場へ：ユーザーの半分超が13歳以下！驚異のエコシステムに迫る」Strainer（2020年11月22日）<https://strainer.jp/notes/1993>

とも劣らない結果が2010年代後半に続いている。

『フォートナイト』が2018年には24億ドル、2019年には18億ドルとトップに立ち（第1章で述べた通りアップルストアから落ちた2020年はトップ10にも入らない結果となった）、2020年には中国テンセントの『Honor of Kings（王者栄耀）』が世界トップに輝いた。これはMOBA系と呼ばれる3対3、5対5のチームに分かれて互いに拠点を取り合う『スプラトゥーン』的なゲームである。2020年にはROBLOXも3位に入っている。

日本ゆかりでいうと米国のナイアンティックの開発ではあるが『ポケモンGo』が2016年の約8億ドルから5年間売り上げ増を続け、2020年には19億ドルで5位にランクインしている。あとはランク外にはなるが、『Fate/Grand Order』や『モンスターストライク』といった年間10億ドルのタイトルだろうか。これらに関しては本章の2-5で詳述する。

単位：百万ドル

	デバイス	2013	2014	2015	2016	2017	2018	2019	2020
	Mobile					1,900	1,300	1,600	2,450
	Mobile							1,200	2,320
	Mobile								2,290
	Mobile								2,130
	Mobile				788	890	1,100	1,400	1,920
	PC	624	946	1,628			1,400	1,500	1,750
	Mobile			682		910	1,200	1,500	1,660
	Mobile								1,450
	Mobile								1,430
	PC	426	891	1,052			1,500	1,600	1,410
	Mobile						2,400	1,800	~1,400
	Mobile					982	1,200	1,200	1,000
	Mobile			674	1,300	1,300	1,000	1,000	1,100

ゲームが儲かりすぎているのではという誹りも受けそうだが、これらのタイトルのプレイヤーのほぼ8〜9割は無料でプレイしており、収益は1〜2割のプレイヤーが「ゲーム空間のなかで時間短縮したり、見栄えの良いアイテムを利用したりすることへの課金」によって集めている金額に過ぎない。そうした強い「ファン」の課金圧力の威力は前述したダイナミックプライシングの力ともいえる。

図表21は2021年第1四半期にアップル/グーグルのモバイルゲームストア、Switchのオンラインストア、PCプラットフォームのSteamでのそれぞれの収益トップ10のタイトルを並べている。驚くべきことに、オンラインにつながっていないゲームはトップ10のうち、モバイルもPCも1本ずつだけ。かろうじてSwitchで『ゼルダの伝説 ブレスオブザワイルド』や『スーパーマリオ 3Dコレクション』など10本中4本が非オンラインのゲームだが、「儲かっているタイトルはすべてオンライン」という

図表20 プレイ無料ゲームの世界トップ年間売上推移（2013〜2020）

2020順位	タイトル	Publisher	親会社（関連会社）	親会社国籍	
1	Honor of Kings	Tencent	Tencent	中	
2	Game for Peace	Tencent	Tencent	中	
3	Roblox	Roblox Corporation	Roblox	米	
4	Free Fire	Garena	Sea Limited	中	
5	ポケモンGo	Niantic	(任天堂)	米	
6	League of Legends	Riot	Tencent	中	
7	Candy Crash	King	Activision	米	
8	AFK Arena	Lilith Games	Lilith Games	中	
9	Gardenscapes	Playrix Games	Playrix Games	アイルランド	
10	Dungeon Fightert Online	Nexon	Nexon	韓	
	Fortnite	Epic	Tencent	中	
	Fate/Grand Order	アニプレックス	ソニー	日	
	モンスターストライク	ミクシィ	ミクシィ	日	

出典）SuperData

図表21　モバイル、携帯型ゲーム、PCゲームの全世界収益トップ10（2021年第1四半期）

順位	iOS App Store & Google Play	Nintendo Switch Lite	Steam（2020）
1	ROBLOX ★ Roblox：米国	Super Mario 3D World+ Bowser's Fury 任天堂：日本	Counter-Strike: Global Offensive ★ バルブ・コーポレーション：米国
2	Genshin Impact ★ miHoYo：中国	Monster Hunter Rise ★ カプコン：日本	Dota 2 ★ バルブ・コーポレーション：米国
3	Coin Master ★ Moon Active：イスラエル	Mario Kart 8 Deluxe ★ 任天堂：日本	Grand Theft Auto V ★ ロックスター・ゲームス：米国
4	Pokémon GO ★ Niantic：米国	Animal Crossing: New Horizons ★ 任天堂：日本	PlayerUnknown's Battlegrounds ★ PUBG Corp.：韓国
5	Honour of Kings ★ テンセント：中国	Super Smash Bros. Ultimate ★ 任天堂：日本	Cyberpunk 2077 CD Projekt：ポーランド
6	PUBG MOBILE ★ テンセント：中国	Super Mario Party ★ 任天堂：日本	Fall Guys: Ultimate Knockout ★ デボルバー・デジタル：米国
7	Candy Crush Saga アクティビジョン・ブリザード：米国	The Legend of Zelda: Breath of the Wild 任天堂：日本	Destiny 2 ★ バンジー：米国
8	Homescapes ★ Playrix：アイルランド	Pokémon Sword / Shield ★ Nintendo & The Pokémon カプコン：日本	Doom Eternal ★ ベセスダ・ソフトワークス：米国
9	Rise of Kingdoms ★ リリス：中国	Super Mario 3D All-Stars 任天堂：日本	Red Dead Redemption 2 ★ ロックスター・ゲームス：米国
10	Game For Peace ★ テンセント：中国	New Super Mario Bros. U Deluxe 任天堂：日本	Monster Hunter World ★ カプコン：日本

★＝リアルタイムオンライン機能を持つゲーム

出典）App Annie & IDC「2021年最新版ゲーム市場動向レポート」
https://www.appannie.com/jp/go/gaming-spotlight-2021-report-with-idc/

状態である。

ゲーム空間でのユーザー行動がエンタメ産業のデフォルトになる

オンラインゲームは対人用に難易度が調整されたNPC（ノンプレイヤーキャラクター）のボスを倒して喜ぶようなものではなくなっている。強くなったキャラクターをほかのプレイヤーと見せ合い、コミュニティをつくっていくそのユーザー行動は、ゲーム業界のみならず、今後間違いなくあらゆるエンタメ産業のデフォルトになっていく。

電子マンガであればマンガ読後の読者コメント欄であり（特定のユーザーとクローズドコミュニケーションができない難点があるが）、アニメやテレビ番組であればツイッターやネットサイトがその機能を代替しているが、現在のところゲーム業界のようなインフラを整備できているコンテンツ産業はない。ゲーム業界内部のこうした変化をみれば、こうしたトランスフォーメーションに手を付けないことが、いかに愚かなことか自明だろう。

ゲーム業界全体でみると、2005年から2020年までの期間は、デバイスごとのゲーム人口が図表22のような変化をみせた。

2005年は家庭用のコンソールが最も大きなゲーム口を占めて3100万人がおり、PC2000万人、モバイル（当時はガラケー）1300万人と続いていた。2007年のWiiブームでコンソールはさらに増え3700万人となったが、2012年のコンソール不況期になると全体的に落ち込んだ。同時期にモバイルはガラケーの700万人とアプリの1500万人に分化する。ウェブ型ゲームからアプリ型ゲームへの羽化をとげたタイミングだ。

2014年になるとモバイル一強に近く、ほぼアプリで3400万人と過去のコンソールのピークに迫る。ただし、モバイルだけになっていくのかと思いきや、Switch景気でコンソールが盛り返し、2700万人まで回復した。

大事なことはこの15年間でデバイスの変遷はありながらも、「ゲーム人口全体」の5000万人近いパイがずっと維持されてきたということだ。2007年はWiiや脳トレで非ゲーム人口を取り込み、2010年代前半にモバイルで新規層を開拓し、2010年代後半はオンライン化したコンソールでゲーム離脱人口をふたたび集めていった。テレビや映画やアニメといったほかのコンテンツに奪われることなく、デバイスの栄枯盛衰にあわせて「ゲームをプレイする人口」の母数を、業界全体で支えている。

日本で異常発達した「運営」という考え方

この5000万人向けのゲームコンテンツの戦い方は、日本経済に対するエンタメ産業の戦い方と酷似する。人口は漸減し、可処分所得も漸減する市場のなかで、いかにして商品を変えながらユーザーとの関係性を保っていくか。つまり「変えながら変えない」形を貫くか。いかに多くの人を囲い込み、いかに多くの人の視線を奪うか。

図表22　国内ゲームプレイヤー数の推移

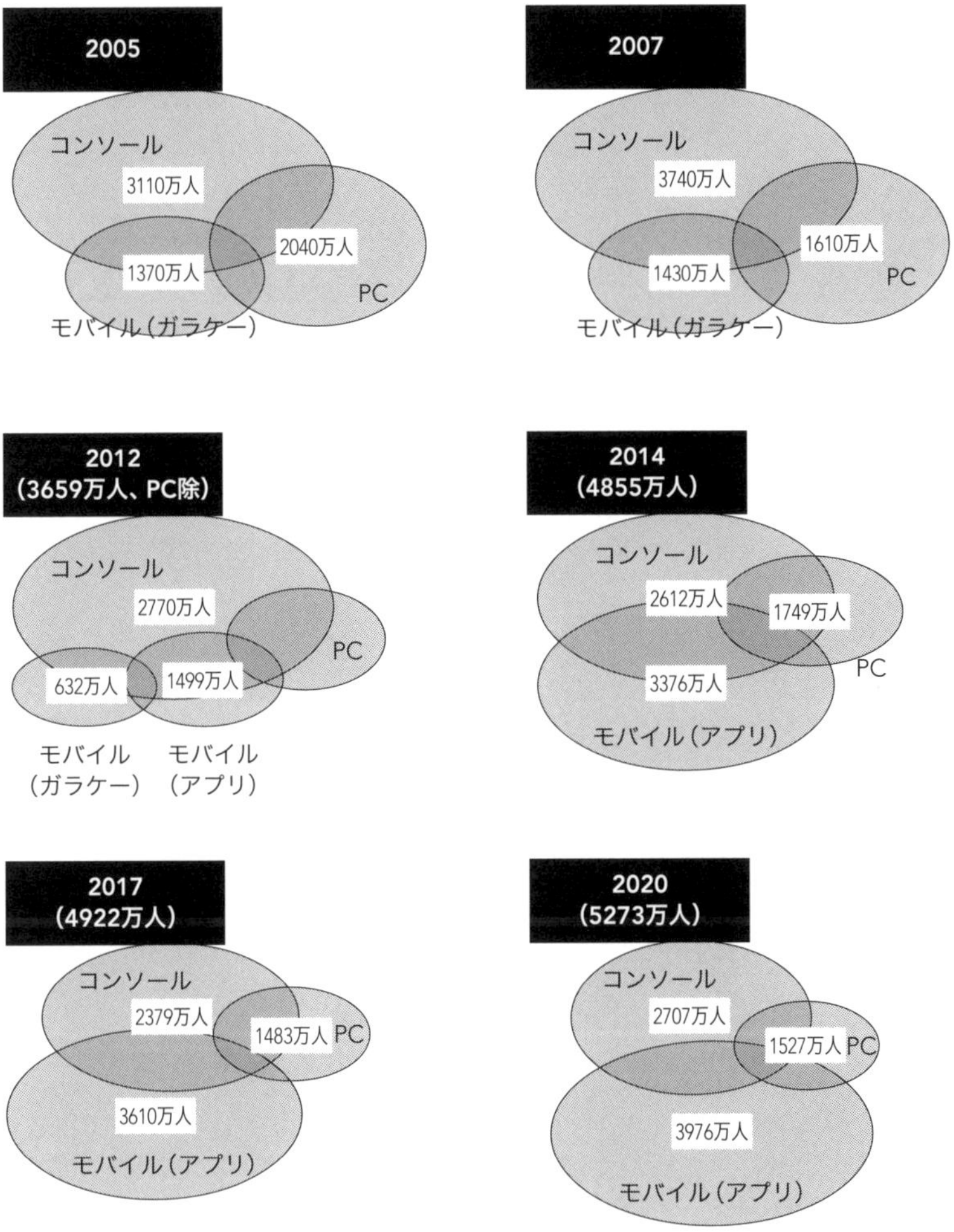

出典）ファミ通ゲーム白書

これと対比される戦い方もある。どんどんと領地を広げるかのように、対象国・地域・ユーザー層を広げていく。米国企業が得意とする戦い方であり、中国企業もその傾向を強めている（エンタメ業界における米中企業の戦い方は第3章で述べる）。

このイデオロギーに米国企業・中国企業が囚われている限りにおいて、ファンとの関係性構築という新しいゲームでアドバンテージをもてるのは日本や西欧諸国のような「(人口・GDP) 成長が止まった国」である。

ゲームの「運営」という考え方は実は日本で異常発達している。300人近くのエンジニアがつくったゲームなのに、毎月そのまま300人がゲーム内のイベントを設計し、日々コンテンツを進化させ続けている。この超労働集約的なデジタルサービスは日本独特である。

300人で2年間かけて作り上げるゲームは、さながらビル1棟をたちあげるような巨大プロジェクトと金額面でも工数面でもそれほど変わらない。欧米でも同類の巨大ゲーム開発はあるが、終わればチームは解散、いかに少人数の省エネでそのビル内のデパートを運営するかという効率とスケーラビリティのマネジメントに移行する。

しかしながら、日本のモバイルゲームにおいてはその300人のビル建築家・工事作業員たちが、そのままデパートの内装やら建て増しやらで稼働を続け、ユーザーに新しいWOWを届け続けようという話になる。

まだそれほど分析・検証のなされていない領域だが、「ゲームの運営」(開発・リリース後のゲームの運営組織・投資・収益確保) は、日米で大きく考え方が異なる。10年ほど前から同じ傾向があるが、とにかく日本はユーザーの期待値が際限なく上がり続け、それに対応するために重箱の隅をつつくかのようにちょっとでも多くのものを詰め込み、ちょっとでも新しいものや改良を加え続ける。必然的に「ゲームの運営を維持するために必要な売上」は欧米型よりも大きくなるため、10年前は月3000万、5年前は月1億円、最近は月2億円の売上がないと赤字になってしまい、途中でサービスが終了というケースも散見される。

これはゲーム以外の商品やサービスにも言える話だ。日本は運営の段階になったときの付加価値の詰め込み方ときめ細やかさが世界随一のレベルにあり、それがゆえに作品・商品とユーザーとの距離感や熱量が高水準で安定し、また増加もしやすい。手間ひまかけてユーザーをファンにしていくというサービスの展開が産業を問わず沁み込んでいる。

世界6か所あるディズニーランドでも唯一ディズニーが直営・委託せずに、ライセンスを貸し与えて現地企業（オリエンタルランド）に任せているのは日本だけである。その清潔感や均一なスタッフの高水準サービスの提供など運営の面でも米国との違いは大きい。P&Gも以前は神戸にアジアパシフィックの本社を置き（現在はシンガポール）、世界最高品質を求める日本顧客向けにカスタマイズしたものをその後アジアに展開する手法が一般的だった。コカ・コーラも世界21個ある年商1000億円を稼ぐトップブランドのうち、4つが日本発で日本のファンからの厳しい水準に応えた結果として生まれた製品である（ジョージア、アクエリアス、綾鷹、いろはす）。

日本は広い産業で、長らく成長しない市場での過密な企業間競争により、世界でも稀なほどの高品質・高付加価値の商品やサービスを築き上げてきた。ユーザーもまたブランドとの長期的な関係性によってファン化しやすく、ブランド側とファン側での相互作用として経済圏を摺り上げ続けるようなプロセスが一般化している。

2-5 『ウマ娘』ブーム大爆発が物語る美少女キャラの新ステージ

久しぶりの覇権アプリとなったトンデモストーリー

『ウマ娘』はサイバーエージェントグループの一角、サイゲームスによって開発されたスマートフォンゲーム、PCゲーム、アニメのメディアミックスプロジェクトである。競走馬を擬人化した女性キャラクターを育成し、競馬レースのように競走させていく2次元コンテンツである。2021年2月にリリースされた『ウマ娘　プリティーダービー』は初月130億円の売上を達成し、そこから3か月で約300億の売上を上げた。いま日本のアプリ市場で最も売れているタイトルとなっており、❶ 3月末時点で週206万ユーザーがプレイしている。ユーザーの「平均」プレイ時間は1日133分、つまり2時間以上となっており、アプリゲーム全体の平均が87分であることを考えると、通常の1・5倍ほど長く遊ばれていることになる。❷

こうした月100億円、年1000億円クラスのトップタイトルは稀に生まれ、アプリ市場全体を揺るがす存在になる。2012年2月の『パズル&ドラゴンズ（以後、パズドラ）』、

❶ ゲームアプリ売上推移（【スマホゲー】ゲームアプリ売上推移 2018/1～2021/4【動くグラフ】https://www.youtube.com/watch?v=5jgVc5r7Tiw）

❷ ゲームエイジ総研「『ウマ娘プリティーダービー』のアクティブユーザーを調査」<https://www.gameage.jp/release/report/index_026.html>

2013年10月の『モンスターストライク（以後、モンスト）』、2015年8月の『Fate/Grand Order（以後、FGO）』がその代表例で、2016〜19年の4年間はこの3タイトルがずっと年間売上トップ3を占め続けてきた。変動が激しいようにみえるアプリゲーム業界も、一度数百万人〜1000万人単位のユーザーがつくと、そこから急落するということはほとんどない。

国内のアプリゲーム市場は2018年ごろには天井となる1・2兆円をつけて、「もう伸びない」と誰もが期待を薄めていた。その時代に『ウマ娘』は「日本初の、女性が競走馬となって走る」という〝トンデモストーリー〟で久々にこうした覇権アプリを作ることに成功した。2021年第1四半期の時点で世界ゲームアプリトップ10に入っている日本のタイトルはウマ娘の1本のみで、ほかはすべて中国と米国のタイトルである。

1つのゲームが生み出す経済効果は、かつての家庭用ゲームやアーケードゲームの比ではない。毎月200〜300人の開発者が関わり、そのタイトルに新しい企画やイベントを入れ続け、数百万人のユーザーが遊び続けられるようにあの手この手で毎日のようにそのゲーム空間を演出し続けるのだから。

パズドラを作ったガンホー・オンライン・エンターテインメント、モンストを作ったミクシィ、FGOを作ったアニプレックスの業績をみてもらいたい（図表23）。1つのゲームがその後10年にわたってその会社の業績を牽引している。ガンホーは、パズドラ以前は売上100億円未満の会社だったことを考えると、2012年から2020年までの約9000億円の上積み売上の大半がパズドラである。

　もちろん運営の巧拙によって上下もあるし、その底支えには並々ならぬ努力が必要だが、1つの覇権アプリが1兆円規模の生涯経済圏を生み出すことを考えると、アプリ業界へのゴールドラッシュが促進されるのも納得である。

　これだけ売れると、会社上層部の50代、60代の普段ゲームで遊ばない重役の目にもとまる。2013〜14年は「パズドラみたいなもの作れないの?」と見た目もゲームの進め方もパズドラ的なものが作られ、2015〜16年は「モンストみたいなの作れないの?」とモンスト型が量産され、2017〜18年は「FGOっぽいもの作れないの?」とストーリーを中心とした作品づくりに注力するゲームが出続けてきた。

　しばらくこうした業界激震といったタイトルがなく、その合間に2019年の「七つの大罪　光と闇の交戦(グランドクロス)」「原神イン

図表23　月商100億円の覇権アプリ事業者の売上推移

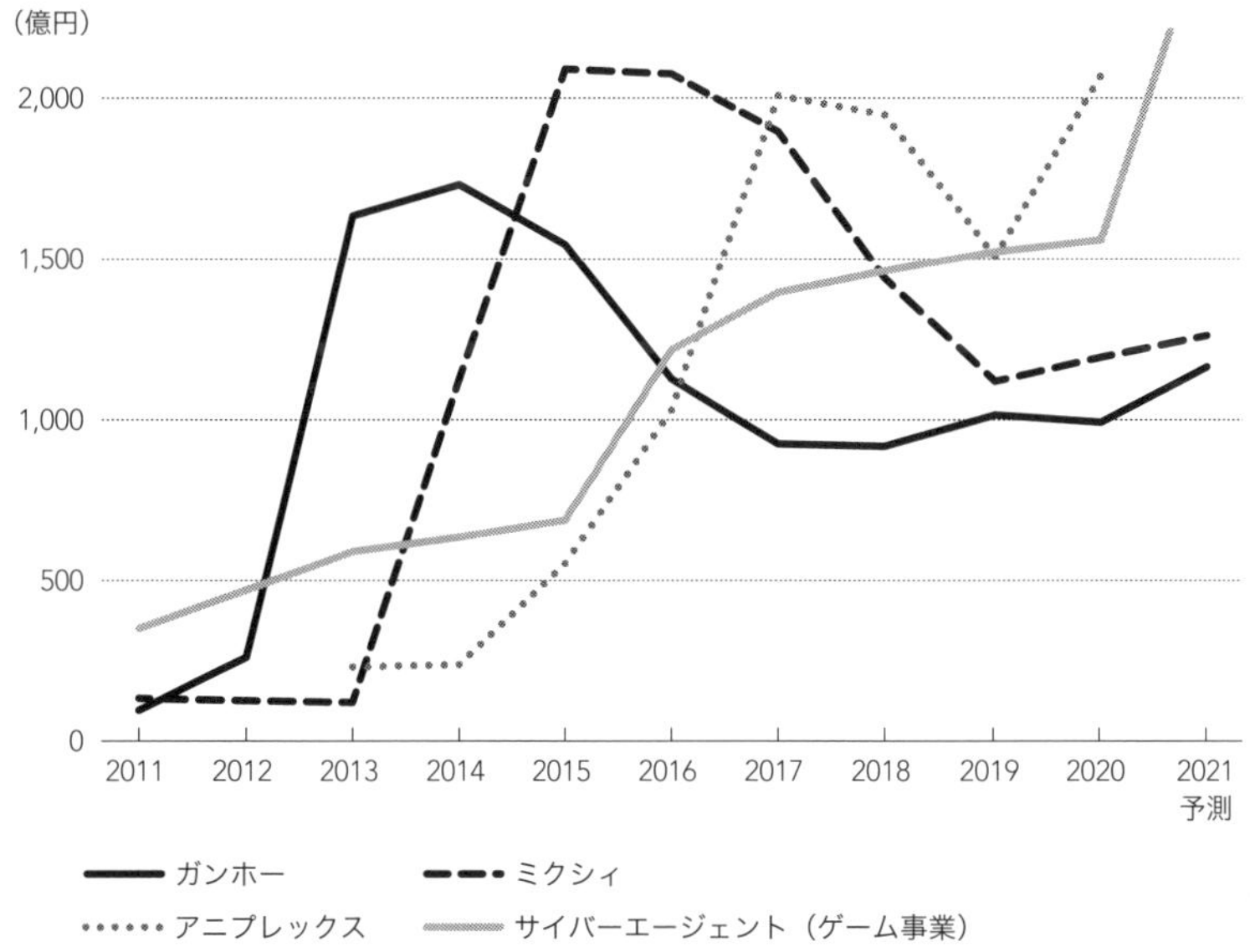

出典)各社IR資料、決算公告より。2021年は第1四半期の数値を4倍にした

パクト」のような韓国や中国開発のタイトルが日本市場でも目立つようになり（原神は開発費100億円とこれらのタイトルは開発規模があまりに大きいため、真似しろとは言われない）、もはや日本産タイトルでは日本市場ですら勝てない状況となっていた。そこに久しぶりに『ウマ娘』という国産大ヒットが生まれたことは、日本のアプリ開発にとっては朗報だろう（ただウマ娘も過去3大タイトルの比にならない開発費のため、どこまで類似のものが今後出てくるかは不明）。

基本的にはヒット業界は「夢を食べる」仕事だ。経営者・投資家が夢をみられる市場環境を前提とし、それに向かって大量の人間が動員されて創造することを奨励される。大ヒットがなければ誰も追いかける道はなく、夢の量産がされないため、投資が弾まず、市場もしぼむ。だからこそ儲かっているタイトルは儲かっていることを喧伝し、後続の企業に夢を見せ続ける必要がある。

サスナビリティが高く、アニメ販売も超高水準

ウマ娘に話をもどすと、この作品は奇跡の復活といってもよいほど開発に難航したタイトルであり、開発構想は2015～16年ごろから始まり、当初は18年冬リリースとされた。それにあわせてアニメ製作も進められ、サイゲームス、東宝アニメーション、ランティス（現バンダイナムコアーツ）の3社出資の第1期は2018年4～6月期に放送されるも、アプリゲーム

はその時点では間に合わず延期が発表されている。製作指揮をとっていた石原章弘はバンダイナムコエンターテイメントで『アイドルマスターシリーズ』に携わっていた人物で、そのキャラクター育成手法のノウハウを存分に生かした競走馬擬人化コンテンツとして期待されていたが、同氏も2019年4月に退職したりと、プロジェクト自体の難航ぶりを物語っている。だが、そこから長い改修期間を経て、満を持して2期アニメが放送・配信された2021年1〜3月にタイミングをあわせ、アプリゲームが21年2月にリリースされた。構想からおよそ5年超の取り組みである。

そのゲーム性は存分にアイドル系アプリの手法を模倣している。美少女キャラクターとプロデューサーのような1対1の会話が深まり、キャラクター性をよりよく知れるバックグラウンドのストーリーが少しずつアンロックされていく。さらにはウマ娘それぞれのモチーフとなる競馬の歴史的なストーリーも織り込まれ、昔からの競馬ファンにも十分に刺さる内容になっている。飽和していたアイドルと音楽ゲームという組み合わせに終止符を打つような、美少女育成の新機軸である。

キャラクターの育成という意味では革新的ですらある。毎年7000頭のサラブレッドが生まれるが、中央競馬で勝利経験ができる馬は1500頭足らず、オープンに上り詰める馬は100頭（これがプロ野球選手や連載漫画家になるようなレベルだろうか）、G-レースで勝てる競走馬は20頭前後となる。競争率と淘汰のレベルではお笑い芸人や漫画家とそれほど変わらないが、それでも「毎年20頭の新しいウマのキャラクター・ストーリー」が生まれてくることはゲーム運営には福音だ。これだけのキャラクターと物語のもとになるモチーフがあれば、今後も新たに美少女キャラクターを作り続けられる。競走馬のIP（知的財産）を二次創作するためには馬主との許諾交渉が必要だが、その苦労を乗り越える価値がある話である。

数百万人が毎日同時に遊んでいる威力は推して知るべしである。JRAのサイトでも2021年1月までは全体の10％程度だった20代の若年層が、21年3月には全体の20％を超え、急激に競馬ファンが増えている。引退馬のナイスネイチャの誕生日に合わせた寄付金集めでは、2020年に400人だった寄付者が2021年には1・6万人へと40倍に増え、寄付金も総額3500万円集まった。❸

『ウマ娘』アニメのブルーレイディスク（BD）は、発表2週間で販売枚数16万枚を超え、❹これはエヴァンゲリオンのもつTVアニメBD・DVDの歴代記録を抜く売上となった。ビデオパッケージ販売としては歴代最高の『千と千尋の神隠し』の400万枚含め、『もののけ姫』や『となりのトトロ』など100万枚レベルで売り上げるジブリのトップ10のタイトルに比べるとまだ少ないものの、BD・DVDとして過去ジブリ作品以外で売れたシリーズとしてはトップ級の販売本数を記録している。

BDの売れ行きは、アニメがとんでもなく良い出来だったからだろうか？　2018年4～6月に第1期、2021年1～3月に第2期と制作・放送されたウマ娘のアニメは、それはそれとして良作であったが、人気を博したというほどではなかった。

だが第2期のアニメBDとして販売された同作は「タムパがよい」から売れた。このBDの

❸「『ウマ娘』大ヒットで20代の競馬ファン増加中　“ハルウララ”ファーム見学は予約でいっぱいに」2021年6月2日< https://news.yahoo.co.jp/articles/2872f27831261d1e923835c228403ca841394c40>

❹「【オリコン上半期】『ウマ娘』BD異例の大ヒットでランクイン、アニメ映像作品で堂々の1位」https://news.yahoo.co.jp/articles/2d60697a05f8cc85e463906eb7f22b5f6592b521

全4巻それぞれに入っている特典、全巻購入した特典は、シリアルコードとしてウマ娘のゲーム内で使えるアイテムの大盤振る舞いで、「課金アイテムを使うならBDを買ったほうが安い」という消費者心理が働く仕組みであった。1巻8900円で全部そろえると、約4万円。だがBDのシリアルコードで読み込むSSR4枚、★3が1枚、女神像2000という特典は同じ約4万円をゲーム内で課金しても得られるものではなく、「4万円でより効率的にゲームアイテムが入手でき、ほぼタダ以下の価格でディスクがついてくる」という仕組みになる。限界費用のないデジタルアイテムだからできる仕組みであり、数百万人がプレイするアプリゲームの成功を前提とした販売手法である。

ビデオパッケージがこの調子で20万〜30万枚×4巻といった売上となれば、約100億円といった規模となる。アプリゲームの販売額が「月」100億円であることに比べれば1度きりのこうしたパッケージ売り上げは「それなり」と感じるかもしれない。会社としての粗利も3割を引いて70億残るアプリに比べると、委員会配分や印税などを引くと5割も残らないBDでは利益貢献度もそこまで大きくない。

だが日本全体で年間1300億円の映像パッケージ市場で考えれば、この1作品で1割弱にもなる驚異的な数字である。アニメジャンルのパッケージ市場300億円の3分の1にもなってしまう規模である。

グッズはコミュニティへの参加表明

なおかつ、アプリというデジタル上だけのものに対して「家の本棚にＢＤが並ぶ」という展示効果は遅効性をもってユーザーの生活にインパクトを与える。アプリは開かなければユーザーはそれを思い出さないが、所有の形で常にユーザーの生活空間に展示されているだろう物理的な空間シェアは中長期的に何度もユーザーにウマ娘を想起させ、アプリを再度開かせる誘因となる。だからＭＤは大事なのだ。

ユーザーの購入には順序がある。アプリで３００円課金して目当てのキャラクターを手に入れても、それは翌月にはすぐに忘れ去られてしまう。１万円もするライブイベントに友人と行けば、その体験は数か月後も思い出すような人生の一部となる。そこで手にした５００円の缶バッヂやキーホルダーは単なる記憶の物象化みたいなものでしかなく、さして機能はないが、だが小さなグッズは「楽しかったライブ体験」を呼び覚まし、もう一度アプリを開いてみるかという気持ちにさせる。

ツイッターのフォローをしておけば、アップデート情報とともにほかのファンが先週始まったイベントで盛り上がっていることに気づくかもしれない。徐々にウマ娘に興味が強くなっていき、その裏側にいる声優が以前自分が好きだったアニメでもキャラクターボイスをやっていたことに気づき、声優の情報を集めるうちに再びウマ娘への気持ちを強くするかもしれない。

そしてついには1万円かけてフィギュアを買う。人形やフィギュア、寝具といったグッズは、キャラクター商品としてはかなり成熟段階におかれる。それだけのお金をかけたという事実がサンクコストとなって、余計にその作品から離れることを妨げる。

ユーザーがその作品の商品を人が見えるところに顕示するということは信教の宣告にも近い。「私はクリスチャンである」ということをてらいもなく人に語り、それを自分のアイデンティティとしてくれれば、インフルエンサーとしての副次効果にもなる。そのファン同士が集いあい、ウマ娘そのものよりもウマ娘を一緒に楽しめる仲間としてコミュニティ化してくれれば、そのファンが作品から離れる可能性は限りなく低くなるだろう。

数百万人がプレイしているという事実が、参入のハードルを下げる。誰もが遊んでいるという規模の経済が、その趣味を肯定してくれる。

こうしたヒット作品の連鎖は確実に人々のゲームやキャラクターに対する閾値を下げている。以前『パズドラ』や『モンスト』が多くの人々にプレイされているのはわかる。ビジュアルも『ビックリマン』を彷彿とさせるようなカジュアルなものだし、それなりに「子供も大人も遊ぶジャンル」としてわかりやすい。

だが『FGO』が流行したとき、あの美少女たちのビジュアルが一般化する過程をみて、驚いた人も少なくはないはずだ。まして美少女をウマにして走らせるという『ウマ娘』が第4の覇権アプリに君臨したとき、日本のアプリ市場、エンタメ市場のなかで、この閾値のステージが変わったことを感じる。

アイカツおじさんにみる「規範」の概念と作品アイデンティティ化

「アイカツおじさん」という集団が2013年ごろ、ニュースを騒がせていた。アイカツおじさんは、女児を対象にしたアニメ作品『アイカツ！』をこよなく愛する〝大きいお友達〟として、ゲームセンターにおけるカードダス式のゲーム筐体に陣取り、100円玉を手元に積みながら、腰を屈めてプレイする中高年のおじさんたちである。『アイカツ！』をアイデンティティとする人々の性別・年齢・ビジュアルは、あまりに外側からの想定と離れていた。『アイカツ！』のアーケードゲームは累計で150万人が登録し、多い時には80万人もアクティブプレイヤーがいたが、実はアイカツおじさんが目立ちすぎていただけで、大人ユーザーは1割程度、しかも7割は女性というコンテンツである。

ちなみに推しへのタムパの文脈でいうと「女児向けアニメだと1年間は続くので、各キャラクターをしっかり掘り下げてくれるだろうという安心感もあります」というアイカツおじさんのコメントからも、運営の永続性に対する期待感が、作品選びの1つの肝になっていることがうかがい知れる。[5]

人々がその現象を許容しているか排外しているかは、そのニュースの報じ方に象徴的に表れている。2021年現在でもアイカツおじさんはいる。確かにゲームセンターにいけば彼らはそこにいるが、もはや報じられることはない。

[5]「アイカツおじさんに聞いた！大人が女児向けゲームにハマる理由」ITMedia News 2016年3月26日<https://www.itmedia.co.jp/lifestyle/articles/1603/26/news003.html>

バンダイナムコHDの発表するIP別売上でも2013年ピークの159億円から、3年後には30億〜50億円に落ち着いており、2020年度も年間25億円という数字からも、アイカツIP自体がブームを過ぎて固定ファンのみで支え続けられる作品になっていることが推察できる。ただ、もはやニュースで報じられないのは、規模の部分もあるが、「アイカツおじさん」という呼称自体が出来上がり、その姿が「一般化」したからだ、という面もあるだろう。もはや報じる必要のない定義ができている現象なのである。

一部の誹りは受けながらも、『アイカツ！』も含め、AKB48、ももクロ、乃木坂46も、『ラブライブ！』『BanG Dream！』も、こうした趣味を性別年齢問わずに表明できるという点で、日本の趣味領域における社会的キャパシティは相当に広い。これは他国に比べて、「趣味の規範（性別や年齢にあわせてどういったものを好むべきかの規範）」概念が弱い日本ならではの結果ともいえる。

それゆえに、多様なファンの反応をベースにコンテンツを後工程で作りこむ動きが出てくる。『アイカツ！』をアイデンティティ化し、活動しているおじさんたちをみながら、メーカーもその1割の限定ファンのためにどんなオプションをつけていくのがよいのか、逆にそれがマジョリティにならないように女児を含めた9割のメインのファンが何を楽しめばよいか、ユーザー層にわけた運営を行っていく。意思表明をするファンと、それに対応しようとするメーカー側のインタラクションで、作品が出来上がっていくのである。

2-6 受信リテラシーから発信リテラシーへ

サブカルリーダーの新条件は「知っている」より「表現できる」

1990年代にエンタメに詳しかった友人の書棚をみると、決まってCDラックが高く積み上がり、そのなかに洋楽だったりジャズだったり、見たこともないようなジャケットが所狭しと飾ってあった。自宅に人を招くとき、彼らは自慢げに埃をかぶった上のたなから誰もが知らないようなアルバムをもってきて、その作家と歌手のヒストリーを語りながら、CDで流す。異国情緒あふれる音楽は、それそのものとしては確かによい音楽なのかもしれないけれど、文脈も何もわからない僕の耳には、なんとなく音符が入ってくる気配もなく、感想を聞かれたときのきまずい沈黙を打ち消すように、「すごいね」「新しいね」なんて連呼するばかりだった。

あの当時、「受信リテラシー」が最強の時代だった。誰も知らないようなマイナーな雑誌を購読し、誰も知らないような音楽やファッション、コレクションをもっている人間は一定の評価を集めていた。サブカルのリーダーのような存在だった。

いま30年の時を経て、2010年代に私が中学生だったらどんな人が注目を浴びているだろうか？ 自宅に埃をかぶったベースを飾っている人でも洋楽やジャズを聴きこなす人でもない。むしろ今はＴｉｋＴｏｋを使いこなして自分のダンスを披露したり、小学生なのにＳＮＳアカウントでＥＣショッピングを展開してしまうような子が尊敬を集めている。それらは「発信リテラシー」なのだ。

ネットの社会的空間は以前のようなスラム感を喪失し、それぞれ規制された交通道路で思い思いに意見を発せるようになった。そうしたなかで一定の発信リテラシーをもって、フォロワーを獲得できるような、面白い視点をピリリと載せられる人、そんなユーザーが注目される時代になっている。

発信リテラシーが重要なユーザー分類指標となったとき、これまで商品普及のルールとされた旧来のユーザー分類は役に立たない。以前はまずイノベーターがいて、アーリーアダプターが続いた。それがマジョリティに火をつけて、キャズムを越えてラガードにまで普及するようなマスコンテンツに展開していく。しかし２０２０年代、マジョリティもラガードもまた、（レベルの差はあれど）表現し、発信している。

誰もが何らかのイノベーターである。あらゆる層が、自分が嗜好するものにだけはアーリーアダプターになっている時代なのである。彼らに「何を発信させるか」を考えなくてはいけない。それは一時のネタでもよいし、コンスタントに毎日インスタグラムにのせるものでもよい。発信が関与を生み、それがこれまでにない深い関心を育てるのだ。

クリエイターになれる人はたった1人

ファンはクリエイターをフォローする存在である。ここまでユーザーからファンへの変態(ミューテーション)について語ってきたが、肝心のクリエイターそのものについても語ってみたい。

クリエイターとは古今東西、基本的には孤独な存在である。自分の中に芽生えた作品のアイデアを1人孤独に育てながら、なんとかチームをつくって、世に送り出すプロセスである。同時にコンテンツ業界におけるクリエイターは、程度の差はあれ概ね自らの中にしか正解を求めない内向型人材でもある。

『映画大好きポンポさん』というアニメ映画がある。イラスト投稿サイト「ｐｉｘｉｖ」に投稿されたマンガをきっかけにアニメ化され、2021年春に公開された作品である。主人公ジーンは、目の下に深いクマのある内向的で陰鬱な、それでも映画に対する執着的な造詣をもつ映画のアシスタントプロデューサーである。映画監督になりたい人はたくさんいるのに、なぜ自分なんかが映画監督として選ばれたのかと、ジーンが映画業界の女神(ミューズ)のように才覚あふれるポンポさんに尋ねるシーンがある。その答えは意外にも「あなたの眼が死んでいるから」というものだった。

ジーンは暗い青春時代を過ごしてきた。映画だけが友達で、クラスではナード(オタク)として見下され、当然ながら恋人もいない。うまく人の眼をみて話せないし、映画監督として成功しながらも自己評価の低さとニヒルな笑みが絶えることはない。スピルバーグも似たような境遇だったのではないだろうか。

自分のあこがれの世界と、そんな自分を肯定的には包み込んでくれない目の前の世界とのギャップは、ファンタジーによってしか埋め合わせができない。彼は他人に興味はないし、他人におもねることもない。だからこそクリエイションの世界においては、正しい。「眼が死んでいる」というのは現実世界に大きな期待をこれ以上背負っておらず、作りこまれた創作作品のなかに「棲んでいる」がゆえの結果である。

クリエイターは希望ではなく絶望の中から生まれる。映画やアニメやゲームといった映像の世界に限らない。マンガ家であっても、タレントであっても、俳優であっても同じだろう。およそ創作に携わる人種のなかで自分自身への絶望を味わわずにスターダムに立った人間を私は知らない。

あまりに孤独な砂漠のなかで、ゼロから生み出されたものだからこそ、ユーザーはファンとなり、最大の賛辞をもってそれを迎える。その背後では、何も生み出せずにうごめいている「クリエイターになりたい人々」が何千人、何万人と淘汰され、その結果として生まれたものであることを暗に理解しているからである。

クリエイターは本質的に組織運営には向いていない。この法則は起業家にも当てはまる。シリアルアントレプレナーと呼ばれるような夢あふれる、超オフェンス型の起業家にとっても、成熟した組織の運営は退屈なものである。なぜＣＯＯが重宝されるかといえば、ゼロイチのフェーズにおいて絶対的な優位性をもっていた起業家やクリエイターがＣＥＯになると、数百人、数千人単位の大規模組織になったときに、その優位性が成長を阻害するケースが出てくるからだ。サラリーマン性は高いが周囲の人が理解のできる言葉で語るＣＯＯ人材は、ＣＥＯ人材を支えるためには必要不可欠である。

こうした企業運営のノウハウは、キャラクターをとりまくファンの運営にもそのまま通じる話である。作品は1人もしくは数人の限られた個人の才能を期待する数千人から数万人のファンによって、ともに作り上げられる。クリエイターはフォロワーを必要とし、彼らの熱狂を糧にすることで創作作業に向かい続ける。

だがクリエイターを真に理解できるフォロワーは少ない。だから出版社は漫画家に編集者をつけ、ゲーム会社も映画会社もディレクターにプロデューサーを伴奏させる。視点の異なる、外を向いた「別の自分」がいない限りは、クリエイターは1人のみで組織を盛り立てることはできないものだ（よほどの秀才を除いて）。

リーチからリールへ――仮想一等地が生み出す新たな価値

20世紀のマーケティングはテレビを中心として起こってきた。日本の6兆円、米国の25兆円の年間広告市場の半分以上は「テレビ」に費やされたものだ。そこでは視聴率にかけ合わせて、何百万世帯に浴びせかけるように放送される一方向のコミュニケーションをベースとした「広告」が何十年も繰り返されてきた。以前はそれが「ラジオ」であり、「新聞」であった。

「テレビ」の黄金時代は1970～2000年代と定義できるだろうか。それが大きくスイッチしたのが2010年代だった。すでに米国の広告市場は、テレビ（衛星・シンジケーション含む）の7兆円をデジタル（インターネット広告）の14兆円がダブルスコアで凌駕している。デジタルはこの10年で10倍規模に膨れ上がり、あっという間に人々の視線を奪い取った。日本でも2019年になって初めて、デジタルの1・8兆円が地上波テレビを超えた。

テレビを中心としたマーケティングはどうやっても薄く広く、そして遠いところからの「リーチ」になる。人々の「視線」を奪い、最終的には「購入」をゴールとするものなのである。これをもって、AIDMA＝Attention（関心）・Interest（興味）・Desire（熱望）・Memory（記憶）・Action（購入行動）というモデルをマーケティングの基礎としてきた。テレビCMで関心をもち、興味をもち、次第にその商品を熱望するようになり、記憶に刻まれ、最終的に購入に至る。

図表24の「ハリウッド経済圏型ファンビジネス」のように、非購買層からスタートし、情報に次ぐ情報を提供しながら、マスコンテンツユーザーを集め、そしてニッチな熱狂リピートユーザーに深掘りさせていく。購入額全体の8割は、購入者の2割に満たないこのニッチな熱狂リピートユーザーが握っており、彼らに多くを依存している。

このリピートユーザーを生み出すために、何度も何度も情報を「リーチ」していく。ゴールデンタイムの一番よいCM枠を押さえて視聴してもらえる最上の宣伝場所を確保する。東京都心の一等地を押さえるようなマーケティングであった。

この攻め方はもはや化石のようなものだ。コロナのロックダウンで東京駅前の一等地から人の流れが消えたように、ユーザーは郊外から路線図通りに電車に乗り、一等地に向かって出勤するような時代ではなくなってしまった。ユーザーが決まった時間、決まった場所に誘導される存在ではなくなったときから、一等地はもはや一等地ではなくなった。

人が集まる場所はデジタルにシフトした。もちろん再びアナログな一等地は徐々に人を集め始めるし、2020年の状態が常態化するわけではない。だが確実に「アナログな一等地に集まる」とい

オタク経済圏型ファンビジネス “作品関与”

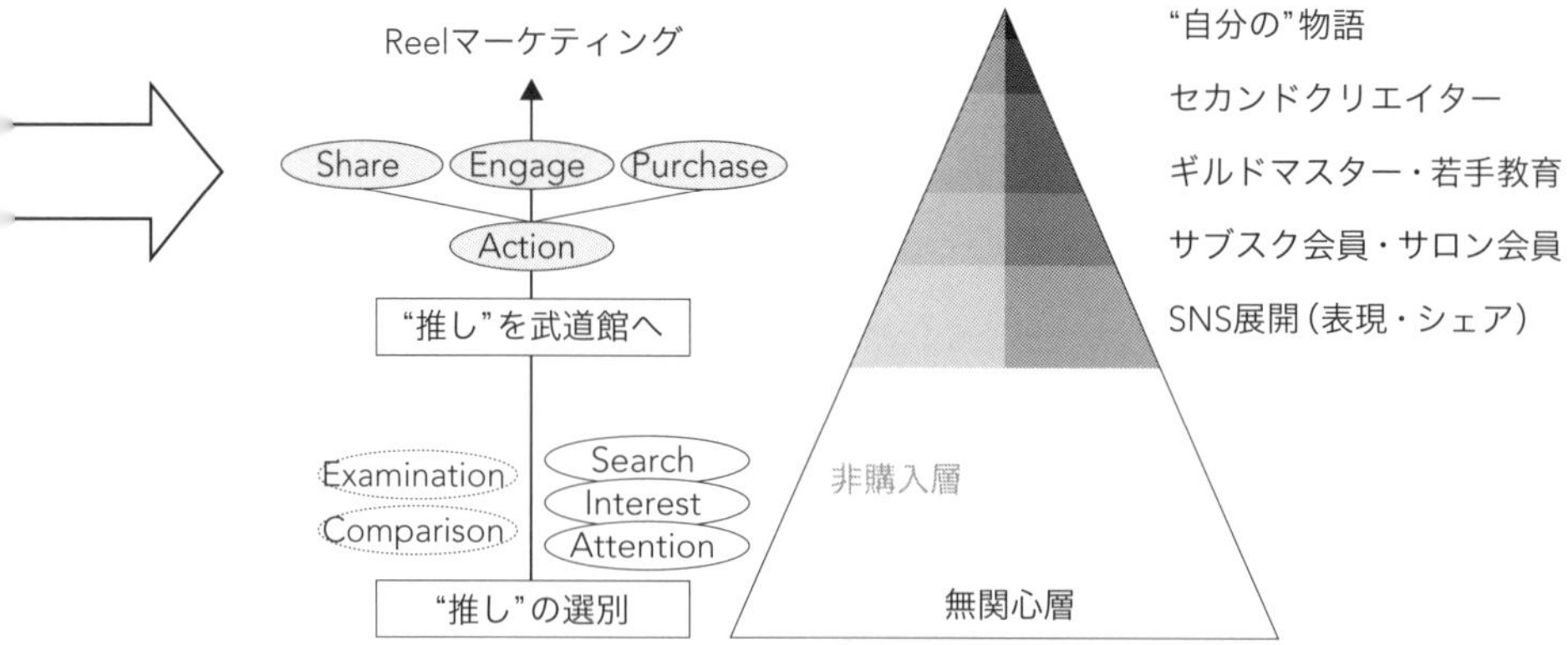

- Actionがシェア・参加・購買と多様化
- リール（Reel）で行動を引き出す
- データでユーザー行動をある程度可視化
- 熱烈ファン（ニッチ）が目立つ構造

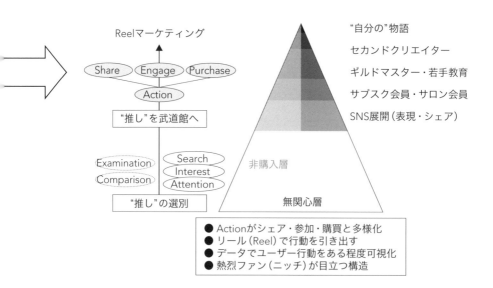

う行動を人々がリスクと感じる時代になってしまった。

ネットは自由空間であり、設計された道路や路線図がない、だだっぴろい海のようなものだ。周囲の動きが見えないだけに、人だかりや道路のように可視化できるものがなく、一等地を作ることが難しい。ネットは自由で雑多で、記憶にも残らない。

だが、ある条件を満たすと、それが変わってくる。バズが起こって皆がワイワイと騒いでいる現象そのものの中で「仮想一等地」ともいうべき状況が起こる。

#半沢直樹がツイッターで騒がれたとき、この仮想一等地に集まった、もしくはかすめて通った人々はどのくらいいただろうか。数時間の間に50万人がつぶやき、リツイートした。久々に自身のアカ

図表24　推しエコノミーへの進化

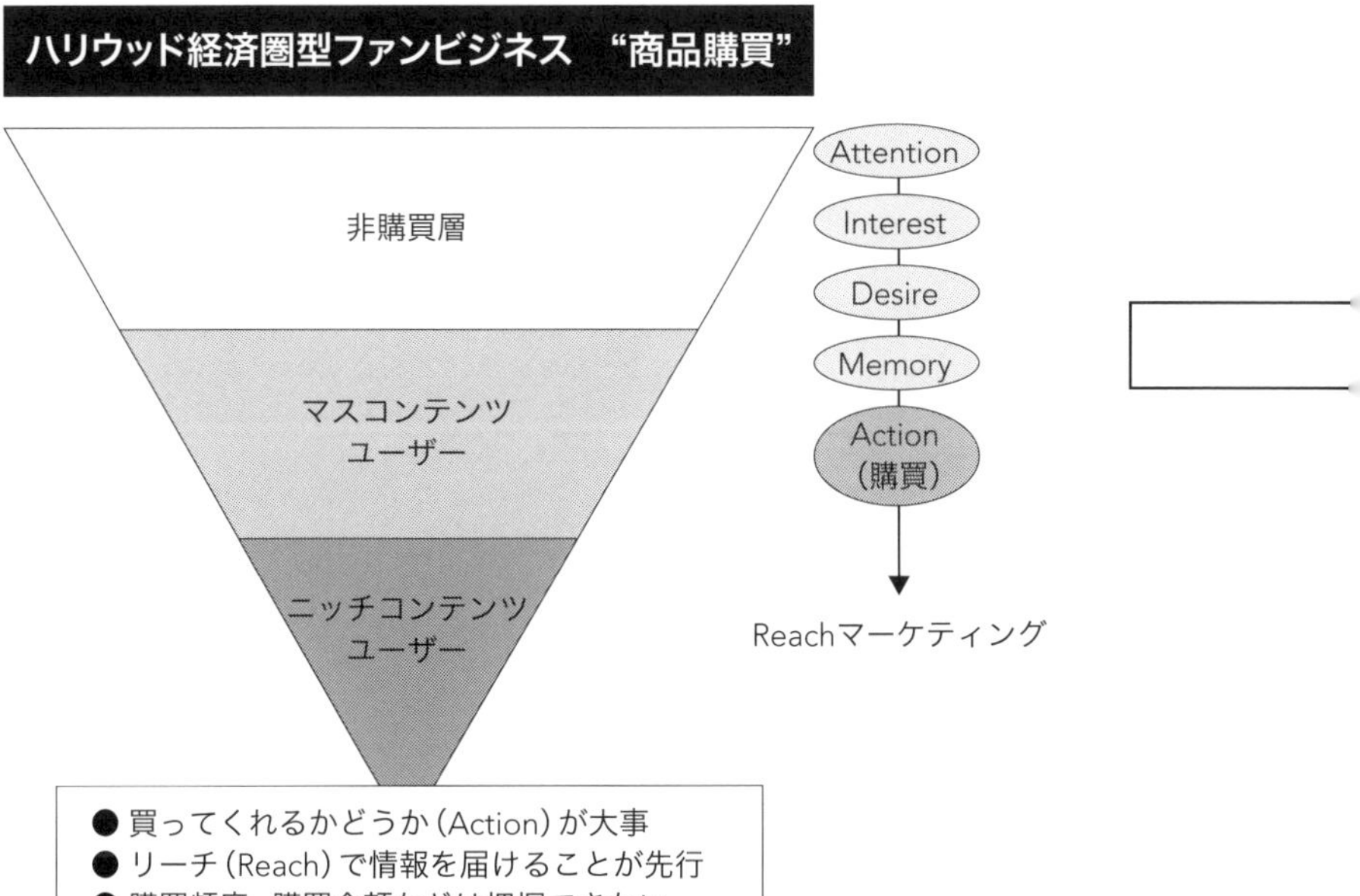

出典）著者作成

ウントを立ち上げ、一言つぶやいてみた人も多かったのではないだろうか。並々ならぬ人数に波及し、トレンド欄で1位から10位まで半沢関連のワードでジャックしていたその「騒ぎ」に気づかなかった人は少ないはずだ。

あの瞬間、あの場所で「仮想一等地」が生まれている。それはもちろん「リーチ」の作用もあるが、むしろユーザーが自ら1歩アクションを踏み出して、その参加をひっぱりあげて引き出すような「Ｒｅｅｌ（リール）」型のマーケティングである。

オタク経済圏が生み出した推しエコノミー

ゴールデンタイムを押さえている企業ではなく、ゴールデンタイムを演出できる企業が勝つ時代において、ファンたちのピラミッドは変わる。

図表24の「オタク経済圏型ファンビジネス」のように、無関心層はＡｔｔｅｎｔｉｏｎ（関心）・Ｉｎｔｅｒｅｓｔ（興味）・Ｓｅａｒｃｈ（検索）を繰り返す。この時点ではまだファンではない。ネットはオープンで広がりやすい。無関心層は常にそのコンテンツが「推すに値するか」を図っている。

なにせこれまで幾度となく裏切られ続けてきたのだ。10万円もガチャ課金したソーシャルゲームは3年で運営をやめた。ずっと推してきたアイドルが結婚を機に卒業し、ライブ活動は開催されなくなっていた。投じた時間・お金に見合った感情的な報酬を得ることができなかった。

だから「すぐに終わらないかどうか」「質のよいインフルエンサーが推しているか」「ハマっていったときに、それに見合う感情的報酬を得られるものか」を常に推し量るようにＣｏｍｐａｒｉｓｏｎ（比較）・Ｅｘａｍｉｎａｔｉｏｎ（試し）といった回遊行動を続ける。

推すことが決まると、あとはファンの一部となって、その推しコンテンツをインフルエンスし、布教する側に変わる。Ａｃｔｉｏｎはもはや購入だけではない。お金は大事だが、必ずしも一番課金している人が偉いわけではない。お金はないが時間はたんまりある学生がファンサイトを立ち上げたり、毎日幾度となくつぶやいたり、ファンたちをサポートするＦ to Ｆ（ファン to ファン）活動もまた推し活を活性化する大事な作用だ。ＡｃｔｉｏｎはＰｕｒｃｈａｓｅ（購入）のみならず、Ｅｎｇａｇｅ（関与）とＳｈａｒｅ（シェア）に分岐する。いずれの形であってもその作品を推している限りは活躍できるのだ。

作品の収益を支えるのはもちろんＰｕｒｃｈａｓｅ（購入）してくれる上位ファンだし、それがなければ作品は続かない。

だが私が見たコミュニティの中では、お金はほとんど使っていないにも関わらず、その推し作品・推しキャラ・推しタレントにほとんどすべての時間を費やし、貢献しているファンもいた。金額の多寡というよりは、ユーザーたちがコミュニティ化した「正規の三角形」（オタクでトップリーダーの層が、以前で言う「オタク」のように見下されることなく、ＳＮＳ上で顕在化しており、作品コミュニティのなかでリスペクトを集める世界）のなかで、関与度合いの強さによってヒエラルキーのトップに上っていくような構造へと変わった。

無関心層がＳＮＳで表現し、シェアする関与者となり、恒久的にその作品と結びつくサブスクリプション（定額配信）会員・サロン会員となり、徐々にアナログ・デジタルのコミュニティでギルドマスターのように初心者を教えたり影響を与えるようになる。ついには2次創作として絵を描いたりその作品の紹介動画をアップするセカンドクリエイターとなる。最終的にはその作品が世界に広がっていくことを自分自身が原作者のような気持ちで「自分の物語」にできる段階へと育っていく。ファンは成長する。

クリエイターはファンの熱量を養分として作品を作り続け、ファンはクリエイターを追いかけ、いつか自分もクリエイターになりたいと願う人々である。この二者は完全な相利共生であり、どちらかが欠けていては一方は生存できない。売れることのない作品を自分の癒しのために描き続けるゴッホのようなクリエイターもいるが、それでも脳内では自分を理解するだろうまだ見ぬファンを仮想し、作り続けている。

セラピーとしての個人創作を除けば、ファンがクリエイターを作る、という1点はすべての作品作りの原点である。このファンによる作品関与のピラミッド、自分が１００％生み出したものを「リーチ」で見せるものではなく、「リール」して関与を引き出す。熱量を上げていきながら、「運営」していくことによってサービスとしての質を高め続ける。これが21世紀型のオタク経済圏のファンビジネスの要諦、まさに日本が生みだした推しエコノミーの真髄である。

2-7 コナンとシンエヴァ、100億円を創り出す物語

目標を示し、ユーザーの参加余白を残しながら、「祭り」を仕立てていく

この章の最後に、推しエコノミーの象徴的な事例をとりあげたい。

2021年3月8日に公開された『シン・エヴァンゲリオン』は、1月から続いていた2回目の緊急事態宣言が明けようとしたまさに開放期に上映を開始したものの、4月25日から再び1か月にわたって3回目の緊急事態宣言となり、劇場の多くが閉じてしまった。当然ながら興行収入は4月末からほとんど伸びなくなってしまった。

だが、その3回目の緊急事態宣言の最中に何が起きたか。ユーザーは「再び」劇場に殺到したのである。「エヴァンゲリオンを100億にもっていかなければ」という焦燥感で、貢ぎ続けるかのようにユーザーは訪問を重ねた。

それは1か月遅れで始まった『名探偵コナン　緋色の弾丸』では起こらなかった動きである。#コナンの日次ツイート数（図表25）をみれば2017年の『から紅』の10万人から2018年4月の『ゼロの執行人』で35万に急激に上がっている。理由については前著『オタク経済圏

創世記』に記載したが、これまで10年以上かけた伏線の回収と安室という主人公以上に人気を博したキャラクターをメインにした作品展開のお陰である。当時は「安室を100億男にする」を合言葉に5回、10回と視聴を重ねるコアファンが急増していた。翌年の2019年4月の『紺青の拳』はシンガポールが舞台で主役もそれほど人気の高いキャラクターではなかったが、それでも前作の興行収入を超えたのは明らかにファンたちが「コナンを100億にする」という成功物語を追いかけていたからだ。

実は2020年4月に『緋色の弾丸』の公開が1年延期となったときも、まだこの物語は「生きていた」。翌年まで100億を持ちこさんと、延期発表に対して集まったLikeやツイート数は例年同様、むしろ映画を公開していた時期以上にツイートが伸びていた。

だがその後の1年はあまりにイレギュラーであった。映画館そのものが閉まり、ほとんどのユーザーが『鬼滅の刃』に殺到してしまい、人々は「コナン100億円の物語」から冷めてしまった。

図表25 「#コナン」の日次ツイート数（2017〜2021年）

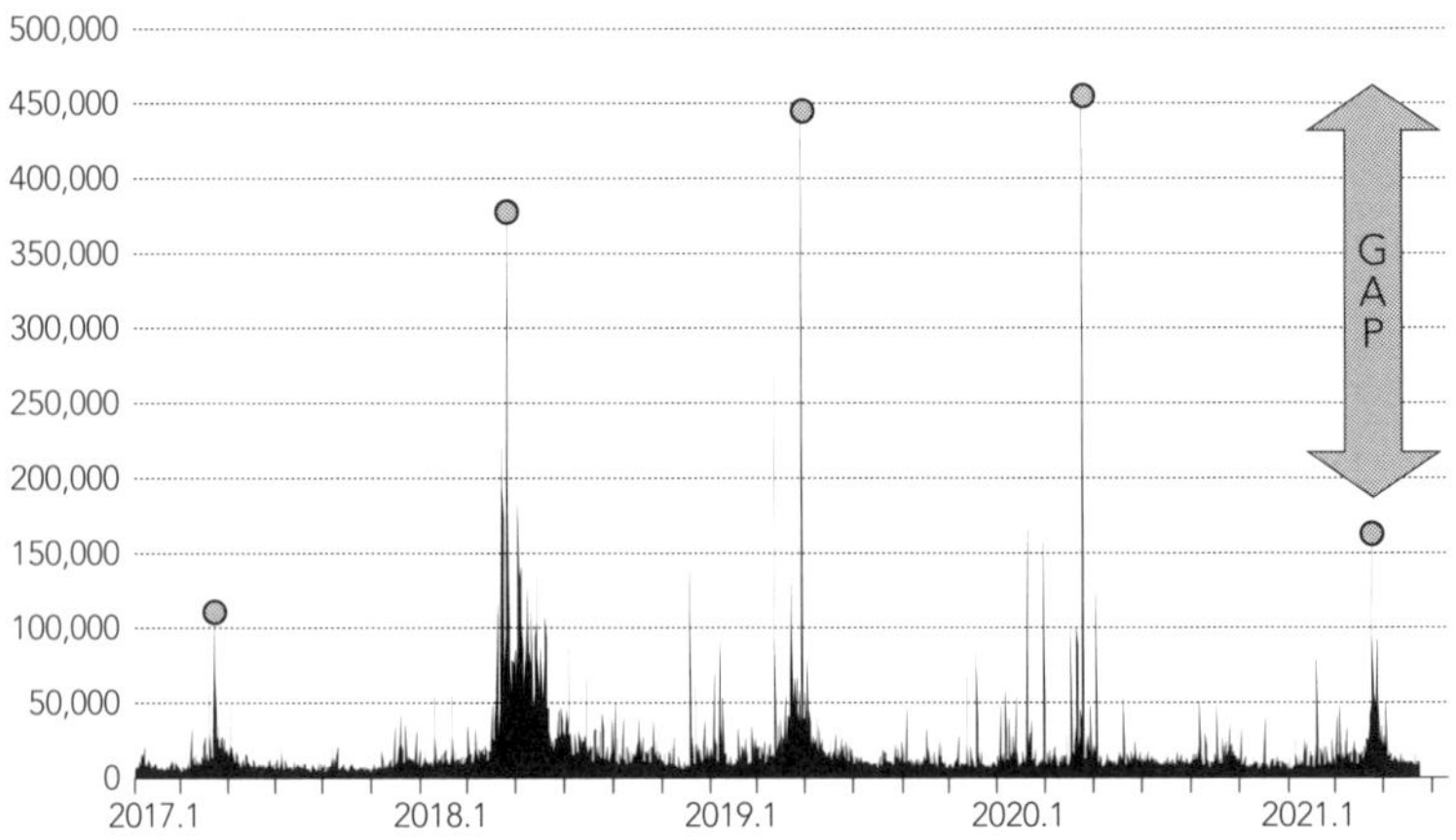

出典）ツイッターより作成

一度その熱狂から外れてしまうと人気はモロい。2021年は念願の赤井を主役とした『名探偵コナン　緋色の弾丸』がようやく公開されたが、もうその時点でユーザーは、ほかの作品の物語の味を覚えてしまった。前年に果たされなかった夢にむけて初動はもちろん悪くはなかったが、伸び悩む結果となった。

では『ドラえもん』や『クレヨンしんちゃん』のように強引にでも2020年秋に上映していたらよかったかというと、そうとも言い切れない。半年遅れで上映されたそれらの作品は、映画館にいったこと視聴感想を皆でつぶやくようなウェーブが起きなかった。図表26でみるように、いずれの作品も過去2作と比べると、ほぼ半分の興行収入にとどまっている。

ツイッターというマイクロメディアにおけるつぶやきの重要性が改めてこの社会実験的な環境下で明らかになった。コミュニティの熱狂という2次的ファクターがなければ、国民的アニメと言われてきた『ドラえもん』も『しんちゃん』も『コナン』も興行収入100億円、観客動員約650万人という数字は難しい目標なのである。シン・エヴァンゲリオンのようにユーザー自身が自発的に物語の一体となって作っていこうと思わない限り、こうした記録的な数字は達成しえない。

図表27はリリース後の週次売上をコナンとシンエヴァで比較したものである。3月からリリースしていたシンエヴァの売上は、4月後半以降は（緊急事態宣言により地方のみで上映していた）週1億円程度の積み上げだったが、6／13の週になって突然3億円、4億円と増えている。1人1500円程度と考えると、毎週20万〜30万人が劇場に足を運んでいる計算になる。

すでにリリース後3か月たっているファンを「再び」動かしたのは「100億円に到達させるぞ」という「物語」である。

巧妙なことに6月7日に「#シンエヴァラストラン」のハッシュタグが開始され、そこから特別の入場者特典として36ページの冊子が配られる。この冊子はメルカリでは約3000円ほどで売られているくらい価値があるものであり、コアファンは冊子のために2度目、3度目の訪問をいとわなかった。この「ラストラン」の祭りに参加し、冊子を入手したのである。6月初めの時点で興行収入は86・7億円、残りおよそ100万人弱が劇場に足を運ばなければ100億円には到達できない状態であった。

運営側も必死である。7月に入ってからは、7月21日で公演打ち切りになることが伝えられる。ゴールの設定はファンを巻き込むために必要不可欠な仕掛けだ。2年前のイベントにかこつけて『0706作戦』裏側メイキング（約1分）を配信、6月21日に生放送された『シン・エヴァンゲリオンのオールナイトニッポン』をディレクターズカット版として特別配信、などイベントを作り出していく。停滞していた#ラストランのツイートも、7月4日のこのタイミングで1・4万件／日まで再び盛り上がる。❶

これこそが「運営」である。目標を示し、ユーザーの参加余白を残しながら、「祭り」を仕立てていく。100億円という目標に視聴者の貢献が見える形で積み上げられていく。ツイッターでも、興行収入でも、手ごたえを感じるユーザーは、次第にシンエヴァの作品を受動的に視聴するのではなく、能動的にその視聴を「体験」に変えようとしていく。

❶ オリコンニュース「『シン・エヴァ』7・21終映決定　『続0706作戦』『フィナーレ舞台挨拶』などイベント続々」2021年7月2日<https://news.yahoo.co.jp/articles/9de9f611b2a8967287f7d15bc52356f5d68f488d>

図表26 コナン、ドラえもん、クレヨンしんちゃんの3か年の興行収入推移

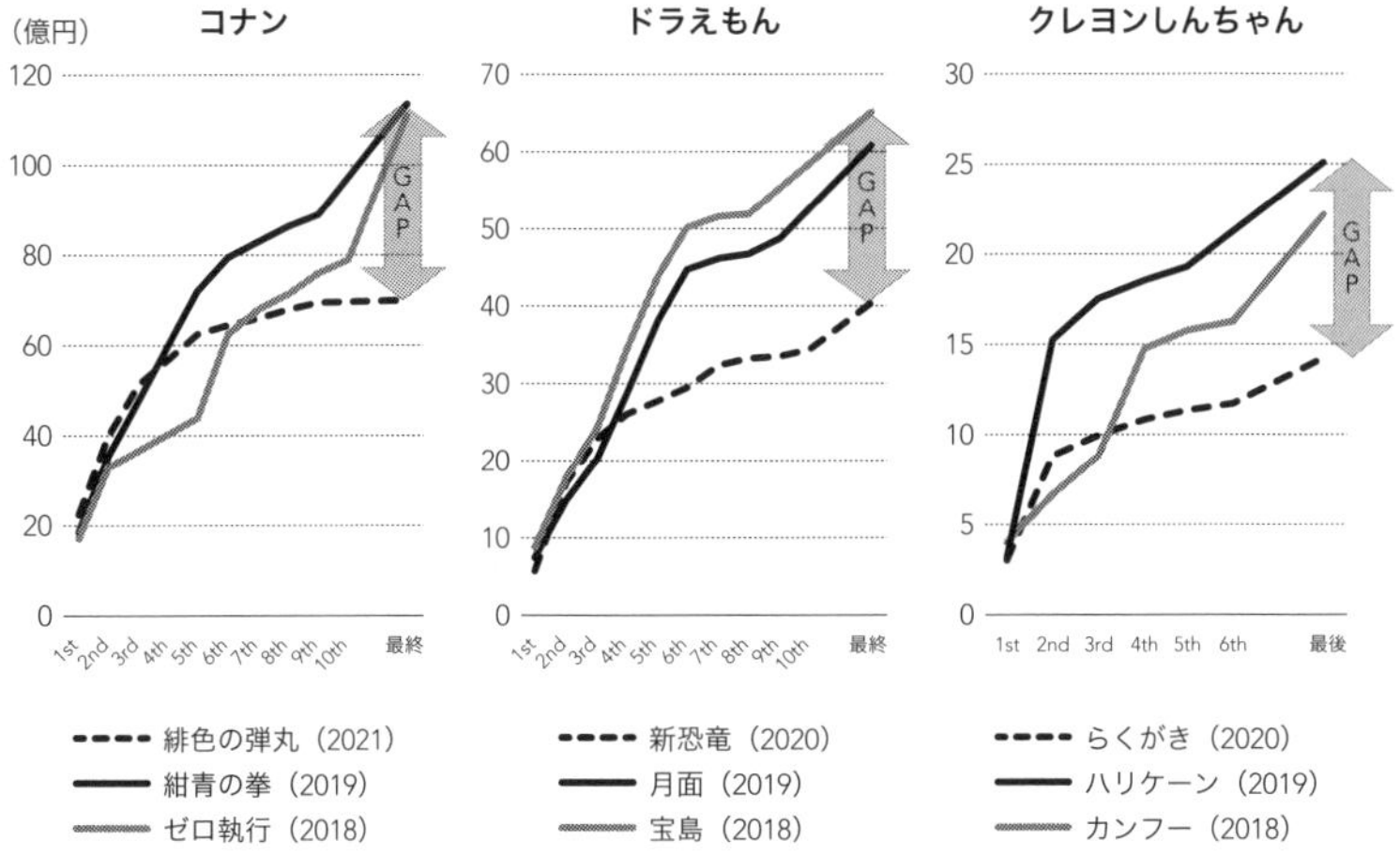

出典）Box Office Mojo

図表27 「シン・エヴァンゲリオン」と「名探偵コナン緋色の弾丸」の週次売上推移

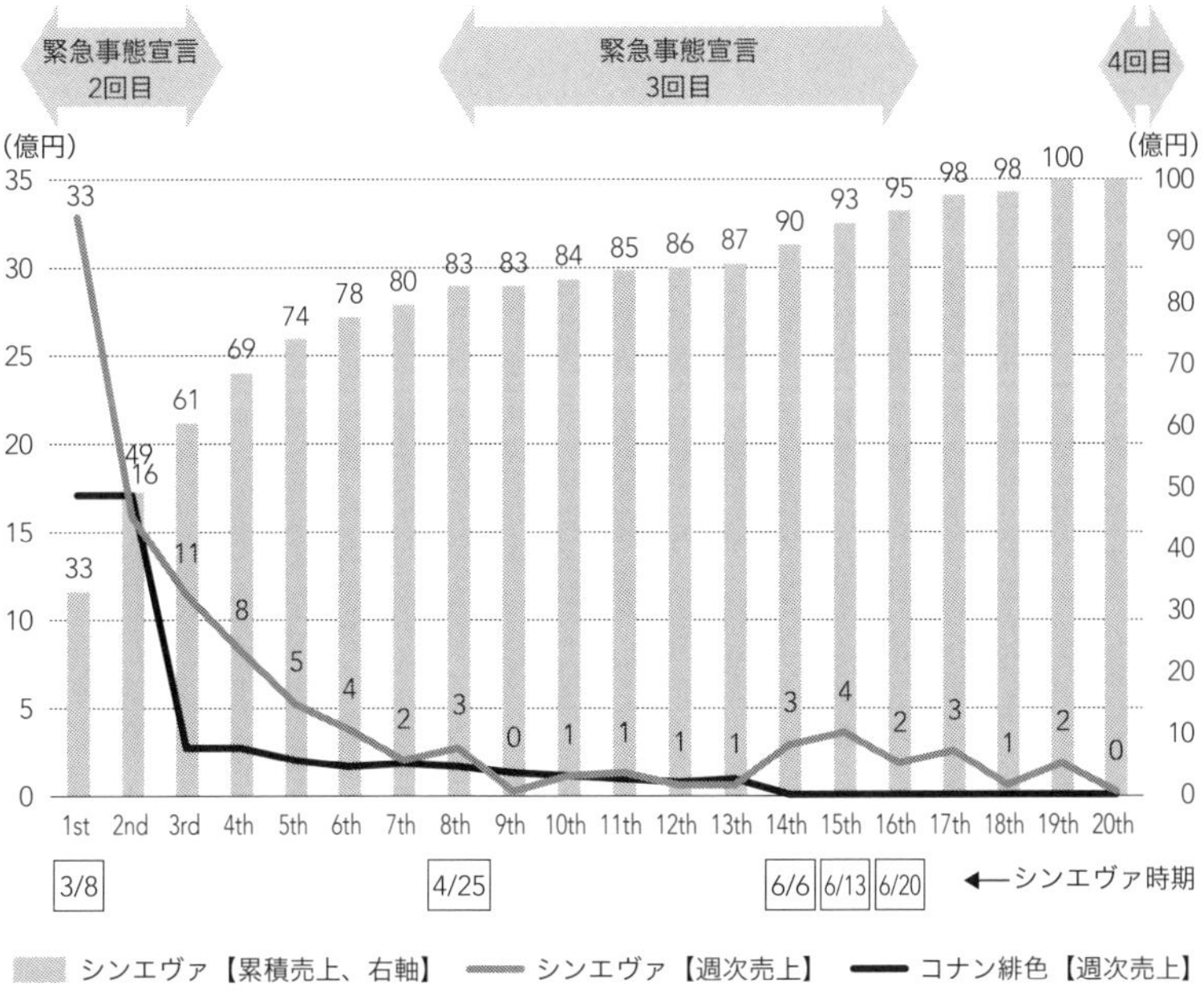

出典）Box Office Mojo。コナンは4/16が1週目（1st）

モバイルゲームで当たり前になったこうした運営は、今後テレビ番組でも映画でも、アナログなエンタメにおいても必要な事業側のスキルセットとなっていくだろう。100億円の目標は、結果的に7月12日で達成された。通常の映画上映であれば、シン・エヴァンゲリオンも80億円強の興行収入で終わっていたことだろう。

「閉じた商品」から「開かれた商品」へ

第2章で伝えたことは、「萌え」から「推し」の変化のなかに、いまのユーザーの特徴が詰まっているということだ。すなわち、ユーザーは「消費」ではなく「体験」と「物語」にお金を使っている。モノとお金の交換の時代から、体験価値の時代に入っており、その時間をよりよく過ごすことにお金が消費される。

時間をつぶすという行為はデフレ化しているのだ。第2章の2－2で述べたように、広告効果でいえば1時間何かをみるという行為は3ドル程度を支払っていることになる。ただその300円の使い先として、我々は時間つぶしにあらゆる選択肢をもっている。ふっとカフェで暇になればアマゾンプライムでダウンロードしたての韓国ドラマを1時間みればいいだけだ。インスタグラムとツイッターを回避していれば30分などあっという間に過ぎてしまう。

視線のデフレが進む環境では新たなプレミアム商品に人気が集中する。人はその時間、皆がみているコンテンツを当たり前のようにフォローするよりは、よりよく自分だけの体験をしたいと考えている。でも高いお金を払って海外旅行に行く余裕はないし、1万円払って観劇に行ってもよくわからない内容で眠ってしまう。自分にもわかりやすく、かつ誰もがやっていないような特別な体験がほしい。それは写真をとってSNSにアップできるものが望ましく、自分が楽しんだというログを残しておきたい。

タムパの高い体験とログによる自分のヒストリーの彩りという観点に、体験消費の目的が変わってきている。いかに有効に消費をしているかという「見え方」の問題は、ヴェブレンの誇示的消費❷や、ブルデューの社会資本❸が説いてきたように、自分の趣味嗜好がスケルトン化しやすいSNS時代において、より先鋭化して差し迫るようになった。

差別化の道具は陳腐化している。会社の肩書や学歴での差別化はオシャレではない。ビジュアルでの差別化はイケメン・美人に許された特権である。金持ち自慢や恋愛リア充自慢は誹りを受ける。

だがキャラクターや2次元作品を使った自分の趣味嗜好の顕示は、自分自身の能力を問われず、誰もが親和的な気持ちをもって受け入れてくれる代替的かつ安全な自己表現になりえる。

人は趣味を使って、アイデンティティの差別化を図るようになった。映像・写真での表現がプロフェッショナルのようにできるテクノロジーが手元にある。誰もが一世代前のプロカメラマンやアーティストのように、高い資本投下をせずとも表現ができる時代になっている。そうしたときに、「萌え」という内的体験ではなく、「推し」という外的体験に、人々の趣味活動はソーシャル化している。消費ではなく表現なのである。

❷ ソースティン・ヴェブレンは『有閑階級の理論』(1899) の中で、機能や利便性のためではなく、社会的地位や威信をみせびらかすためだけに非生産的であっても消費がなされる現象について言及した。欧州において貴族階層は、舞踏会など豪奢な消費や宝飾品・家具など本来は必要ないものを見せびらかしで消費することで、自分が貴族階層であることを証明できる。

❸ ピエール・ブルデューはフランスの社会学者で、趣味などの文化的活動においても両親の階級・経済的豊かさが反映され、世代を超えて階級が引き継がれていく「文化資本」であることを説いた。

価値は擦り減らず、所有して個別に嗜好するものではない。価値は広げてふりまくほどに、さらに価値をもつ。むしろ広げてふりまく機能のない20世紀型の商品は、価値のポテンシャルを広げる機会を失っている。

「閉じた商品」と「開かれた商品」というものがある。AIDMAの購入商品は「閉じていた」。自宅で自分が使うことを重視し、小売店の棚で注目を集めるためのパッケージと、自宅でそれを利用してそれなりの機能を得られるコンテンツがあれば十分だ。誰も入浴剤やシャンプーをポストしない。その商品の機能を使っているだけである。

「開かれた商品」は、思わずSNSにアップしたくなるもの、商品の一連の体験のなかにシェアすることまで含まれるものである。ディズニーランドに行ったということは、ディズニーランドにいる自分の中に閉じていない。誰と行って、何に乗って、どのくらい自分が生き生きと楽しんだかという表現ができるコンテンツとして、体験を発信し続けている。

発信リテラシーが必要な時代に、こうした「開かれた商品」を作り、100億円を目指したシン・エヴァンゲリオンの物語のように、参加し、表現するというところまでパッケージにした体験をデザインできる時代となった。商品は「運営」するものになってきているのだ。

第3章
エンタメの地政学

3-1 米中エンタメ覇権競争と日本唯一の挑戦者ソニー

第1章ではコンテンツ側の変化、第2章ではユーザー側の変化を追ってきた。これらは2019年発行の拙著『オタク経済圏創世記』でもある程度要素として追ってきた「コンテンツのライブ化」「ユーザーのファン化」を抽出し、結晶化させたものである。

だが2019年には執筆できておらず、いまこの2021年のコロナ後にこそ注目しなければいけない変化がある。それはエンタメの地政学である。

20世紀後半から世界最大のコンテンツ生産国・消費国として君臨してきた米国を、急激な勢いで追い上げている国が中国である。この2国の立ち位置と、そのはざまにある日本の位置付けを知ることは、アニメ・ゲーム・マンガのみならず、エンタメ産業に関わるすべての人にとっての一般教養になってきている。

ディズニーとソニーは動画配信で攻勢をかけるが…

誰もが知るディズニーは現在7兆円を超える売上を誇り、時価総額としても30兆円を超える。エンタメ業界にとって、最も目指すべき企業として誰もがあげるだろう会社である。ディズニー以上の企業はこれまでも生まれなかったし、今後も生まれないかもしれない。

だが現時点でそんな絶対的なエンターテイメントカンパニーであるディズニーの目に映っているものは、王者として君臨する覇権の先の豊かなグリーンフィールドではなく、さらに強大な敵にいつ国土が奪われるともしれない戦々恐々とした戦闘状態にある。

ディズニーはネットフリックスへのコンテンツの提供をやめ、独自の「ディズニー＋」の動画配信を２０１９年に立ち上げた。幸運なことにディズニー＋のリリースタイミングはあまりにベストだった。19年11月からスタートし、あっという間に２５００万人を超えた２０２０年の第1四半期、ディズニーは声高にその成功を謳った。だが彼ら自身が予想していなかったコロナの波がユーザーを殺到させ、20年4月に倍の５０００万人、20年末までに約７５００万人、そして21年3月に1億人となった。無料ではなく有料の定額配信ユーザーである。

これは現在2億人を超えるネットフリックスが10年以上かけて２０１７年半ばにようやく到達した数字である。月額７００円、ディズニーの年間収益はこれだけで８０００億円になる。当初４～５年かけて達成すべき目標を、１年半であっという間にクリアした格好である。

だがそのディズニーをも飲み込む可能性があるのがGAFAである。アップルのネットフリックス買収話も、ディズニー買収話もあった。時価総額2兆ドルのアップルにとってすれば、その15%に満たないディズニーは十分に買い物の対象に入る規模でしかない。実際にGAFAは集客装置としてのエンタメ業界に常に熱い視線を向け続けてきた。

こうした戦いの中に、ほぼ唯一に近い形で日本企業から参入しているのがソニーである。

ソニーには北米のエンタメ市場に参入するために、30年前からずいぶん手痛い参加料を支払ってきた経緯がある。もともとウォークマンという音楽再生ハードウェアで世界を席巻し、メーカーとしてのブランドを確立すると、1988年にCBSレコードという米国の音楽レーベルを買収し、続く1989年にはコロンビア・ピクチャーズ（現ソニー・ピクチャーズエンタテインメント）というハリウッドの5大メジャースタジオの1つを買収し、米国メディア業界に日本企業として名乗りをあげた。

世界時価総額トップ50社のうち32社を日本企業が占めていた1990年、日本は特定の産業では米国を十分に圧倒する存在であった（2021年5月時点で世界時価総額トップ50は米国33社、中国7社、日本1社）。当時はソニーのみならず東芝もパナソニックも米国メディア・コンテンツ企業に挑戦をかけているが、両社ともそこから10〜20年のうちに撤退に近い状態になっている。ソニーにしても、コロンビア買収は失敗だったとそしりを受け続けており、2000年前後は大きな赤字を生み、2010年代も切り離せと投資家からの圧力対象となっていた。2020年の最近になって明確にメーカー部門を凌駕し、グループ全体をひっぱる存在になっているのがこの映像・音楽部門である。

長い格闘の末で、いまだ北米市場に橋頭堡を残している日本のエンタメ関連企業は、（家庭用ゲームの文脈では任天堂も含まれるが）ソニー一択といってよい現状である。

ソニーはプレイステーションネットワーク（PSN）で5000万人近い有料サブスクライバーを集め、アニメの動画配信分野では北米市場をほぼ独占しようという勢いである。2017年にアニメ専業プラットフォームとして業界2位のファニメーションを約1・5億ドルで買収し、2020年には業界1位のクランチロールを11・75億ドルで買収するディールを固めた。

だがソニーもその10兆円規模の売上・時価総額で比較してみれば、安心できるポジショニングとはいえない。

大再編が進んだ米国、旧体制のままの日本

図表28は日米中の大手メディアコングロマリットのサイズである。ひとまず北米には地上波テレビで4つの大手企業が存在してきた。NBC（現コムキャスト）、ABC（現ディズニー）、CBS（現バイアコムCBS）、FOX（現ディズニー）である。日本であれば日テレやTBS、フジテレビといった面々である。この地上波4社はすべて買収されて、グループ名に残っているのはNBCとCBSだけである。

ハリウッドの映画会社も大手5社はすべて買収されている。ユニバーサルピクチャーズ（現コムキャスト）、21世紀FOX（現ディズニー）、ワーナーブラザーズ（現AT&T）、パラマウント（現バイアコムCBS）、コロンビア（現ソニー）である。ディズニースタジオのみがグループ名として残っている。日本で言えば東宝、東映のような会社群である。

アニメスタジオのピクサー（現ディズニー）とドリームワークス（現バイアコムCBS）もまたすでに買収され、これも日本ならスタジオジブリと東映アニメーションといったところだろうか。

音楽の3大レーベルは、ワーナーブラザーズレコード（現AT&T）とCBSレコード（現ソニー・ミュージックエンタテインメント）も買収され、かろうじてユニバーサルミュージックだけはこうした北米メディア大手の買収対象から外れている形になる（フランスのヴィヴェンティグループが売却を図っており、現在は20%をもつテンセントが大株主という状況にあるが）。

出版のマーベル（現ディズニー）とDCコミックス（現AT&T）は、いずれも規模は日本の出版社より小さいが、集英社の少年ジャンプと講談社の少年マガジンといったところだろうか。テーマパーク事業も、ディズニーやユニバーサルスタジオ（現コムキャスト）はグループの一角である。

こうした統合化が進んでいたにも関わらず、近年さらに大型M&Aが続いた。7兆円規模のディズニーが3兆円規模のニューズコープグループからFOX事業を買収し、20兆円規模の通

図表28 メディアコングロマリット

	売上(2020)	映画	放送	新聞/出版	音楽	ゲーム	その他
Comcast NBC	$104.2B	Universal Pic, NBC universal	NBC, Comcast, Hulu				Universal Studio
The Walt Disney	$65.3B	WD studios, Pixer	ABC, Hulu, Disney. com	Marvel Comic, D publishing	Disney Music	Disney Interactive	WD Parks and Resorts
News Corp	$33.6B	21st Century Fox	FOX, BskyB, National GG	News, Dow Jones	Fox Film Music		
AT&T	$179.2B		DirecTV				AT&T
Time Warner	$33.9B	Warner Brothers Entertainment	CNN, Cartoon NW, HBO	Time, DC Comics	WB Records	WB interactive	
Viacom CBS	$25.9B	Paramount, DreamWorks	CBS, MTV, Nickelodeon, BET, CBSFilms			Atom Entertainment	Blockbuster
ソニー	$81.8B	Sony Pictures	Animax, AXN, Crunchyroll		Sony Music	Sony Interactive Entertainment	Sony
フジメディアHD	$6.3B	共同テレビ、(東宝)(東アニ)	フジテレビ	(産経新聞)、扶桑社	ポニーキャニオン	フジゲームス	ディノス、セシール、(吉本)
日本テレビHD	$3.6B	バップ、タツノコプロ	日本テレビ	(読売新聞)	日本テレビ音楽	ForGroove	ティップネス、(よみうりランド)
Tencent	$74.3B	Tencent Pictures	TVideo, Tsports	Tnews, Tcomic/Anime,	Tmusic	TGame, RIOT, Epic, Supercell	WeChat Pay

信最大手AT&Tがタイムワーナーグループを飲み込み、弱小になっていたテレビ老舗のCBSとバイアコムが統合し、3兆円規模のバイアコムCBSとなった。2010年代はメディア大手6社がほぼ4社に再統合されていく、クジラがクジラを飲み込む戦いのような状況であった。

このように北米ではテレビ／映画／音楽／出版／テーマパークというエンタメに関わる事業は、ほぼすべて大手メディアの統合型組織の一角を担う形となり、日本で各業界があまりに無垢にそれぞれが独立して併存しているのが信じられないほど環境が異なる。

こうした北米型のM&Aと統合の動きを日本でも進めようとしたのが、FOXオーナーのマードックとともに1996年にテレビ朝日を買収しようとしたソフトバンク、2005年にフジテレビを買収しようとしたライブドア、2005年にTBSを買収しようとした楽天であった。しかし、日本のメディア業界の強固な抵抗とともに、テックとエンタメの統合は実現せず、旧体制が温存されている。

当然ながらこれだけ環境が違うのであれば、1社1社としての業績では北米のコンテンツ業界に敵いようもない。ただ1980年代から北米でM&A攻勢をかけていたソニーだけがここに名を連ねている格好になる。

では中国はどうなのかとみてみれば、こうした10兆円規模の企業群に勝るとも劣らないのがテンセントである。いまだ母国中国のマーケットが中心であるものの、ゲーム事業では買収攻勢によって世界最大手として君臨しており、10億人のプラットフォームを擁しながら映像／音楽／ゲーム含めたメディア総合大手となっている。

2桁違う時価総額の米中vs日本メディア企業

図表29は日本のメディア・エンタメ企業の売上と時価総額を比較したものだ。円の大きさは営業利益を示している。

日本のメディア大手のなかでも勢力図がこの10年で大きく動いたのが実感できる。そもそもフジテレビ、日テレ、テレビ朝日といった日本を代表するメディアグループである地上波テレビキー局は、軒並み時価総額は3000億円未満である。前述の北米メディアグループに比べると2桁小さい。

これに対して、任天堂やネクソン、バンダイナムコといったゲーム関連企業は1兆円以上である。売上こそ小さめだが、利益としても株価としても評価を得ている。同じゲームでもモバイル中心で成功しているサイバーエージェントはデジタル広告分野での成長の追い風を受けて、売上では2倍以上の電通よりも高い時価総額を実現している。

東映アニメーション、コーエーテクモ、カプコンといった海外にも強いアニメ・家庭用ゲーム大手は、売上1000億円未満にも関わらず、テレビ局大手より時価総額が大きく、映画最大手の東宝すら抜き去る勢いである。

第1章、第2章でみてきたようにデジタルでインタラクティブなメディア・コンテンツが伝統的な産業より高い評価を受けている。

特に日本本社ではありながら、中国・韓国という成長市場でゲーム売上を確保しているネクソンは、売上では2倍以上のバンダイナムコより時価総額は大きく、その規模はヤフーのZホールディングスに迫る勢いである。

こうした時価総額3兆円未満、売上1兆円未満の企業群に比べれば、やはり図抜けているのはソフトバンク、ソニー、NTTドコモ、任天堂といった、時価総額10兆円クラスの企業群である。

そうはいっても、この日本企業としてトップ20に入る企業群を、世界メディア大手の文脈に置きなおしてしまうと、図表30のようになる。ソニーにおいてもコムキャストやディズニーに劣後しており、チャーターやFOXと並ぶレベルである。日本で最大の時価総額を誇るトヨタ自動車も売上は20兆円を超え、こうしたメディ

図表29　日本のメディア・エンターテイメント企業群

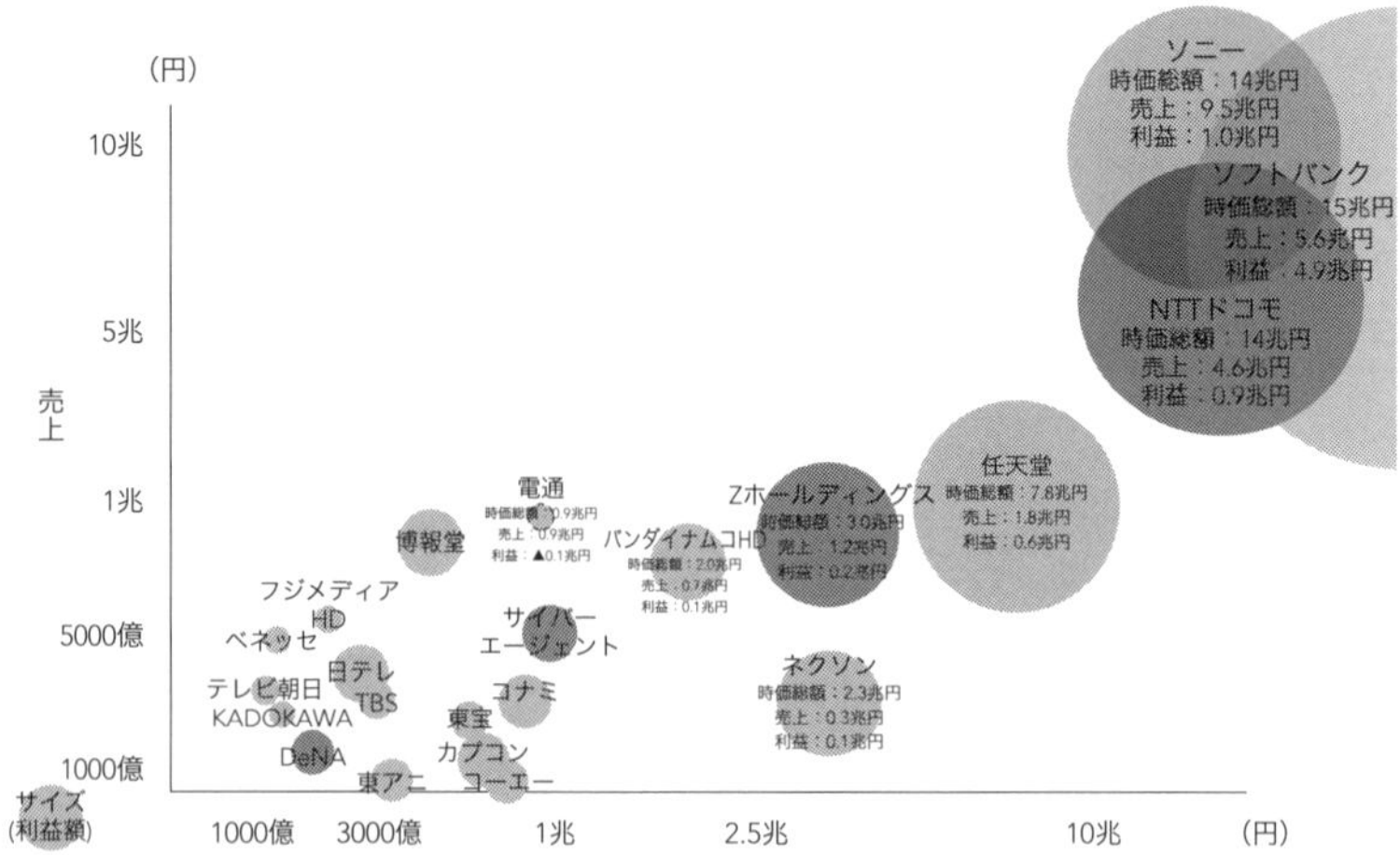

出典）2020年12月時点の各社IR資料、株価情報から著者作成

ア大手の倍以上でありながら、時価総額はそれらとほぼ変わらない。むしろ売上で4分の1にも満たないフェイスブックにダブルスコアで負けている状況である。

メディア業界におけるソニーは、ポジショニングでいえば「世界広告業界における電通」「世界人材業界におけるリクルート」といった感じである。世界トップ5にはギリギリ入る状況にありながら、まだまだ差は開いている。米国企業優位の現在の世界市場において、日本はあくまで米国に従属的なマイナーな存在である。1980年代に米国を追い落とすような「世界2位の経済大国」の凄みは現時点の株式市場では感じられない。

ソニーもリクルートも電通も、結局のところそのグローバルにおける大手一角につけることができたのは「米国企業の取り込み」にある。ソニーはコロンビア、リクルートはインディー

図表30　世界のメディア・エンターテイメント企業群

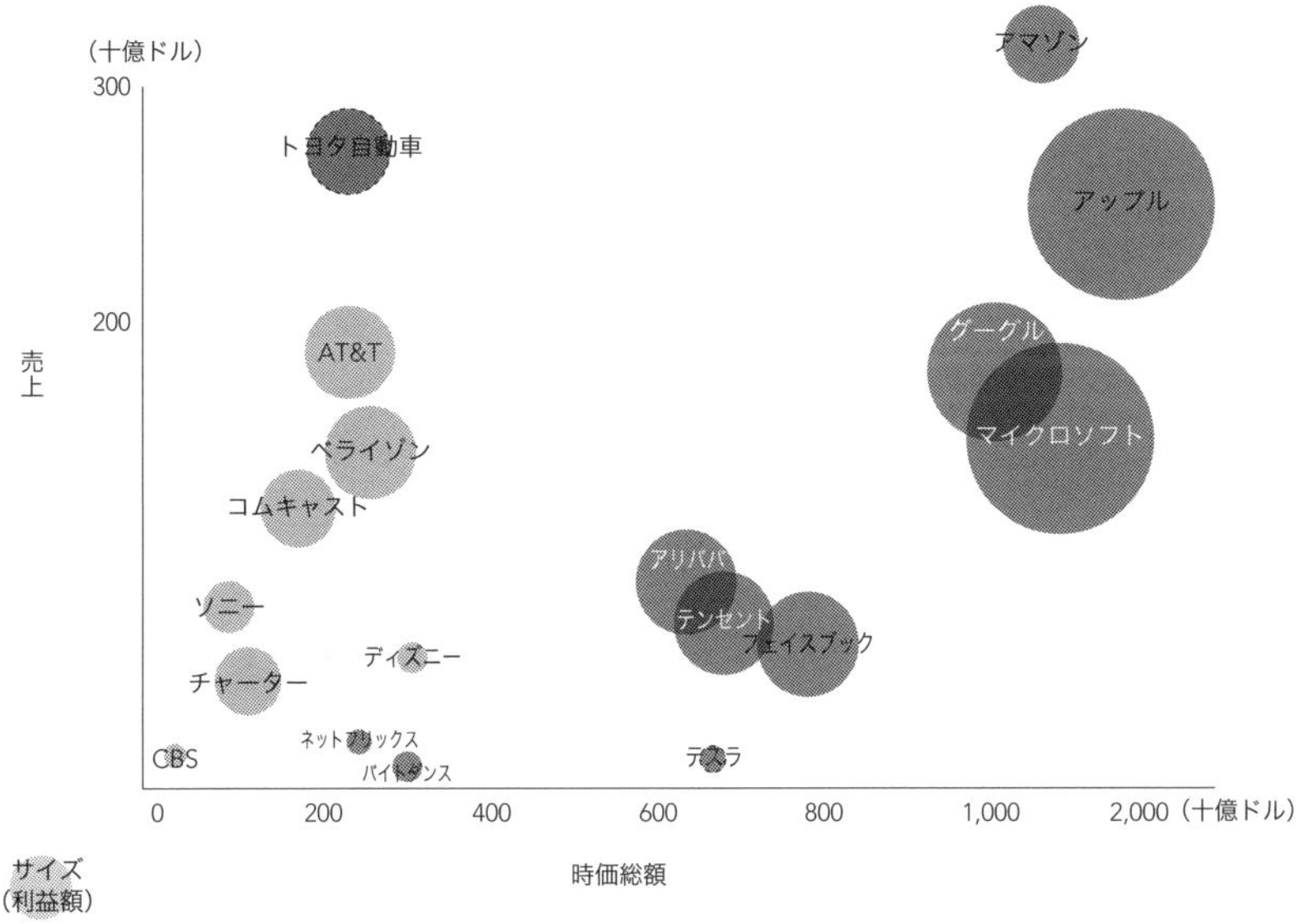

出典) 2020年12月時点の各社IR資料、株価情報から著者作成 (バイトダンスのみ2021年7月時点情報)、トヨタ自動車とテスラは異業種だが参考比較

ド、電通はイージスを買収し、それを海外展開のハブにすることができた。ただそれは日本国内での競争に打ち勝った強みを生かしたわけではないということに注意が必要である。日本本社で培ったケイパビリティが生きているのかという点では大いに疑問がある。

そうなると中国という2つ目の巨大企業群が上げ潮の今、「日系企業アイデンティティ」に拘らず、どうやって中国資本の企業を取り込む／取り込まれていくかが重要なポイントだろう。ソニーは中国動画配信大手のビリビリに2020年4月に4億ドルを出資して4・98％の少数株主になり、フォートナイトのエピックゲームスにも20年7月に2・5億ドル、21年4月に2億ドルを出資し数％の株式を保有している。

中国はドラスティックに日本を超えて米国を追い上げている。テンセントとアリババはすでにGAFAに続くポジショニングに位置付けているし、その事業ポートフォリオも日本型よりもずいぶん北米企業に近い状況である（いわゆるGAFAのプラットフォーム型とディズニーのコンテンツ型のハイブリッドが実現しており、それ以上に最強の中国型モデルとでもいうべきかもしれない）。『TikTok』で有名なバイトダンスに至っては、創業9年で売上は3・8兆円、2020年末で月間ユーザー19億人、時価総額は約30兆円になり、すでにディズニーやネットフリックスを超えている。テンセントに勝るとも劣らない驚異的な成長である。

米国メディアがどん欲に拡張路線を貫くのは、同国内でGAFAM（GAFAとマイクロソフト）という株式市場の例外的な5強がいるからであり、さらには中国資本の脅威にさらされて、緊迫感のなかで成長を志向している。自分たちがどれほど売上や市場規模を求めようと、さらにそれ以上の資本力をもって買収されるかもしれないという恐怖感のなかにあるがゆえに、こうしたどん欲な動きになる。

米国企業の買収劇の末に見えた世界

もう少しソニーグループについて深掘りしていきたい。事業別の売上、利益をみてみると、その変遷が市場環境の変化に即したものであったことがわかる（図表31）。

1990年、まだ売上3兆円、時価総額2兆円に過ぎなかったソニーは、買収を終えたばかりのCBSレコード（現ソニー・ミュージック）やコロンビア（現ソニー・ピクチャーズ）の合計が7300億円、エンタメ事業はまだ全体の2割程度に過ぎなかった。だがそこからの10年は大きな挑戦の時期で、2000年に売上7・3兆円、時価総額7・6兆円まで成長した背景にはゲーム・映画・音楽それぞれ6000億円前後であわせて2兆円規模になったエンタメ産業の後押しがあった。ただし利益での貢献度でいえばやはり祖業でもある電機含めたメーカー事業が中心だったが、この2000年前後にはパナソニックがほとんどエンタメからは撤退気味であったことを考えると、20年前のこのタイミングで両社の違いは鮮明になっていた。

だが2010年においても、ソニーのエンタメ事業は花形であったとはいえない状況であった。ゲームこそ1・5兆円規模まで大きく羽ばたいたが、映画・音楽はそれぞれ5000億円前後と10年前から大きな成長は見られず、またグループ全社の中で利益の半分を金融事業が担うようになったこの時点において、むしろエンタメを独立分社化させるべきだという声も叫ばれていた。売上こそ7・2兆円で10年前と大きく変わらないが、時価総額2・9兆円は成長停滞への失望を含んだものであり、売上・時価総額ともにエンタメからほぼ撤退していたパナソニックと差はついていなかった。

この2社の差が顕著になるのは、この2020年前後になってからの話である。図表31をみてもポートフォリオの差は如実で、ソニーにとって電機は祖業ではあっても売上・利益ともにいくつかある事業の一角に過ぎない。ゲーム2兆円、映画・音楽がそれぞれ1兆円近くと、エンタメだけで4兆円近い売上があり、利益としても4500億円近く稼ぎ、電機ほかの事業以上に大きなサイズになっている。パナソニックも同規模の7兆円近くの売上は保っているが、この2020年になって株式時価総額はソニー14兆円、パナソニック3兆円と4倍近い差が出ている。

事業の選択と集中の結果の恐ろしさは、何度もトップが代替わりするくらいの時間を経てようやく出てくる、というタイムラグにある。1990年代に米国メディア大手を買収したソニーもパナソニックも2社どちらも苦しみ、買収の典型的な失敗例と烙印をおされていた。2社を分けたものは何だったのだろうか。

ソニーはコロンビアの買収後に、ジョン・ピーターズとピーター・グーバーというハリウッドでも有名な〝ごろつき〟をトップに据えて、経費でプライベートジェットから大豪邸から使いもしなかった脚本を買いあさり、「ソニーランド」をロサンゼルスに建てる計画すら具体的

図表31　ソニーとパナソニックの事業別収益と時価総額（1990〜2020）

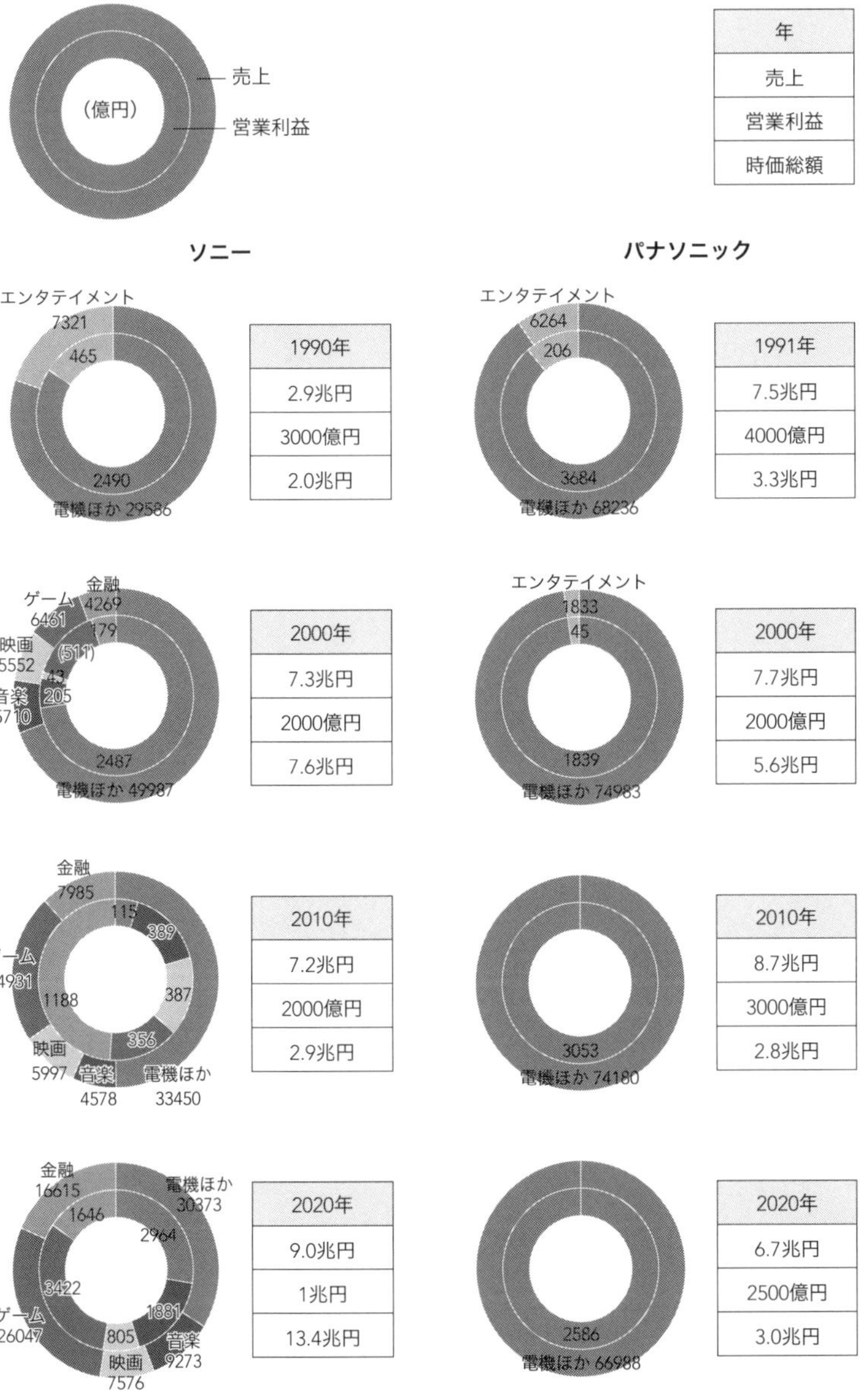

出典）各社IR資料から著者作成

に進めるような、好き放題を放置せざるをえなかった。買収時に2人には株式で70億円、1年半で追放されたジョンには退職時に60億円近くの追加ボーナスを載せざるを得なかった。『バグジー』『フック』『ラスト・アクション・ヒーロー』などこの1990年代前半のソニー・ピクチャーズの作品は悪夢のような失敗続きで、当時は「ハリウッドの最もホットなスポーツは〝ソニー宝くじ〟。うまくいけば首になっても即席億万長者になれるぞ」とハリウッド関係者はソニーに訴訟を起こしたりゴネたりと「カモにされた」[1]。

パナソニックも他人事ではなかった。ソニーのコロンビア買収の1年後にユニバーサルをもっていたMCAを約8000億円で買収。時期も規模も業界もあまりにソニーを「マネした」案件であったが、創業者世代が残っていて米国での経営にも耐えたソニーに対して、パナソニックはすでに世代交代が進み、サラリーマン型の経営者がMCA案件に触れようとしなかった。「経営をしていた」実感はほとんどなかったのではないか。

MCA買収を先導していた谷井昭雄が1992年のナショナルリースと欠陥冷蔵庫問題で引責退任したのを受けて、松下幸之助の娘婿ですでに経営から離れていた松下正治の息がかかった森下洋一がMCA案件を引き取った。だが松下・森下にとって敵対していた谷井前社長の持ってきた米国案件は悩みの種でしかなく、1991年段階ですでに「(MCAを)買うのはいいが、その金を銀行に預けておけば年間600億の利子が手にできる」「利子率6%なら銀行に預けておくのと変わらないが、もう4%を割り込んでいる」といったように、銀行金利と比較してM&Aの失敗を会長の正治が揶揄するようなスタンスであった。[2]

[1] ナンシー・グリフィン、キム・マスターズ、森田 伸（訳）『ヒット&ラン―ソニーにNOと言わせなかった男達』エフツウ、1996

[2] 岩瀬達哉『ドキュメント　パナソニック人事抗争史』講談社、2015

MCA会長のワッサーマンから数多くの提案が森下に持ちかけられ、すげなく断られている。❸英ヴァージン・レコード買収の話は途中で止められ、テーマパーク「ユニバーサルスタジオ」の建設プランも建設候補地まで決まっていたところを森下の命令で却下されている。すでにディズニーランドで多くのテーマパーク事業の成功例が出ていた時期である。

米国の3大地上波の1社のCBSの買収案件もあったが、これは勝負すべき案件だと、ワッサーマンは当時81歳の老体に鞭うって社長シェインバーグを連れて来日している。MCAを築きハリウッドを生き抜いてきた名経営者ワッサーマンは、誰だかわからない幹部に2時間このCBS案件の重要性を説明させられた挙句に、遅れてきた森下社長から一言、「話聞いてます？　その案件、もう却下されてますよ」と言われて血の気が引いて土気色になっていた、という話もある。

これほどまでにパナソニック本社と、米国MCAでは視座の差があり、もはやこれまでと袂を分かつついでにワッサーマンが最後にもってきた「お土産」が、スピルバーグ監督がユニバーサルから離脱し、ジェフリー・カッツェンバーグがディズニーから独立して作った「ドリームワークスSKG」の特別出資枠2億ドルだった。ワッサーマンの予想をはるかに超えていたのは、この案件に森下社長含めてパナソニックで興味を示す人間がいなかったという事実だ。

パナソニック本社にとっては、こうしたわけのわからない投資案件よりも、なぜ本社社長の森下が年俸1億円で、子会社のワッサーマンが40億円もらっていたのか、というのが懸念であった。経営の次元が異なりすぎた買収劇は、ほとんど何も起こらずに、1995年に解消され

❸ MCA（ミュージック・コーポレーション・オブ・アメリカ）は1924年に音楽プロダクションとして始まった会社で、2代目として1946年に33歳で社長になったのがワッサーマンであり、米国の音楽史・映画史の成長の歴史を担ってきた大物であった。のちに大統領となるロナルド・レーガンともエージェント契約を結び、テレビ番組制作に乗り出し、一時はNBCのテレビ番組の半分以上を担う、番組制作の大手にもなった。政治力・経営力含め、「ハリウッドのドン（首領）」と呼ばれたワッサーマンであったが、パナソニックにバレーボールの運動部員枠で入り、国内の営業部署しか担当せずに社長にのぼり詰めた森下洋一とではこれまで見てきた世界が違いすぎ、そりがあわなかったことは想像に難くない。

ている。売却額は58億ドル、買収当時から20億ドルほどの減損であった。

ソニーもパナソニックも米国巨大メディア・エンタメ企業の買収後の経営に大いに苦しんだ。だが両社の差を分けたのは、赤字のなかでも「ハードからソフトへ」と10年20年の時間差で変わってくるだろうメディア業界のトレンドを読み、目先の痛みに耐えきったかどうか、経営人材の胆力の差であった。

ソニーは現在の2兆円規模の売上、2000億円規模の営業利益を稼ぐ映画・音楽の北米事業を自社のモノとするために、総額1兆円以上は損失を被っている。対するパナソニックは8000億で買収したものの、価値が完全に棄損するまでに6000億円で売却し、2000億円〝程度〟の損失で逃げ切っている。この時代にあっては、パナソニックはリスクあるソフト事業からうまく本業回帰したとみられていたかもしれない。

だが、この違いが、30年たった今になって、両社の時価総額の4倍の差を作り上げている。

3-2 宮崎駿の新作なしで成長するジブリを支える中国の驚異

中国で3倍儲かる『となりのトトロ』

米国型を目指しながらも、米国型にならなかった日本のメディア・コンテンツ産業であったが、この5年、違う「海外成功事例」が出始めている。

スタジオジブリが今、大きくそのバランスシートを広げているのはご存じだろうか。（2017年の宮崎駿監督の引退撤回宣言までは）基本的にはアニメ制作をやめて、これまで創り出してきた『となりのトトロ』や『千と千尋の神隠し』といったアニメ作品の版権を管理したり、三鷹の美術館を管理している会社になっていた。2013年の『風立ちぬ』を最後に100人単位で大量のアニメーターが放出されたが、実はアニメ制作をやめたまさにその後からジブリの財務は「成長していく」のである。

図表32の通り、純資産は2012年時点の95億から2019年時点には215億円とほぼ倍になった。毎年の利益はジグザグあって、2008年『崖の上のポニョ』や2013年『風立

ちぬ』の際に30億近い純利益を計上しているが、それ以外の年はいたって定常運転で年5億〜6億円の純利益を稼いでいる。これまで数十億円かけられてきたアニメ製作費は8割が人件費であり、アニメ制作スタッフを抱えないことで「毎年費やされているコスト（スタジオの運営費や人件費）」が縮小し、いままでも入っていたこうした収益が、順調にバランスシートに積み上がっていくのである。

成長の理由の1つは中国にある。

『千と千尋の神隠し』が中国で上映されたのは2019年だった。オリジナルが日本で上映されたのが2001年で、『鬼滅の刃：無限列車編』に2020年に破られるまでは、日本映画史上最大の興行収入304億円を誇った大作である。だがそこから18年もたってから『千与千尋』として中国で上映されたとき、ユーザーが殺到し、7900万ドル、すなわち80億円以上の収益になった。「再上映」であるにも関わらず。

図表32　スタジオジブリの純資産・純利益

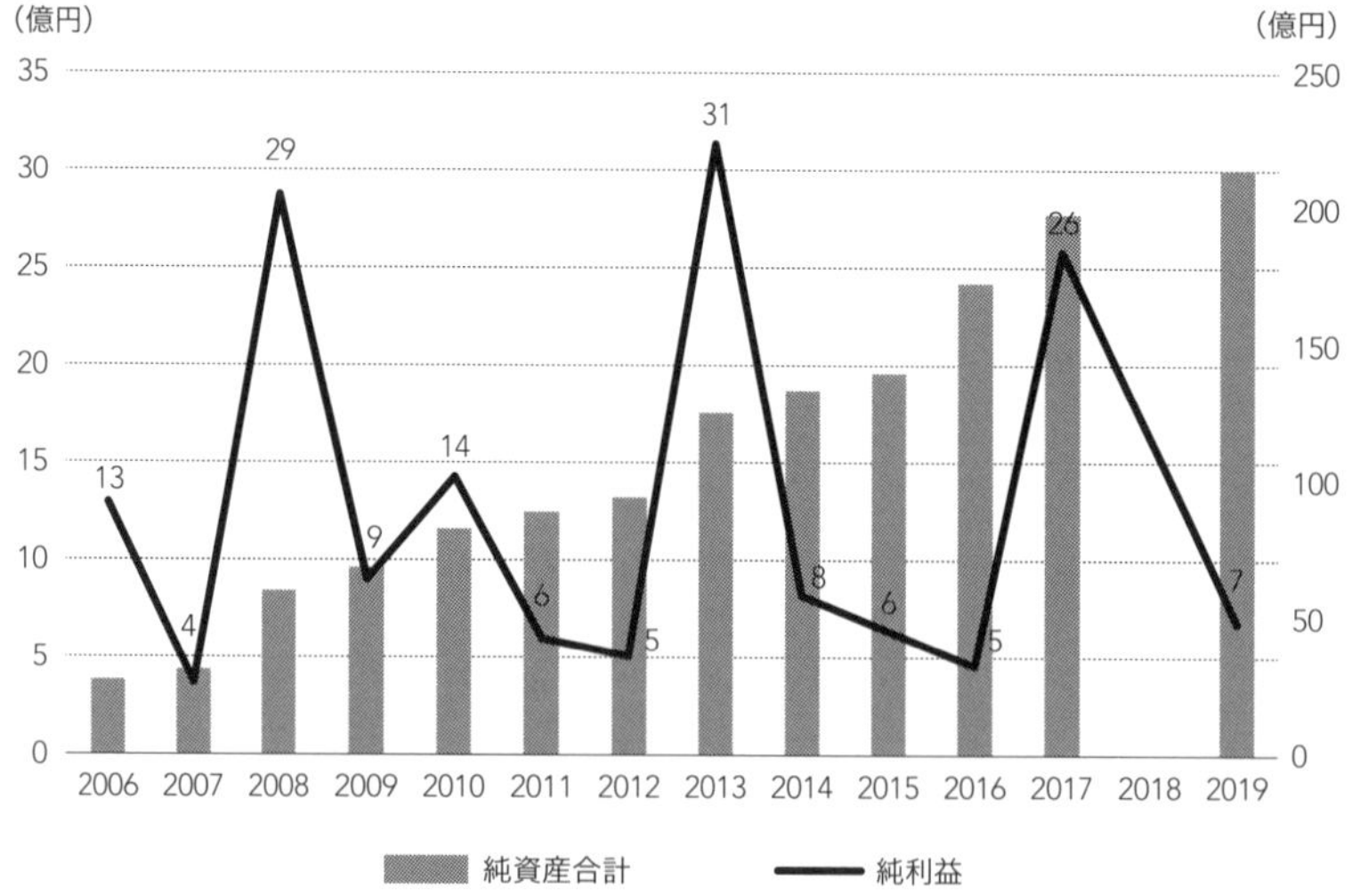

出典）決算公告から著者作成。2018のデータは不明

『となりのトトロ』も中国で『龍猫（ロンマオ）』として上映されている。1988年に日本で上映された作品であり、なんと30年も前の作品である。当時日本ではトトロ単体ではとても勝負できないと『火垂るの墓』とセットで売られ、興行収入も11・8億円とまずまず。その2年後にぬいぐるみが売れ始め、グッズ・MD（マーチャンダイジング）化という新しいジブリのビジネスを切り開いたタイトルが、1世代以上もの時間をあけて中国で上映された興行収入がなんと3000万ドル、30億円超えである。

トトロをはじめてみたというユーザーはほとんどいなかっただろう。30年ぶりの再演にも関わらず、かつほとんどが2度目以上の視聴であるにも関わらず、日本の公開当時3倍の興行収入を中国でたてた。

中国映画市場での売上が日本の興行収入の数倍にもなるタイトルがどんどん出てきていることを踏まえてか、これまであまり大々的な海外展開をしてこなかったジブリ作品は（北米のみ、以前からディズニーに委託をしているものの）2021年に入ってネットフリックスと配信契約を結んでいる。過去21作品を190か国で配信する権利である（米国・カナダ・日本のみ除かれている）。新しいチャネルで数十年前の作品を再び浸透させはじめようという取り組みである。

中国など海外で旧作アニメを展開する一方、新作アニメ制作をやめた「静かなるジブリ」は組織の体格を落として、IP維持に努めることで、利益をコンスタントに出せる形になっていった。プロダクションをやめて、開発することをやめた。もともと宮崎駿監督のための組織であり、彼が筆をおいた瞬間、100人以上ものスタッフを囲い続ける理由がなくなるのだ。

これは作らないことを肯定する話ではない。単なるバランスシート上の蓄財の話であれば、皆が効率の悪いゼロイチのコンテンツづくりをやめて、大量にリストラをして、数人でプロパティ管理だけをしていればよいという話になる。ジブリから得られる示唆は、「作ること」を本義としてきた組織のコアが崩れかけたとき（ジブリの場合は「宮崎駿監督が作りたいものを実現する組織」だったが、宮崎駿が引退宣言をした）、それを塗り替えるコアが登場しない限りは、必ずしも「作ること」そのものに固執し続ける必要はない、ということだ。

これは当たり前のようで、当たり前ではない。「作れるから作る」ではなく、「作りたいから作る」を続けている会社はごまんとあり、お金の出し手がいる限り、クリエイターは手を止めないものだ。だがそのクリエイターがいなくなっても、組織は止まらず、残された「クリエイターになりたい人々」でなんとか作品を作ろうと躍起になっている事例は多くある。

ただ目先を考えると、受託ビジネスとして言われたものを設計図通りに作ることで利益を確保しなければならない。開発会社のパターンは、100人中95人が設計図通りの受託をしているのに、「自社オリジナル作品がないと開発会社ではない」という金科玉条に囚われ、社長室や新規事業室で作りかけの企画書を手に何年も走り回っている。これはゲームでもアニメでも出版でも動画でも音楽でも、およそ似たところがあるのではないだろうか。

もちろん、受託ビジネスを見下しているわけでも、進まない新規事業を軽視しているわけでもない。受託で覚えたスキル・経験をもって、何年も寝かせた新規企画が花開いた事例もまた何度も見てきた。だがここで言いたいのは「自社オリジナル作品がないと開発会社ではない」という金科玉条に囚われ続ける必要があるのだろうか、ということである。

30年前のゲームで売上100億円のSNK

中国という「新興」市場での成功といえば、もう1つ象徴的な事例がある。1978年にアーケードゲーム会社として設立されたSNK（当時は新日本企画）である。同社は、『餓狼伝説』『サムライスピリッツ』『ザ・キング・オブ・ファイターズ』で対戦格闘ゲームの一角として、『バーチャファイター』のセガや、『鉄拳』のナムコ、『ストリートファイター』のカプコンを凌ぐとも言われた会社である。

有名なのは、もはや伝説となった定価5万8000円の家庭用ゲーム機「ネオジオ」の開発（1本あたりのソフトが3万円という価格帯は、かなり挑戦的な高級化志向だった）、またそれに類して1999年にはお台場に「ネオジオワールド東京ベイサイド」という遊園地の開園まで行った。

だがこれらの挑戦が莫大な赤字を生み、2001年に一度破産。パチスロ事業などで食いつなぎながら、2015年に中国企業37ゲームスの傘下となり、2020年にはサウジアラビアのミスク財団が3割のシェアをもつ筆頭株主になった。

いまSNKは韓国の株式市場に上場する会社となり、業績は絶好調で1990年代のピーク時に迫っている状況でもある。テンセントから『THE KING OF FIGHTERS：DESTINY』（原題：拳皇命运）が2018年5月にリリースされると、1カ月で100億円を稼ぐ大ヒットとなった。❶その版元であるSNKはそこからいくばくかのロイヤリティ収入を得て、結果的に1つのヒット作からの権利収入が大半を占めるその売上は年100億円規模となり、会社資産も300億円規模へと成長した。図表33でみるとおりである。この大きな変化は何によってもたらされたのだろうか。

日本で『ザ・キング・オブ・ファイターズ』が流行した1990年代は、中国でも家庭用ゲームが海賊版として流行していた時代である。正

図表33　SNKの純資産・純利益

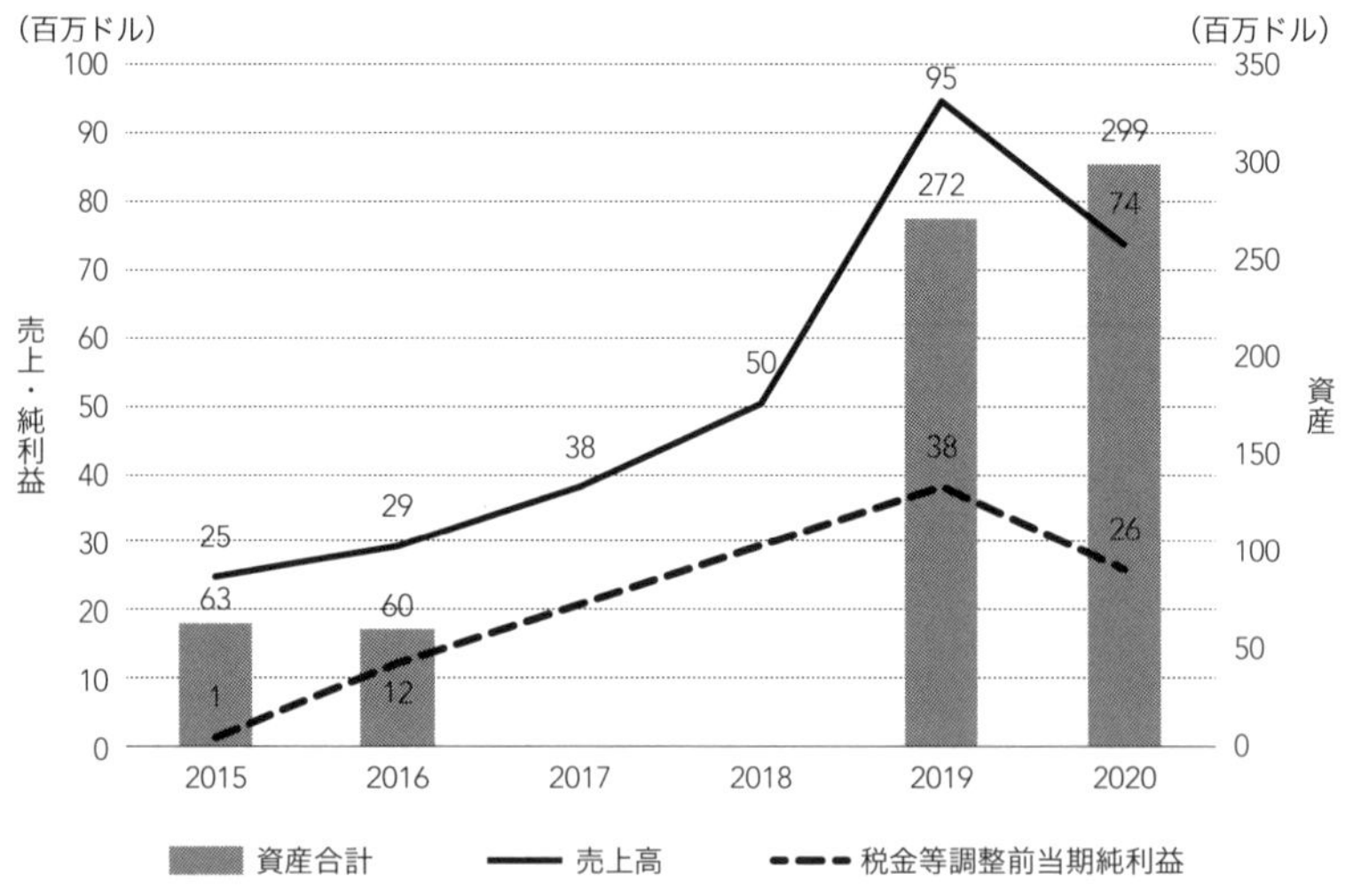

出典）SPEEDA。2017と2018の純利益、資産は不明

❶ 厳密には2016年8月にOur Palm（掌趣）が開発運営する『THE KING OF FIGHTERS '98 ULTIMATE MATCH Online』がリリースされ、月100億円規模を超えるようなヒットタイトルとなっていた。同タイトルはDESTINYと違って日本でもリリースされ、日中で大きな売上を占めている。ただこの案件は37GAMESからOur Palmにリスクを移譲された上での開発案件のため、37GAMESならびにSNKにロイヤリティとして還元されている比率が少ない。ただし本タイトルの成功があったからこそ、DESTINYではテンセントとより大きな開発費で、より大きな還元率でリスクをとれるきっかけとなった。その意味ではこの2タイトルあわせての成功例ではある。

規のファミコンは関税問題もあり、当時中国で手に入れるには平均月給の3か月分が必要といった時代にあって、皆が「紅白机」という中国製のファミコン互換機で無許諾に移植された海賊版タイトルが入ったカセットで遊んでいた。その代表格の小覇王は当時100万台を突破する大ヒットとなっていたが、特に熱狂されたのが『ザ・キング・オブ・ファイターズ』などの作品であった。

日本の「懐ゲー」の中国ローカライズブーム

そして2015年以降になると、中国市場はにわかに「日本の懐ゲーローカライズブーム」となった。『ザ・キング・オブ・ファイターズ』のモバイルゲーム化での成功をみたコナミは中国でのゲームライセンスアウトを積極化する。2017年6月に『Contra: Evolution（魂斗羅）』がテンセントからリリースされ、中国アプリストアで月数十億円と言われるヒットとなる。コナミはその後、この魂斗羅の実写化もまた中国映像会社スターリットと組んで展開することを発表している。

日本コンピューターシステム（NCS）が1991年から展開していた『ラングリッサー』シリーズも、中国のゲーム開発会社ZLONGAMEにより2019年4月に『ラングリッサーモバイル』（中国語：梦幻模拟战、英語：Langrisser Mobile）としてリリースされ、月50億以上もの規模の売上に到達している。❷ この版権はNCSから2014年にエクストリーム社に

❷「【保存版】ラングリッサー中国版の売上規模はXX億円！中国市場売上規模は前年同期比で16%成長！」ゲーム大陸中国の今を知る 2018年10月24日記事<https://chinagamenews.net/market-info-31/>

買い取られており、このニュースを受けて同社の株価が急騰。18年7月末の860円から8月末には5740円と、ニュースの前後で時価総額が46億円から310億円まで10倍近く高騰している。「懐ゲー」の中国展開がいかに高く評価されるようになったかがわかる。エクストリーム社の業績をみると（図表34）、売上は2018年に前年対比でほぼ倍の60億円を超え、経常利益は8・5億円（2018年）、13億円（2019年）と急増している。（開発はZLONGAMEが行ったため）自社で大きなリスクをとった開発事業ではないにも関わらず、「眠っていた資産を適切なパートナーと適切な市場に展開した」ことで、これだけのリターンがあるという好例でもある。

注目すべきは『ザ・キング・オブ・ファイターズ』『魂斗羅』『ラングリッサー』がすべて日本市場よりも中国市場での売上のほうが高いという点だろう。すでに日本が1・2兆円、中国が3兆円と基盤となるアプ

図表34　エクストリーム社の売上・利益（2012〜2020）

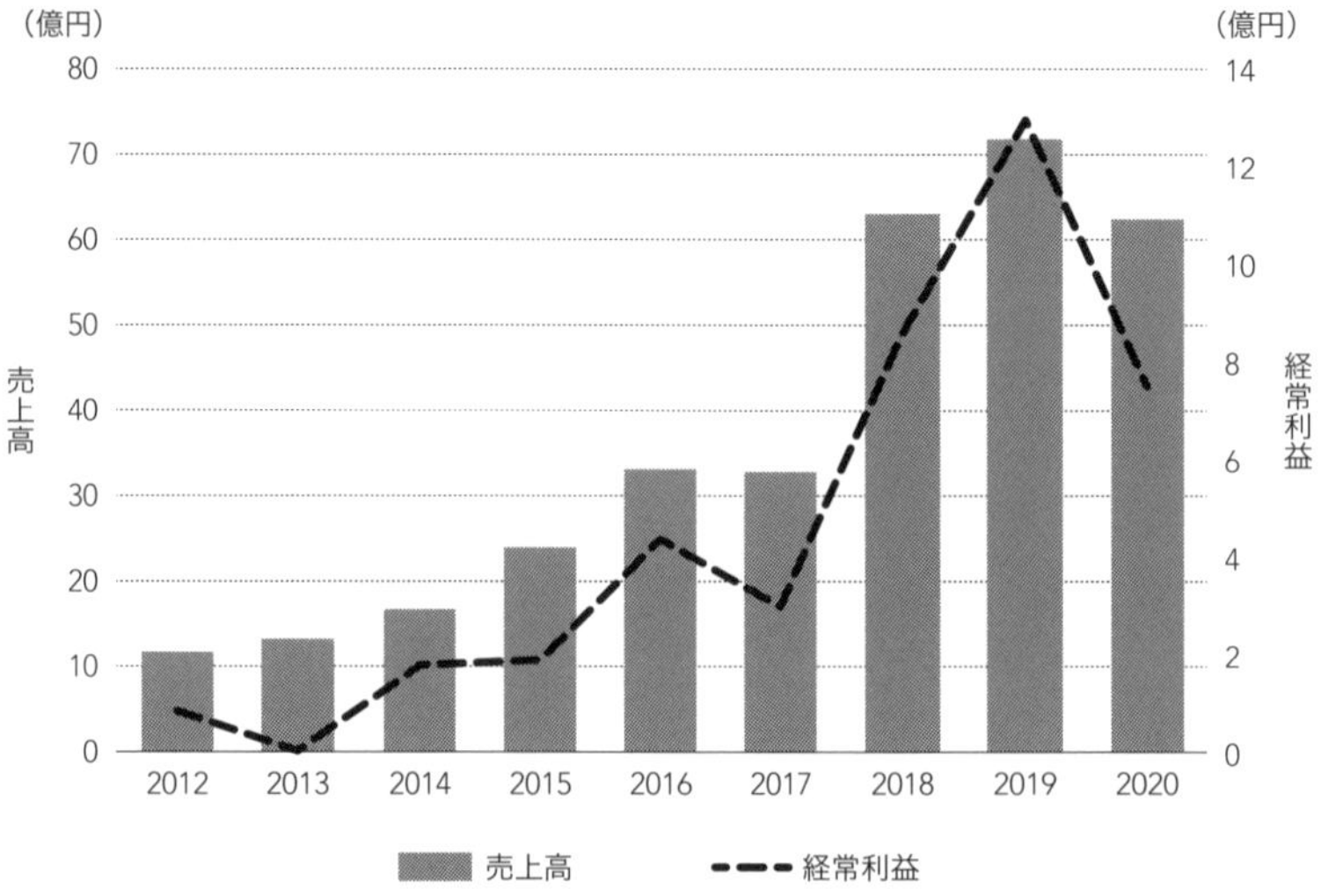

出典）決算公告から著者作成

リゲーム市場の規模に大きな開きが出ていることも一因だが、それ以上に1990年代のゲームの記憶をもつ世代のボリュームの厚さ、彼らにとってこの3タイトルの印象が日本でよりも中国でのほうが圧倒的に強かったという「深さ」が、表れている数字ではないだろうか。

今、日本の中でも団塊世代に向けた「懐ゲー」「懐アニメ」市場をふたたび深掘りすべく、高齢者向けのゲーム展開が積極的ではある。ただ、それ以上に中国（やほかのアジアも同様だろう）など当時日本コンテンツのインパクトが大きかった市場への移植やローカライズ、版権を使った新規ゲーム・アニメの開発は十分にポテンシャルをもったフィールドと言えるだろう。

ＳＮＫの中国での成功は、いまや十分な可処分所得をもつ20代30代になった中国の豊かなゲームファンの頭の中にある「キャラクターブランド」資産を、現地パートナーを味方につけて有効に活用した結果、ライセンスを元に100億円規模の売上をもたらすことに成功したという事例である。ＳＮＫが2001年に倒産したときにこの「終わったゲームＩＰ」を誰が買いたいと手を挙げただろうか。そのゲームＩＰ（知的財産）のブランドが20年後に、実は潤沢なユーザー層になると誰が想像しえただろうか。

今もなお1980年代の少年ジャンプのブランド遺産で多くのキャラクター市場が潤うように、1990年代から2000年代にかけて海賊版を通じてアジアへの影響力のあった日本のゲームやアニメＩＰのブランドの「深さ」を回収するなら、実は今なのかもしれない。

テンセントの世界展開と日系企業への資本参加

中国市場の急成長はエンタメ業界にとって大事件である。20年前には東南アジアを含めたアジア市場は10か国ほどあわせても日本市場に満たなかったが、2020年代の今となっては中国だけで日本の4倍規模となって米国のコンテンツ市場に並ばんとしている。この中国におけるエンタメ消費マーケットをいかに摑まえるかは、家電商品がインバウンドの爆買いブームに熱狂したのと勝るとも劣らないレベルで、マンガ・アニメ・ゲームそれぞれの会社にとっての莫大なチャンスである。

それを知ったうえでか、中国資本は自国の成長力・資本力を武器に、日本ブランドへの触手を伸ばし始めている。その代表格がテンセントといえるだろう。

図表35をみれば、テンセントの躍進ぶりはグーグルをおいても色あせてしまうほどだ。時価総額は2005年に15億ドル、2010年に120億ドルとなって任天堂を抜き去り、2016年には2183億ドルとなってディズニーを超え、2021年には約8000億ドルではほぼフェイスブックと並ぶ規模になった（その後、中国政府の規制強化などにより下落している）。

5年ごとに時価総額が10倍になっていく成長速度には、そのマザーマーケットである中国市場全体の底上げという構造的な要因による押し上げが大きく寄与している。

図表35　米中日トップ企業の時価総額推移

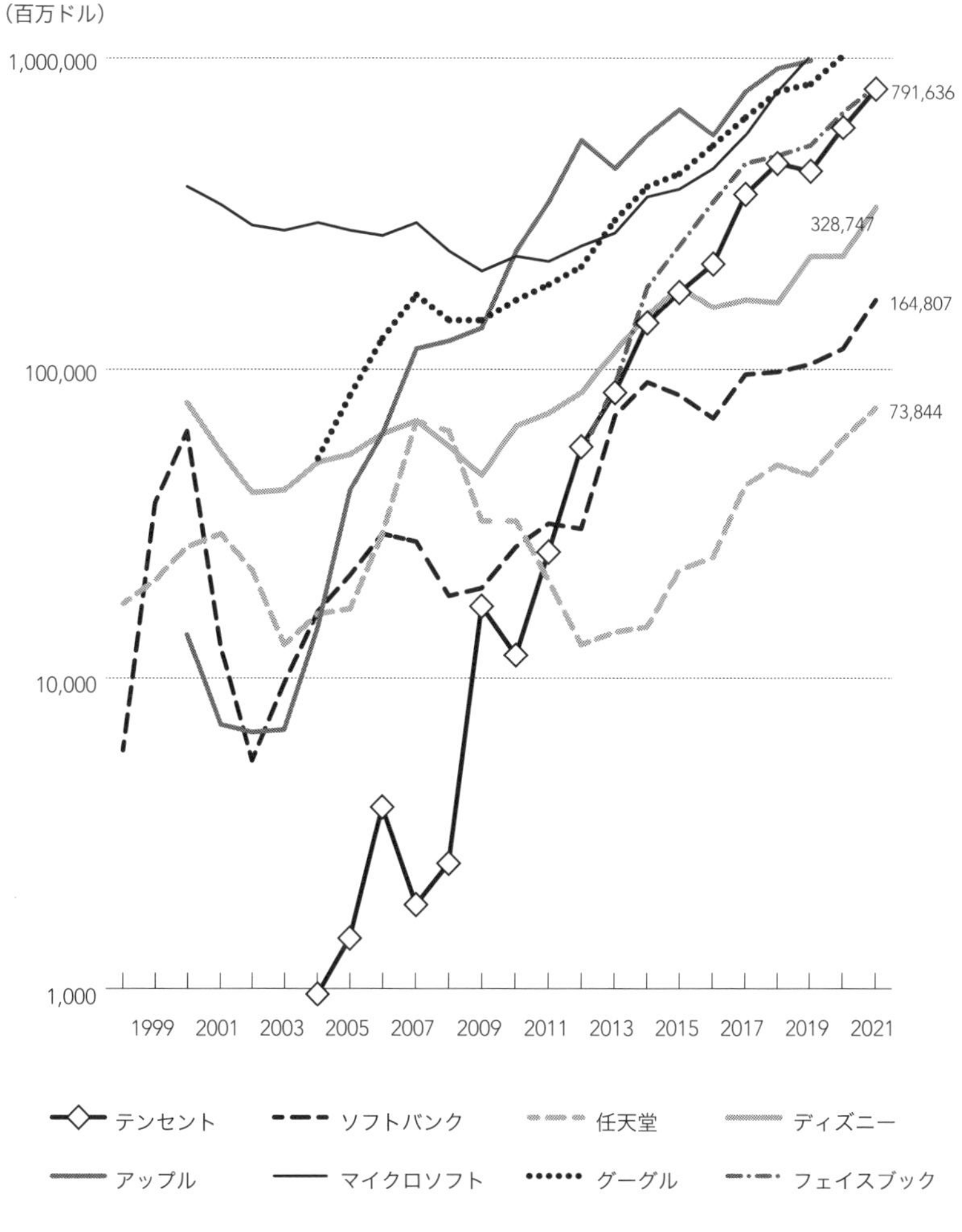

出典) 各社株価情報から著者作成

テンセントが今世界中から買い集めているものが、彼らが資本や成長率によって手に入れることのできない「ブランド」である。ＭＭＯ（大規模多人数同時参加型オンラインゲーム）で大成功を収める『リーグ・オブ・レジェンド』のライアットゲームズに２００８年に22％出資し、２０１１年には子会社化したのを皮切りに、２０１２年にはのちに『フォートナイト』を生み出すエピックゲームズに40％出資。２０１３年には『Call of Duty』で有名な米国２位のゲーム会社アクティビジョン・ブリザードに少額出資。２０１４年には韓国ＣＪグループのゲーム事業に５億ドル出資。『７つの大罪（グラクロ）』で日本でも大作をリリースしている韓国ネットマーブルの株も20％弱所有している。２０１５年には『Orc Must Die!』のロボットエンターテイメントや『ディアハンター』のグルーモバイルに出資（のちにＥＡが完全買収）、『Ｔａｐ ｚｏｏ』のポケットジェムズ買収と、モバイルゲームの米国大手も続々と引き入れていく。

そしてテンセントが一躍業界最大手に躍り出たきっかけが、２０１６年にモバイルゲームのトップメーカーだった『クラッシュロワイヤル』のフィンランド・スーパーセルをソフトバンクから73億ドルで買収した件であった。ほかにも『８ Ball Pool』のミニクリップ、エピックに並ぶゲームエンジン最大手ユニティ、『アサシンクリード』のＵＢＩにも５％出資、と勢いは衰えない。

マジョリティ出資にこだわらず、一部出資としてもブランドのある作品をもつゲーム会社に少しずつ色を加えていく。毎年ゲーム会社だけで10社ほど投資を続けており、これまで累積で

150社近くに出資・買収してきた戦略は、これまでの米日のゲーム会社にはなかった世界への進出手法といえる。ゲーム以外でも世界音楽レーベル大手のユニバーサルの株式の20％を保有しているのも有名な話である。

日本のゲーム会社への出資は2020年に入ったあたりから急激に進んでいる。『ニーアオートマタ』のプラチナゲームス、『牧場物語』のマーベラスなど、公表されていないものも含めると10社規模まで出資が進んでいる。日本ブランドへの出資は、テンセントだけでなく、中国ゲーム会社では2番手のネットイーズ、韓国最大手でCJグループの一角のネットマーブル（音楽のBTSを出すBIGHITも同グループ）も積極的展開をしている。

日本ブランドが中国資本の傘下に入るのは日本が停滞しているからだ、とその体たらくを嘆くべきだろうか。資本の色が変わることは必ずしもネガティブなばかりではない。すでにSNKに見てきたように、意思決定が変わることでその日本発の資産がふたたび価値を顕在化させる成功例も少なくはない。日系資本で停滞を続けるくらいなら、中国を含めた外資の経営者のもとでV字回復、さらなる成長をしたほうが、その企業のためにも日本経済のためにもなるだろう。

台湾の鴻海精密工業に2016年に買収されたシャープは、1年で時価総額が2000億円から2兆円へと10倍になり、1600億円の営業赤字から1300億円の営業利益を出すまでにV字回復し、その後も5年間好業績が続く。[3] 2009年に中国の蘇寧電器の傘下となったラ

[3] 大西康之「「シャープV字回復」が証明する「ホンハイ」と「経産省」の実力差」HUFFPOST 2018年4月23日<https://www.huffingtonpost.jp/foresight/sharp-20180423_a_23414815/>

オックスも、時価総額ほぼ0のところから5年後の2014年には1400億円をつけるところまで回復し、売上も直近5年は500億円を超える水準を維持できるようになっている。[4] ブランドを生かすのに、資本参加によって対象国のユーザーをよく知る有力パートナーを得るというのも選択肢の1つである。

一気に日本を抜いて世界一の市場に

2000年代は、日本のエンタメ業界にとって、凪のように一服した平穏期でもあった。国内市場は確かに縮小傾向をみせたが、テレビ市場は思ったほどにはインターネットに侵食されることもなく、また輸出需要でアニメもゲームも活性化していた時期でもある。各社それなりに北米や欧州で収益を上げられた時期でもあった。

潮目が変わったのは2010年代になってからである。スマホによるモバイルシフトとともに東アジア諸国の急激な台頭があり、GAFAMのプラットフォームビジネスの世界的な波及とゲーム・動画配信・音楽配信が活性化した。そして現在では米中による覇権的なポジションが固められつつある状況である。

動画領域・音楽領域・ゲーム領域での市場推移をみてみれば（図表36）、米中シフトの傾向は顕著である。映画・音楽・ゲーム・出版などコンテンツ領域全体でいうと、40兆円の米国市場に対して、10兆円の日本市場はここ10年ほどほとんど変わらないサイズだった。

[4] 苑志佳「中国企業による対日M&Aの投資効果に関する一考察－新たなPMI枠組みによる検証―」『立正大学経済学季報第70巻第1号』、同論文では中国企業による日本企業のM&A事例を横断的に分析し、中国企業からの資金面の支援の部分だけではなく、中国市場における販売ネットワークや低コストの生産能力などを提供することで、日本国内における収益停滞を打破し、中国市場への進出と収益機会の拡大になっていると結論づけている。

図表36 世界エンタメ業界の市場規模トレンド

世界 100兆円 / 日本 10兆円 / 中国 15兆円 / 米国 40兆円

動画	日本 配信	日本 映画	中国 配信	中国 映画	米国 配信	米国 映画
2005	−	0.2兆	−	0.4兆	−	1.0兆円
2015	0.27兆	0.2兆	100億	0.76兆	1.3兆円	1.3兆円
2019	0.32兆	0.26兆	1.36兆	0.99兆	3.2兆円	1.2兆円

音楽	日本 配信	日本 CD	中国 配信	中国 CD	米国 配信	米国 CD
2005	0.19兆	0.35兆	−	100億	0.1兆	0.57兆
2015	0.12兆	0.21兆	0.75兆	−	0.47兆	0.14兆
2019	0.12兆	0.15兆	0.92兆	−	0.88兆	0.12兆

ゲーム	日本 モバイル	日本 家庭用	中国 モバイル	中国 家庭用	米国 モバイル	米国 家庭用
2005	700億	0.41兆	300億	−	0.16兆	0.71兆
2015	0.99兆	0.19兆	0.63兆	−	0.24兆	1.25兆円
2019	1.16兆	0.27兆	2.03兆	100億	1.09兆	2.04兆円

出典）著者作成

中国はもともと数兆円に満たない規模だったが、2015年ごろには日本を抜き去り、2021年現在で年20兆～30兆円規模と日本にダブルスコア・トリプルスコアで差をつけている。牽引している映画産業だけでいっても、中国では2005年に0・4兆円だったものが2019年には倍の1兆円になっている。

しかもこれは映画館での「興行」部分のみの数字である。動画配信に関しては、2015年に100億円程度だったものがすでに映画興行全体を超える1・36兆円規模となっている。日本の動画配信はアベマTVやアマゾンプライムなどが十分に一般化してきているが、市場規模は0・3兆円にすぎず、中国とは4倍以上の開きがある。

音楽領域においても同様で、米国も中国も1兆円近い市場があるが、日本はCDが0・15兆円、配信が0・12兆円と、あわせても両国の3分の1にも満たない。

急激に日本の「負け越し」が決まってきたものが、ゲーム領域だろう。米国のモバイルゲーム市場はいまだに成長を続けているが、日本は1兆円で止まってしまった。かたや中国はすでに2兆円を超えており、ゲーム大国日本の鼻を明かした格好である。もちろん、メーカー側からみたときに、中国や米国で作品収益を上げているものもあるため、日本メーカーが全滅しているという状況ではないものの、自国市場の後押しがない状態になってきているという意味では韓国メーカーと近い立ち位置になってきている。

米国から中国への覇権交代が顕著に表れているのが、映画産業である。図表37に中国、日本、そして米国の映画市場の推移について記載した。そもそも中国の映画市場は2007年時点で

図表37 中国、日本、米国の映画市場規模（興行収入）の推移

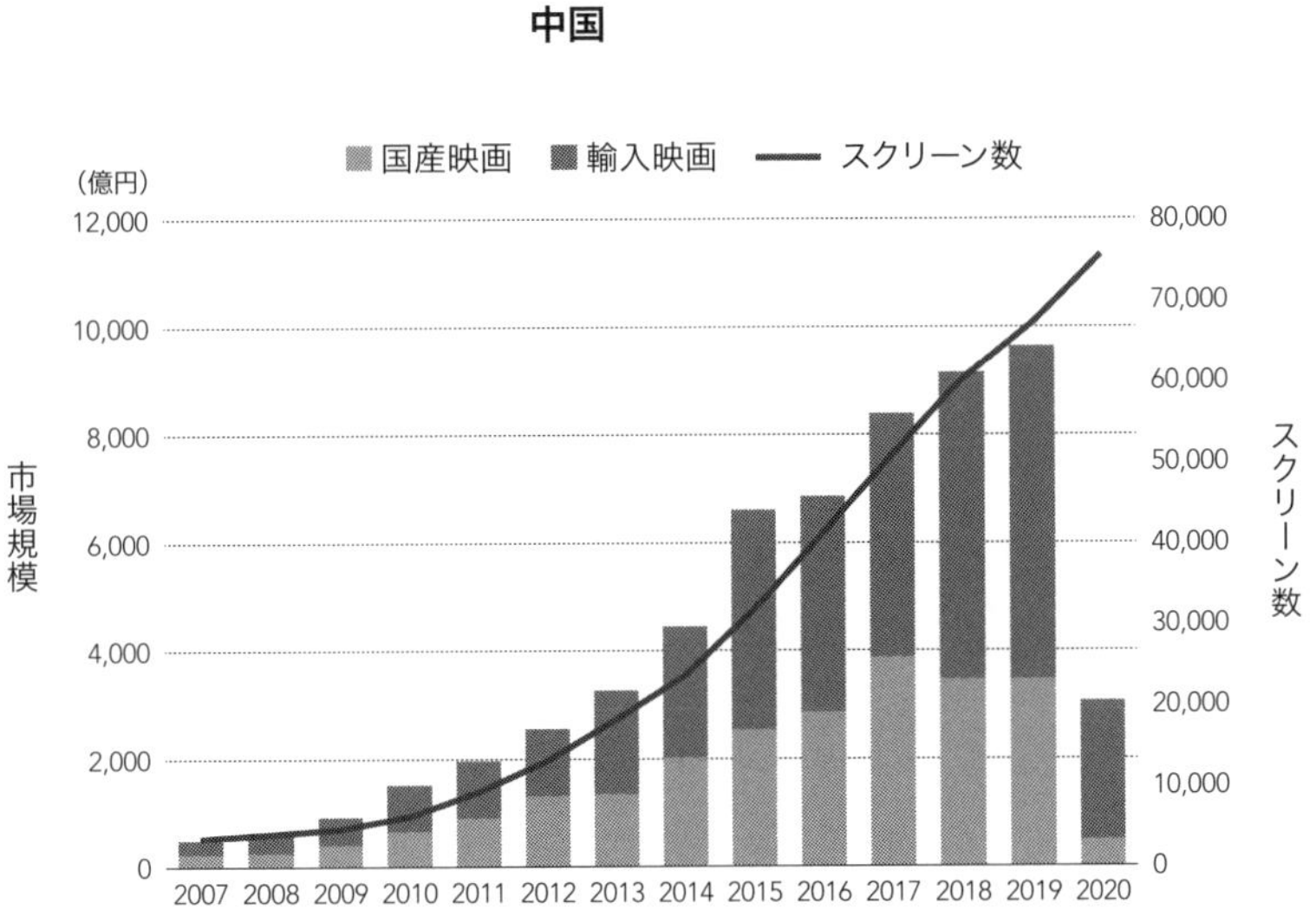

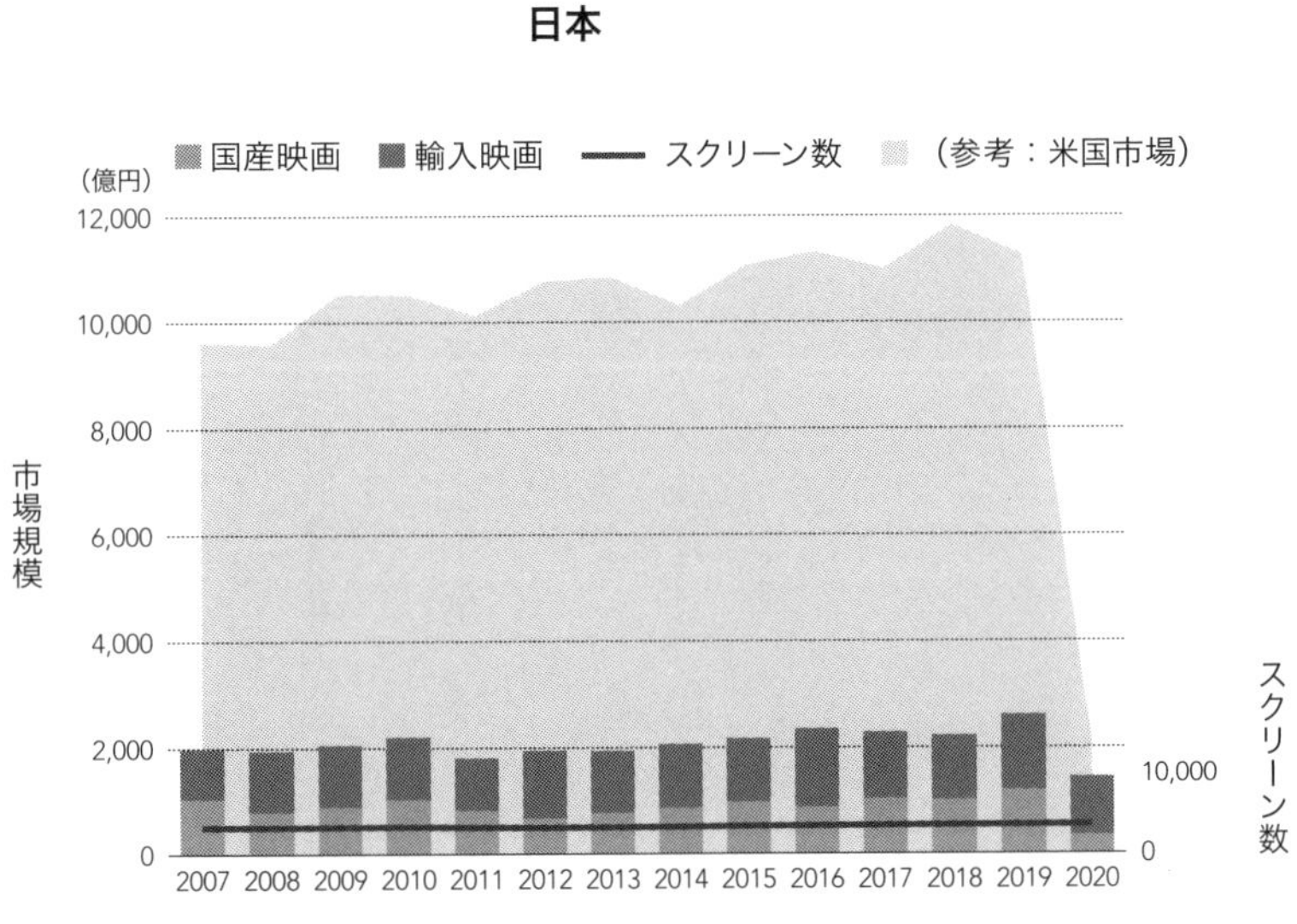

出典）日本映画製作者連盟、中国国家新聞出版広電総局、国家電影局、米国国勢調査局、National Association of Theatre Owners

まだ日本の4分の1の500億円規模でしかなかった。だが2011年にその規模は日本と並び、2014年には2倍の差がつき、2018年にはついに4倍の8000億円規模となった。

米国映画市場と比較しても、2007年には1割未満だったが、2020年には世界一となった。映画館のスクリーン数でいっても米国の4万を2015年に抜き去り、現在では倍の8万弱に達している。早晩10万を超えるであろう。日本の3000スクリーンの30倍以上ものスペースで毎日映画興行がなされているのである。

ハリウッドではもはや「Made for China」、つまり中国市場でいかに収益を確保するかを優先した映画づくりがなされている。中国の人気俳優のアサインから、他国をおしのけて中国での先行上映、政府検閲をクリアするためのセッティングなど、ここ10年の中国市場への取り組みでかなりノウハウを積み上げてきている。世界歴代興行収入で28億ドルと歴代2位につけた2019年『アベンジャーズ／エンドゲーム』は米国で8億ドル、中国で6億ドルとなり、3番手のイギリス1億ドルを優に超える金額を中国市場で稼いだ。

日本映画にとって中国は最大市場に

日本映画にとっても中国市場はもはやデフォルトで展開を考えなければならないマーケットであり、ときには国内以上の収益を期待できるものになってきている。

かつての「海外」であった北米市場は日本映画にとっては厳しすぎた。北米で収益を上げた日本映画のトップ3はこの20年間更新されることがなかった。『ポケットモンスター　ミュウツーの逆襲』（1998年）は日本で72億円の大ヒットだったが、米国では8600万ドルとなり、いまだにどの映画もこの記録を打ち破れていない。2位は『ポケットモンスター　幻のポケモン　ルギア爆誕』（2000）の4400万ドルだったが、先日『鬼滅の刃：無限列車編』が4800万ドルに達して歴代2位が約20年ぶりに塗り替えられた。

それに対して中国市場における日本映画の興行収入は、近年記録続きである。はじまりは『STAND BY ME ドラえもん』（2014）で中国で80億円超えという数字をたたき出した。中国映画市場における日本映画の最高新記録である。そして『君の名は』（2016）や、『千と千尋の神隠し』（2019）も、それぞれ80億円前後の収入となった。

もともと中国に配給される日本映画は年間数本にすぎず、2011～12年に至っては0本だったところ、『STAND BY MEドラえもん』をきっかけに増えていき、最近では毎年10本以上も公開されるようになった。アニメによっては日本以上に中国で火がついているケースも少なくなく、『夏目友人帳　うつせみに結ぶ』（2019）は日本で8億円、中国で17億円、『デジモンアドベンチャー　Last Evolution』（2020）は日本で2億円、中国で19億円。決してジブリだけが流行っているわけではなく、多くのアニメ作品にチャンスが開かれている。

これまで日本映画がドメスティック志向すぎたわけではない。『ドラえもん』や『コナン』はそれぞれ2000年前後の時代から20年以上にわたって台湾、韓国、香港や東南アジア、トルコなど様々に展開してきた。毎年増減はありながら、各国で1億円、2億円といった興行収入を積み上げてきた。だが、そうした小さい国々へのローカライズの悪戦苦闘は、日本の収益の「足し」にはなっても、大きな成長ポテンシャルを感じさせるものにはならなかった。

結局、米国と日本以外でいうと、人口×可処分所得のボリュームゾーンが大きく構造変化する中国だけが、こうしたダイナミックな売上が実現する国である。1950〜70年代の米国、1980〜90年代の日本のように、数十年に1度、世界中のココダケで起こっているような市場の激変が、これまでの10年とこれからの10年に中国で起こっている。それ以外の国ではどれだけ政治体制や移民人口や先端産業がイノベーティブな動きをしようと、こういった単位の業界変動には至らない。

この映画市場における地殻変動は、ゲーム業界でもすでに同レベルで起こっており、さらには音楽業界や出版、特にマンガ業界においても起こってくると予想される。今まで海外戦略≒米国展開に悪戦苦闘していた日本メーカーには別の選択肢がつきつけられることになる。国内に留まるか、もう一度米国で頑張るか、もしくは新たに中国に展開するか。日本のコンテンツビジネスは分岐点にある。

図表38 日本映画の日・米・中での映画興行収入

		上映年	日本（億円）	中国（億円）	米国（百万ドル）	中国の日本対比
1	ポケットモンスターミュウツーの逆襲	1998	72		86	
2	ポケットモンスター 幻のポケモン ルギア爆誕	2000	49		44	
3	遊☆戯☆王デュエルモンスターズ光のピラミッド	2004			20	
10	STAND BY MEドラえもん	2014	84	87		104%
11	君の名は。	2016	250	84	5	34%
12	ドラえもん　のび太の宝島	2018	54	31		58%
13	となりのトトロ	2018	12	26		222%
14	名探偵コナン　ゼロの執行人	2018	92	19		21%
15	ドラゴンボール超 ブロリー	2018	40	5	31	
16	千と千尋の神隠し	2019	317	73		23%
17	天気の子	2019	142	43		30%
18	名探偵コナン　紺青の拳（フィスト）	2019	94	35		37%
19	劇場版　夏目友人帳　うつせみに結ぶ	2019	8	17		216%
20	劇場版「鬼滅の刃」無限列車編	2020	401		48	
21	デジモンアドベンチャー LAST EVOLUTION	2020	2	19		895%
22	ドラえもん　のびたの新恐竜	2020	34	9		28%
23	ヴァイオレットエヴァーガーデン	2020	21	7		34%

出典）Box Office Mojo

3-3 ハリウッド経済圏とオタク経済圏

ビデオという成長源を巡るソニー、パナソニックとハリウッドの因縁

映画ほど明確に「キャラクター経済圏」の発展的展開に成功したメディアはない。この場合、映画＝ハリウッドである。80平方キロメートルに人が6万人しか住んでいないような地域が、なぜ映像制作のメッカとなり、世界中の視線を牽引するような一大プロダクションエリアになったのか。

結論から言うと、ハリウッド映画は「国内派生市場／海外マーケットを広げる」ことに純粋に特化していった。

50年前まで米国の映画産業は映画館のみで収益をつくっていた。だがテレビの台頭とともに、映画館から人が遠ざかり、どんどん収益が減っていったのはハリウッドとて例外ではなかった。１９７０年代に『スターウォーズ』が生まれるまでのハリウッドは「悲惨」といえる状況で、映画メジャーも売り買いの対象になっていたし、ディズニーのアニメスタジオも倒産寸前であった。

だが１９８０年以降、ハリウッドで作られた映像コンテンツが米国内の収益だけでも１兆円から５兆円まで広がっていく。その背景には「テレビ」と「パッケージ販売（ビデオ／ＤＶＤ／ＢＤ）」という新しい商流があった。

　そもそもビデオを持ち込んだときのハリウッドの反応はかなりアレルギー的なものだった。１９７６年にソニーが持ち込んだベータマックスはマニア評判こそ上々だったが、前述のパナソニックとの抗争に出てくるＭＣＡのワッサーマンとシャインバーグが「録画」で著作権を侵害しているとソニーを訴えた。ディズニーも名を連ね、合計１４５人の証人喚問を行う大訴訟となり、１９７９年にソニーの勝訴となるも、ワッサーマンと親交が深いロナルド・レーガンが大統領になると論調が急激に反ビデオとなり、結果的に「無料放送を家庭内で私的に複製するのは著作権侵害ではない」という判決がくだったのは８年後の１９８４年であった。❶なんとも皮肉なことに米国でのビデオ普及というブレークスルーをやってのけ

図表39　米国映画メジャーの収入ソース

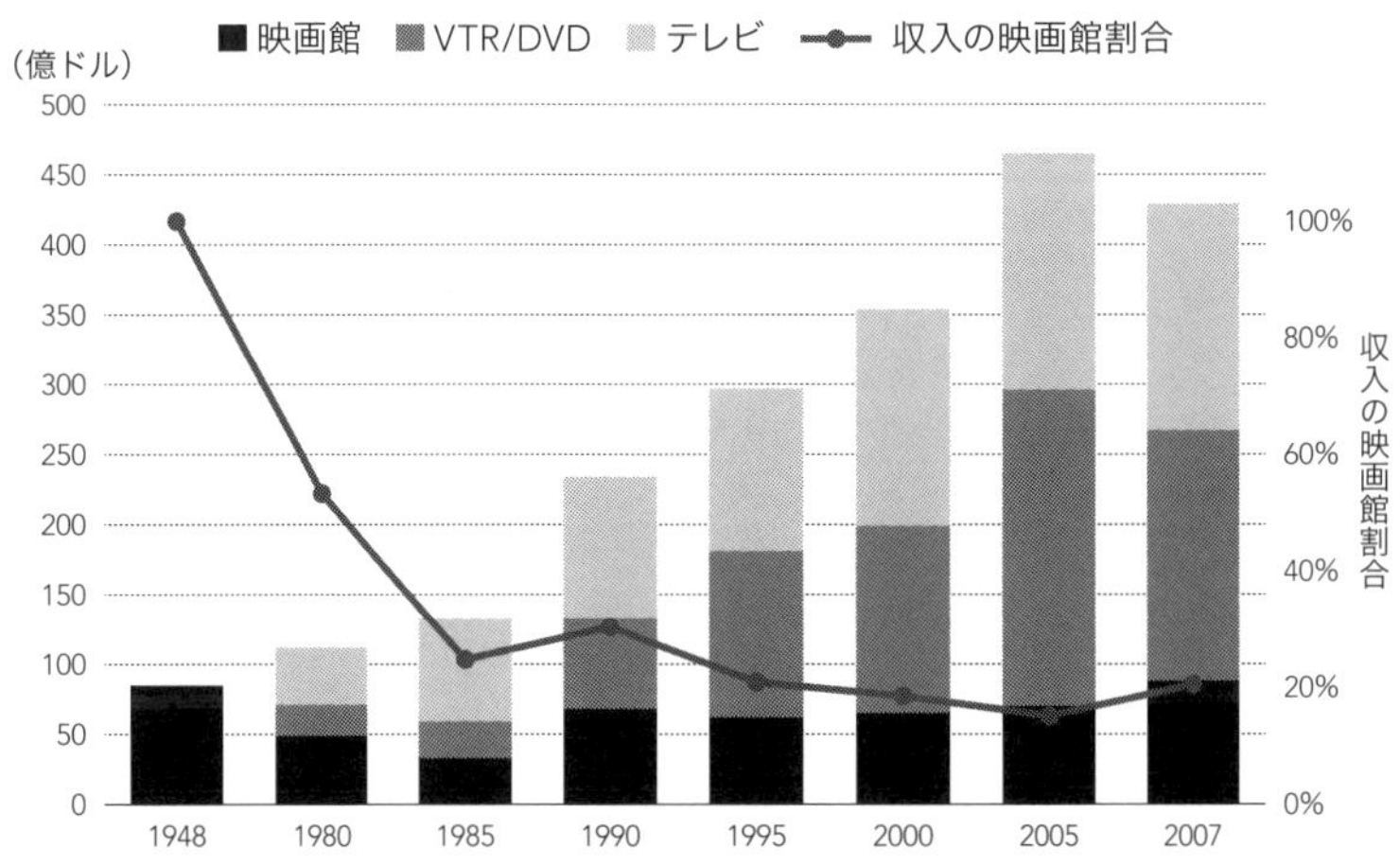

出典）Harold L. Vogel「Entertainment Industry Economics」Cambridge University Press　2011

たソニーのベータマックスはシェア競争に敗れ、その舗装路をつかって普及したのはビクターのＶＨＳであったし、なにより最もそれによって利益を得たのは反ビデオだった当のハリウッド映画メジャーであった。

ハリウッドにとって映画館での興行収入は１９８０年の50億ドルから２００５年の70億ドルと数十年それほどの変化があったわけではない。ハリウッドにとっての本当の利益は、２００億ドルを超える市場に成長したＶＨＳからＤＶＤ、ＢＤといったパッケージ市場であり、さらにその映画・映像版権を購入してくれるテレビ業界であった。

ハリウッドは映画だけでなく、テレビ番組の製作も請け負い、また地上波からケーブルへと米国メディアの業態変革にも対応し、あらゆる映像メディアの供給元になっている。テレビもビデオもハリウッド自身が敵視した産業だったが、その成長が、結果的にはハリウッド制作の映像を広げる役割を担い、現在の５００億ドルを超える米国映像制作の収益を作り、その作品が世界中で配給されるようになっていった。

映画会社中心だった米国、テレビ局が強かった日本

日本は、テレビを締め出すことで映画会社が孤立し、小規模に収まった歴史があった。映画会社は、銀幕スターたちをテレビに登場させることをカルテルで拒み、違反してテレビ契約をしたタレントは締め出して二度と映画に出られないようにした。

❶ 佐藤正明『陽はまた昇る―映像メディアの世紀』文藝春秋2002

しかし映画会社は苦境に陥り、効率の悪い映画作りをやめ、「映画を作らない」ことで生存を図った。撮影所を廃止し、インディーズや出資で出来上がった映画を買い上げ、マーケティングと配給を中心とする会社になっていった。1970年代の話である。そこから独立していった三船プロダクション、勝プロダクション、石原プロモーションなどの大型俳優が先導する制作会社がリスクを負い、テレビの下請け化しながら時代劇などを作っていたが、その多くは消失・局に吸収されていくことになる。

米国ハリウッドは逆にテレビを取り込むことでその業容を拡大していった。日本同様にテレビとの対立は存在していたものの、法律を使ってうまく新メディアに食い込む。テレビ放送局がその地位を使って独占的に自社制作の番組だけを流すことがないように、放映時間の一部で自社制作する以外の番組を流さなければいけない法律が制定された❷。そうなると放送局もハリウッドの映画製作部門に頼る必要があり、一時はゴールデンタイムに放送される地上波テレビ番組の9割がハリウッドというほどに制作が強くなっていく❸。

制作と流通（放送局）の関係が、産業構造を形作る。免許事業であり、勝手に参入できない放送局は、そのポジションが既得権益化しやすい。自分たちの都合のよいものだけを作り、自分たちのところだけで流すという動きができてしまう。その規制に動いた米国では、制作のハリウッドが大きくなり、流通の放送局が弱くなった。

日本は逆で、放送局が強かったために、制作会社は局の受託型にシフトせざるをえなかった。映画は作ることをやめ、アニメ制作は権利をとらずに受託中心、という構造になっていったの

❷ PTAR（Prime Time Access Rule、1970-96）とフィン・シン・ルール（Finantial Interest and Syndications Rules、1970-93）は70～80年代の米国でCBS、NBC、ABCという地上波3大ネットワークが番組放送と番組制作を独占的に行わないようにした法律である。前者は、上位50都市で3大ネットワークが平日プライムタイム4時間で放送する番組のうち最低1時間はネットワーク以外の番組を編成するとした法律であり、後者はその番組の所有権や二次利用の窓口権を番組制作会社から取得することを禁じた法律である。

である。

米国は映画制作会社を中心に産業を育て、日本は放送局を中心に産業を育てた。映画産業の回復も米国は1970年代に起こったが、日本はテレビ局が映画産業に進出していく2000年代に入ってからの話である。

国内ビジネス中心のテレビ局の観点から制作を続けていた日本では、海外で売れるものを作るインセンティブが制作側から起こらなかった。だが米国はハリウッドの製作側が、ビデオ展開もケーブル展開も配信展開まですべて自分たちで行っている「制作中心主義」である。日本もゲーム業界がこの構造に近く、その結果として、1つのクリエイティブがマルチのメディアに展開していき、マーケットを広げていくことができた。

米国産業の強みは、広大な国土と人口に向けた大規模資本投入である。自動車にせよ、航空機にせよ、フォード式の分業体制による生産を強みとしている。これはエンタメ業界にも通底する米国文化であり、映画もアニメもゲームも時に1000人以上の人員を投下し、力業でハイクオリティな製品を作り上げる。企画／脚本／配役／撮影／録音／舞台装置／特殊効果／照明など分野ごとに専門性の高いチームを育成し、チームごとに最適化した大規模組織運営型のモノづくりである。

この「スタジオシステム」で大人数を巻き込むがゆえに、脚本もキャラクターも情報共有・イメージの統一が徹底的に行われ、映画のコンセプトはカッチリときまったものがトップダウンで降りてくる。それゆえ時としてジャンルもワンパターンになりがちで、万国共通でわかり

❸ 前田耕作・細井浩一「映画産業における寡占の形成と衰退—日米における『撮影所システムの黄金時代』の比較を通じて」『立命館大学アート・リサーチ vol.12』

やすいジャンルに偏ってくる作用もある。

大規模資本投入を支えるのは圧倒的な資金力と人材供給力である。これだけの大成功を収めながら、米国のハリウッドメジャーにあって、単独資本で残っている会社は1つもない。ユニバーサルはケーブルテレビのコムキャストに吸収され、コロンビアはソニーに吸収され、パラマウントはテレビのCBSと通信のバイアコムに吸収され、FOXはオーストラリアのニューズコーポレーションに買収され、2019年にはディズニーに売り払われる。ワーナーはタイムワーナーごと通信会社AT&Aの手中である。それぞれ名前だけは残っているものも多いが、大手メディアコングロマリットの一角に収まっている。メジャースタジオとして生き続けるには、こうした巨大組織の一部でなくては生きられない環境なのだ。

図表40は各国におけるトップ映画作品の地域別売上である。国内で3割、海外で7割（アングロサクソン系が中心）を稼ぐことを前提としたハリウッド映画を除いては、ドメスティックである。中国や韓国映画は国内だけでほぼ95%以上（2020年のアカデミー作品賞に輝いた韓国映画『パラサイト』は例外的）、フランスや日本は周辺国に市場を広げているが、それでも国内が7~8割を占めている。「グローバルな映画展開」は米国映画のみの特権で、イギリスやフランスの製作タイトルであっても基本は母国消費を前提としたものである、どの国の消費者も選択肢は国産映画をみるか、ハリウッド映画を見るかの二択である。

国産映画が歴代トップの興行収入を飾っている国は少ない。全世界でハリウッド映画がトップでない国を探すほうが難しいだろう。その例外的な国が、日本、中国、韓国、インドである。

フランスやドイツですら、歴代興行トップはスターウォーズやマーベルといったハリウッド映画なのである。

そうした中での「日本アニメ」の特異性はさらに際立つ。テーマも作り方もドメスティック向けに徹底しているにも関わらず、ジブリや鬼滅など中国で2〜3割といった収益が確保できるようになってきており、「結果的に」グローバルな作品展開となっている（鬼滅はまだ中国で上映されていないがMDやテレビアニメの人気も加味すると、ジブリのような興行収入100億円作品になることは容易に想像できる）。

ピクサーと東アニの違い

市場環境の違いはプレイヤーとしての

図表40　各国の歴代興行収入上位タイトルの地域別収益

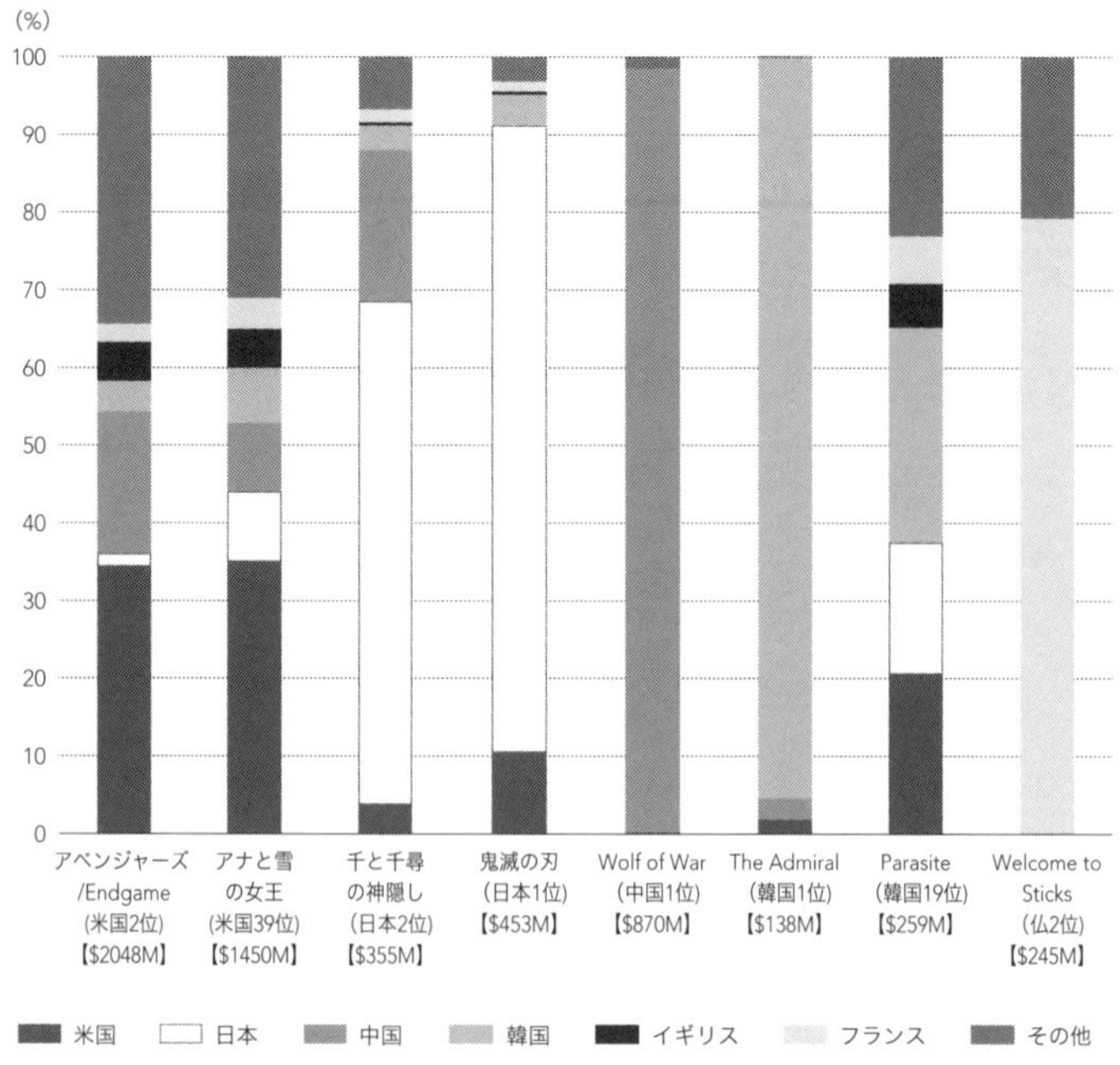

出典）Box Office Mojo

稼ぎ方の違いにもつながっていく。アニメ制作をとっても、ピクサーやドリームワークスといった米国アニメ制作会社の収益と、東映アニメーション、バンダイナムコアーツ、トムスといった日本のアニメ制作会社の収益の取り方にはずいぶん違いがある。図表41をみると、北米アニメ会社の収益がずいぶんとデコボコとした波形を描くことが一見してわかる。これは制作したアニメの権利を自社のものとしているため（1990年代のピクサーはディズニーとの50％契約をしていたが）、成功・失敗が売上・利益に直接的に影響を与えるからである。『トイ・ストーリー』で大きく当てたピクサーは営業利益率が10～70％の幅で乱高下し、『シュレック』でヒットを作ったドリームワークスも営業利益率はマイナスから40％まで毎年大きく振れる。

対する日本のアニメ企業はどうだろうか。『ドラゴンボール』『ワンピース』『プリキュア』などの東アニと『ガンダム』シリーズのバンダイビジュアルは、2000年代を通して200億円前後の売上と営業利益率10％を守り続け、直近5年は海外番組販売・ライセンスブームの追い風を受け、東アニは売上500億円規模、営業利益率も25％超えと過去にないレベルの高業績となっている。『ドラえもん』『コナン』などのトムス、『うる星やつら』『劇場版NARUTO』のぴえろ、『攻殻機動隊』『進撃の巨人』のIGポートなどは売上100億円規模で、判を押したかのように営業利益率は5～10％である。これはほとんどの売上・利益が「受託」によって成り立っていて、年間100万円がスタッフの人件費にかかるとすれば200万円分のアニメを作って売る、といったように人数からの逆算で受託する案件を獲り続けているからに他ならない。

図表41　日米大手アニメ制作会社の業績推移

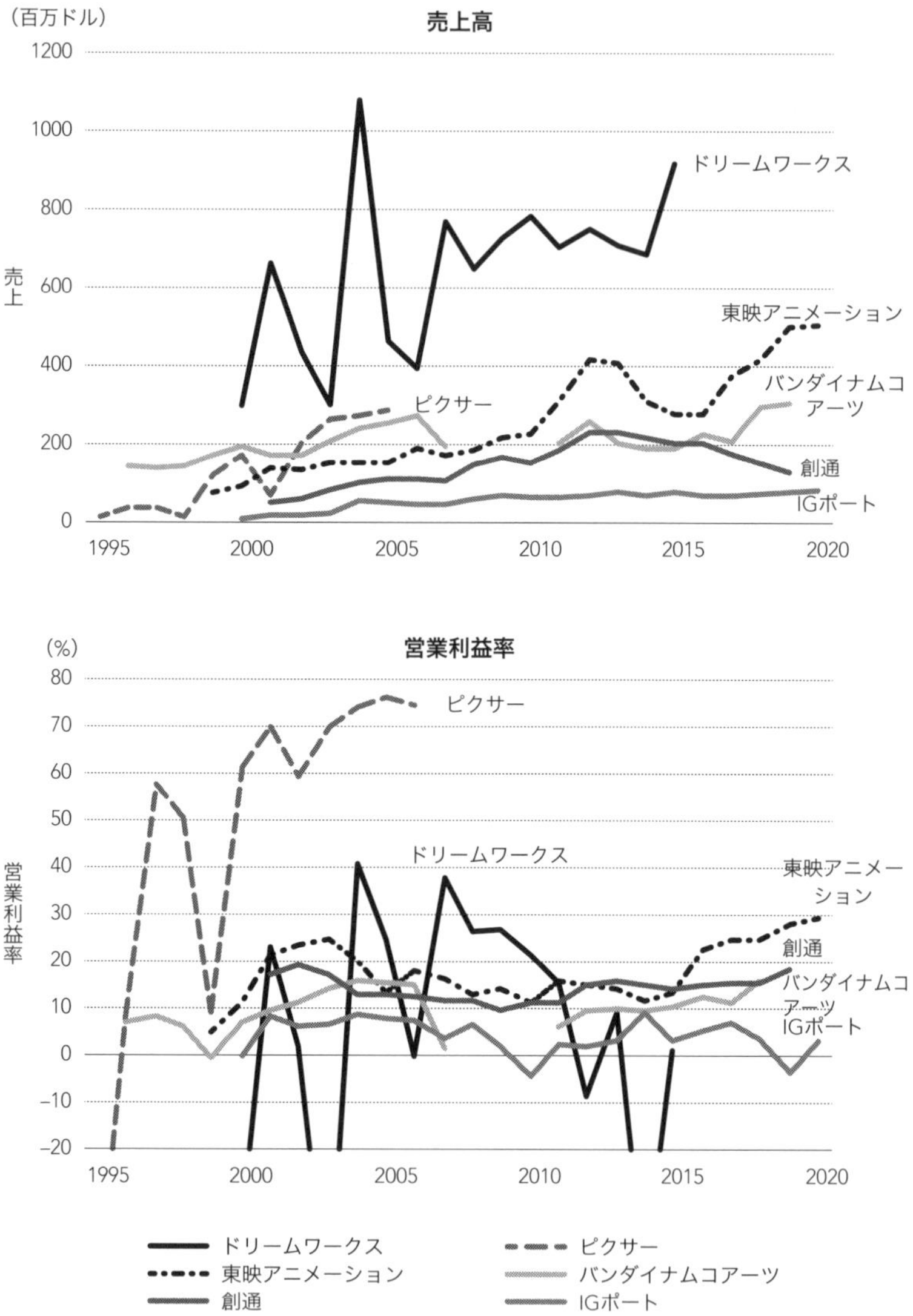

出典）各社IR、決算公告より著者作成。1ドル＝100円で計算

ではアニメ制作会社は版権をもてないのか。せっかく彼らが生み出したものなのに、彼ら自身にはヒット作の収益は配分できないのか。こういった批判はお門違いで、経営としてのリスクの取り方次第である。100万円の人件費に対して、リスクをとらない200万円を請求し、出資を拒んでいる限りは、そこに権利が生まれにくい（原作権、著作肖像権は別だが）。100万円分の人を抱えているが、80万円しかない制作費に20万円分は自社が投資として乗せて、失敗すれば赤字だというリスクをとるからこそ権利が生まれる。作り手がそれを生み出すためにどのくらいのリスクを取っているかが収益配分に跳ね返るため、「受託」を50年続けてきて実際に手を動かした分のセルフィルムはあったとしても、それが生み出す権利はお金の出し手のほうにあるのである。

ディズニーも含めた北米ピクサー型のキャラクター経済圏は、図表42の『トイ・ストーリー』経済圏のように、リスクを取った制作会社がリターンを独占する。原作として脚本をゼロイチでつくり、その後の派生した商品もすべて自社でおさえる。ガチガチに商標と著作権でおさえた権利は、グループの外に漏れだすことはなく、ライセンスアウトとしてかっちり管理した展開はするものの、基本的にはアニメで派生した経済圏をすべて権利として手中におさめるスタイルとなっている。

もちろん投資額は大きくなるし、作品内容はリスク回避的になる。MCU（マーベル・シネマティック・ユニバース）のようにシリーズ・ブランドを作り、人気キャラを不人気キャラとまぜてパッケージにすることで、当たり外れなく全体が売れるように仕組み化する。

原作づくりも組織的で効率的である。ハリウッドでは10人ほどのシナリオライターに同時に脚本を書かせる。その中で面白いものを抽出し、面白いと思ったポイント同士をつなぎあわせ、1本にまとめる。ボリュームが質を担保するとばかりに、多くの人を巻き込んだセレクションと切り捨てのなかで、誰にでもわかる筋の通ったシナリオを完結させるために、脚本だけで億円単位のお金をかけていく。

対する日本の脚本づくりは圧倒的に安上がりである。スタジオジブリでの脚本工程は「宮さん（宮崎駿監督）とぼく（鈴木敏夫）が話して、『鈴木さん、つぎどうしよう。千と千尋って話を考えたんだけど』と言い出す。話を聞いて、『それ、いいじゃないですか』と僕がこたえて、これで終わり（笑）。しかも、企画をシナリオに起こしたり、イメージボードを作ったり、という作業はすべて宮さんひとりでやってしまう。準備期間は3か月足らずです」と語られている。[4] 企画は毎日数時間から時には半日に及ぶような「雑談」から

図表42　『トイ・ストーリー』経済圏

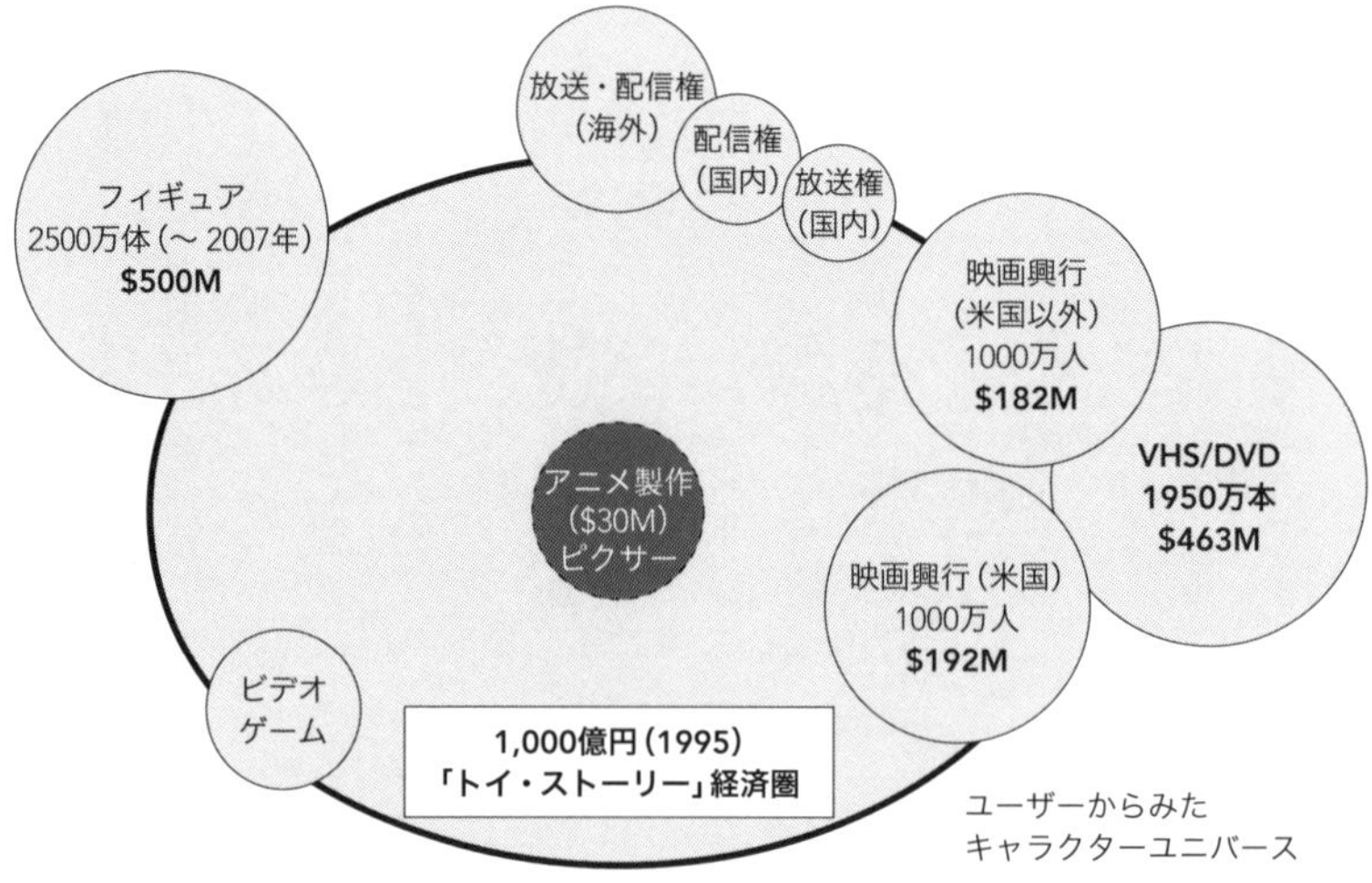

出典）各社IR資料、ローレンス・レビー『PIXAR <ピクサー> 世界一のアニメーション企業の今まで語られなかったお金の話』（文響社、2019）から著者作成

生まれ、『千と千尋』も最初の企画のきっかけは鈴木敏夫のキャバクラの話だったという。

その宮崎駿を育てた東映動画（現東映アニメーション）もまた、仕組みとしてはそう変わるものではない。『ドラゴンボール』の収益構造をみると図表43のようになっている。詳細は拙著『オタク経済圏創世記』に記載したが、東アニはこの「キャラクター経済圏」の一端を担うにすぎず、そのコンソーシアム型のグループでの成功の一端を享受しているに過ぎない。

これをもし集英社が一手に引き受け、自社でアニメ出資とゲーム開発・運営を行い、展開していれば、年商2000億円、利益

図表43　『ドラゴンボール』経済圏

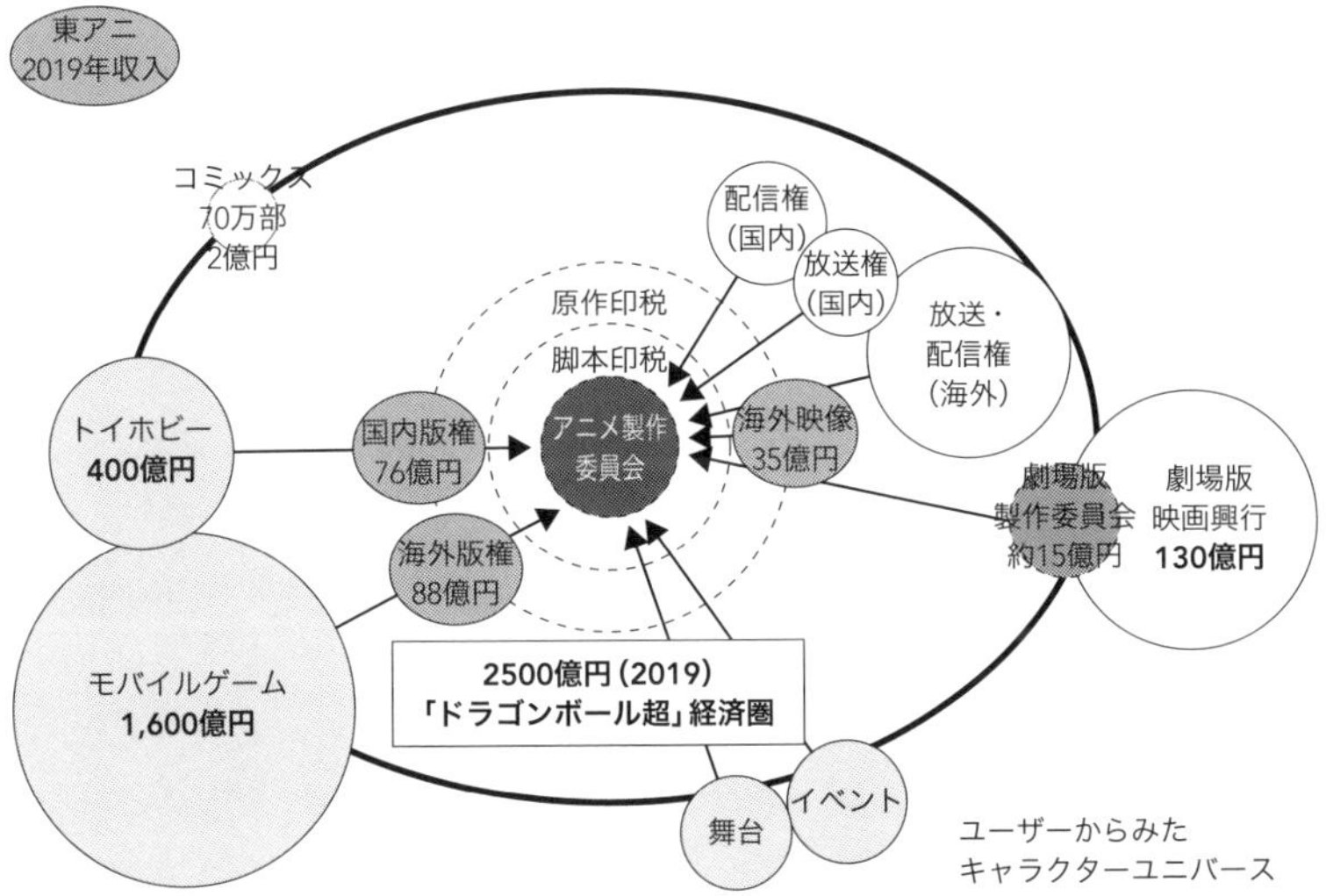

出典）各社IR資料から著者作成

❹ 鈴木敏夫『ジブリの哲学』岩波書店、2011

100億円のこの企業も1・5倍や2倍といったサイズになっていたかもしれない。だがそれには集英社の内部で、来る日も来る日もゲーム開発に明け暮れる開発人員を100人単位で囲い込まなければならず、同様にアニメーターたちも100人単位で囲い込まなければならない。

日本のキャラクター経済圏への参加者は、様々な受託・内製開発のタイトルを経験しながら、失敗できないビッグタイトルのために時間をささげる。各社・各プレイヤーが、小さくはあるがそれぞれの強みを磨き、アライアンスによって全体を担保し、権利は分け合う。それが日本のコンソーシアム型の作品制作過程である。

米国は巨大スタジオでアニメを生産し、日本は町工場で職人が手作り

成功体験が自社にないのなら、成功体験をもつ企業を買収すればよい、というのがハリウッド経済圏の考え方でもある。時には版権をスタジオごと買収し、トップをすげ替え、現場がこれまで以上に力を発揮できるようにかじ取りする。

MCUはまさにその代表作でもあった。ユニバーサルがもっていた『ハルク』の映画出演権を2006年に買い入れ、2010年に『アイアンマン』『アベンジャーズ』の全世界配給権をパラマウントから買い取り、『X-MEN』『ウルヴァリン』『デットプール』などのX-MENシリーズのキャラクターも2019年にFOXの買収によって組み入れた。『スパイダーマン』の交渉は難航し、頓挫しかけた時期もあった。こうした分散された権利を、針に糸を通

すかのような交渉の果て、なんとかＭＣＵのような巨大なシリーズを生み出すことに成功した。メリルリンチから５・３億ドルの財務支援を得て、ファイナンス的にも盤石な体制を敷いて、１本１００億円といった予算規模を実現した。これらはクリエイティブの成功というよりは、資本による版権集約のビジネスとしての成功といったほうが正確かもしれない。❺

　これは日本ではできない芸当だ。なぜならディズニーが買収した瞬間、日本ならＸ－ＭＥＮの原作者が怒り出すからだ。「こんなのは聞いてない、私はＦＯＸのためにこのキャラクターを手伝ったのであってディズニーのためではない」ということになる。

　もしくは日本ならＸ－ＭＥＮのキャラクター権をＦＯＸが独占していることも少ない。契約社会でないために明文化された権利証もなく、当事者たちですら権利保有の割合が明確でないケースも珍しくはない。『宇宙戦艦ヤマト』の権利を巡って、そのキャラクターデザインやアート部分を監修していた松本零士が１９７６年の制作時点から33年たって訴訟を起こし、敗訴したあとでも「私がいなかったら、作品の１コマも存在しない」と主張し続けている事例にもそれが表れている。❻

　買い集めようがないほど、原作者と製作者の権利が入り繰り、複雑な権利関係が構築されているため、Ｍ＆Ａという資本の論理がきかないところで作品が生まれているのである。オリジナルの原作者と、製作投資をした企業との間の曖昧な権利関係は、多分に日本のマンガのシステムから派生したものだろう。日本の出版社文化は著作者を保全し、権利を作家に残す。出版社はあくまで同一の作品の出版権のみを保有する。ともに権利を配分しあうからこそ作家も頑

❺ 野副正行『ゴジラで負けてスパイダーマンで勝つ　わがソニー・ピクチャーズ再生記』新潮社、2013

張るし、出版社も頑張る。

だが、それがゆえに2次派生で「マンガ以外を展開する」ときにこの仕組みは向いていない。新しいメディア展開には関係者全員の新しい合意が必要になるのだ。

クリエイターからみて、経営者やマネジメントに対しても、一定の理解や姿勢を求めるのも日本のエンタメ会社が企業買収に向いていない1つの理由だろう。日本企業の職人たちは、トップのすげかえをよしとしない。自分たちの仕事を理解でき、願わくば自分たちと同じ仕事を昔バリバリこなしていた現場たたき上げの経営陣を求め、職人性を常にバックアップしてくれる「よき理解者」であることを求める。株主をみて外向けのPRに精を出す経営者の役割を良しとせず、家族のように自分たちの会社を自分の会社として経営してくれる人間を望む。「外部経営者」が入ると、そっぽをむいて作品をつくる手をとめてしまうのも日本のクリエイターの特性だろう。

北米は「スタジオ」という巨大な工場でアニメを「生産」する産業であり、技術スタッフだけで1000人を超えるような陣容で作り上げる。だが、日本では映画アニメ市場の半分以上のシェアをもつ最大手スタジオジブリですら、制作から事務方まで全部あわせても180人しかいない「町工場」だった。そこではアニメを作品として「手作りで仕上げる」という作業になる。トップから現場まで、全員が一丸となって作品の創出の苦しみを背負い、家族としてそのリリースに向けて全力で努力する。この文化の違いは、制作の違いや組織の違いに、そして権利の考え方の違いにつながっていく。

❻ 読売新聞2002年3月26日「『宇宙戦艦ヤマト』著作者はプロデューサー 東京地裁判決『松本氏は部分関与だけ』」に掲載されたコメント。実際に原作者に対しても収益還元がされておらず、「ぼくは、それを聞いて愕然とした。せいぜい、ぼくが得た酷い報酬（文庫一冊の初版印税にも満たない金額であったと後述している）の数倍くらいしか、支払われていないらしいのだ。あの松本零士に対しても、ほかのクリエイターにしたように、スズメの涙のような対価しか支払っていないというのだ」（豊田有恒「『宇宙戦艦ヤマト』の真実―いかに誕生し、進化したか」祥伝社、2017）といったコメントも残されている。

町工場は資本主義には脆弱であるが、これが職人を中心とした組織であることを考えると実は最強の防衛措置ともいえる。仮に中国資本がスタジオジブリを買い取ったとして、『紅の豚』以降の幾つかの作品の部分的な著作権は保有することができるだろう。だが、それはこれまでの作品の管理でしかなく、かつスタジオジブリがもつ権利はそれぞれの作品の一部でしかない。『もののけ姫』や『千と千尋の神隠し』を自由に使おうとすれば、出資していたほかの企業、すなわち電通、博報堂、三菱商事、ディズニーなど多くの製作委員会プレイヤーを説得しないと、どうにもできない。アニメ委員会で信用ある企業同士がつながっているムラ社会だからこそ、そこを買収しても版権を活用することはできないのだ。クリエイターの周りに組織ができるのであれば、そのハコだけ買ったとしても意味がないのだ。

ユーザーあたりの収益性が圧倒的に高い日本タイトル

日本タイトルは米国タイトルに比べると規模（ユーザー人数、展開エリア）を広げられていない。それは確かに日本エンタメの弱点である。しかし一方で、日本タイトルは1ユーザー当たりの収益性がきわめて高い。ここではその強みの部分について考えてみたい。

モバイルアプリの市場について図表44をみてほしい。日本、中国、米国でそれぞれ年間何回アプリがダウンロードされ、年間どのくらいのアプリ内課金売上がなされ（円の大きさで表現）、1回のダウンロードごとの売上がいくらになるか（DLあたりのLTV）を表現したグラフである。2014年、16年、18年、20年をみたときに、3か国共に成長はしている。

米国はダウンロード数が120億回から140億回に増加、LTVは1ドル台にから4ドル台にまで増えている。

中国は400以上のアンドロイドプレイストア市場があるが（中国ではグーグルのサービスが禁じられているかわりに、グーグルのアンドロイドOSを使ったアプリストアが中国企業によって多数展開されている）、同表ではiOSのみを扱っており、2014年から16年にダウンロード数は大きく伸びたが、16年以降は数が減り、LTVが増えている。アンドロイド市場にくらべ、iOS市場は高付加価値ゾーンに焦点を絞っている。

3か国ともLTVは徐々に増えているが、日本だけ段違いに高い。この6年間で年間20億ダウンロードという回数には変化がないが、LTVは4ドルから12ドル弱まで上昇し、アプリストアの収益は1兆ドルから2兆1000億ドルへと倍化している。150か国以上ものアプリ統計のなかで、この日本のLTVの高さはとびぬけている。

個別のアプリに焦点を絞ってみても、同じ傾向がみえる。『キャンディークラッシュ』などイギリスのパズルゲームも、『マーベル：コンテスト・オブ・チャンピオンズ』のような米国のアクションゲームもすべて右下に位置し、1人あたりの収益は数ドルといった傾向にある。

だが日本のトップアプリは『ウマ娘』から『プロ野球スピリッツ』に至るまで、LTVを究極まで高めている。そのような「高級ブランド型」アプリは日本発のものばかりである。

注目すべきは中国アプリだろう。中国は日本同様に国内市場のみを頼りに成長してきた純チ

図表44 日中米のアプリストアのDL数・売上・LTV（2014〜2020）

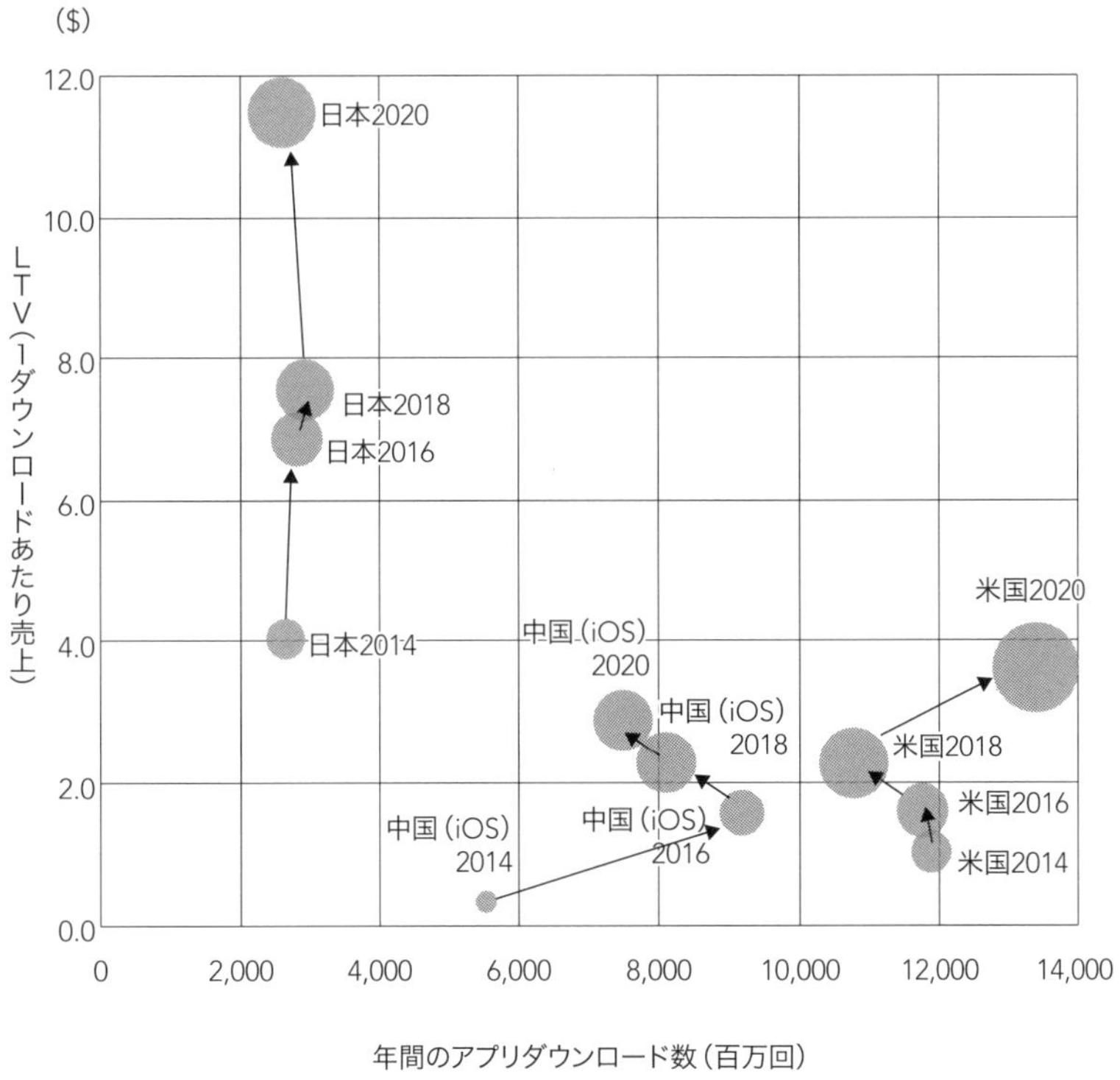

出典）App Annie。日米はGoogle PlayとiOSの合計。中国はGoogle PlayストアがないためiOSのみ。円の大きさが年間消費額を示す

ャイナコンテンツが主流ながら、その目指すところは明らかに「ハリウッド経済圏」である。『原神インパクト』は北米でも人気を博しており、その売上割合としては母国の中国よりも、むしろ海外のほうが大きい。ユーザー層を広げ、世界的に浸透する中国アプリは今後もいくつも出てくることだろう。

日本の島国志向、グローバルでの認知度の弱さを嘆くべきだろうか。海外をみていない日本のガチャゲームはやはり日本だけしか通用しないのか。そんなことはない。日本だけをみていた『鬼滅の刃』が劇場版で約50億円の売上を北米で稼いでいるように、そのブランド性を理解して現地に浸透させてくれるパートナーを見つけ出すことができれば、日本型の良さを理解してくれる顧客が必ず海外にもいる。

図表44で分析したアプリは、ゲームだけではなく、「LINE」や「メッセンジャー」などのコミュニケーション系、「ティンダー」や「タップル」などマッチング系、「ピッコマ」や「少年ジャンププラス」など電子マンガアプリまで、すべてが入った数字である。ゲームが特に高いとはいっても、マンガアプリでもマッチングでも、1人のダウンロードしたユーザーと密なサービスを作り、そのユーザーと長いやりとりのなかで高収益化していくという「深さ」を追求しているという点で、日本のサービス全体の傾向として敷衍することができる。

ファンと作り上げてきた日本のキャラクター経済

ここでアニメのキャラクターをブランドとして捉えてみたい。ミッキーマウスという造形から発した米国アニメでは、なぜ耳や目などにシンプルな円弧が多いかと言えば「アルバイトを大量に集めても、そこそこ描きやすいから」という産業工学的な視点がもとになっている。[7] 1時間のアニメには数万枚のセル画を必要とし、その大量生産が欠かせなかった。その後どんどん「生産の効率」を求めた結果としてアニメは3Dに変わっていく。

日本アニメは「線を減らしていく」文化である。なにかを削除しながらも整理するラインをつくり、1時間3000枚未満で成立する「リミテッドアニメ」を成功させた。大量に人を投入し、いかに世界にそれを浸透させるかという構想の「ハリウッド経済圏」と、特定のユーザーを想起しながら特定のクリエイターが限られた工芸仲間と一蓮托生に作り上げる「オタク経済圏」。この対極的な世界がアニメ業界を二分しており、実際にそこから生み出されるキャラクター資産もまた日本と米国で二分されている。

キャラクターのIP化に成功したのは、大規模な総力戦を行ってきた米国だけでない。1桁違う金額で節約志向的にアニメ・ゲームをつくってきた日本も米国とほぼ同じか、それ以上の規模でキャラクター経済を生み出しているのである。

[7] 石井威望『日本人の技術はどこから来たか』PHP研究所、1997

資源を大量に投入し、大作を作る、というものと単純比較すればいいというものではない。そのとき、その場所で、その個々人がどれほどの使命感と情熱をもって取り組むかという「深さ」が大事なのであり、それに対してファンもまたどれほどの「深さ」で答えるかということから作品が出来上がる。

少人数のベンチャーが、大資本・大人数の歴史ある大企業のスキをついてイノベーションを生み出してきた事例は枚挙のいとまがない。幕末で最大といわれた広瀬淡窓の咸宜園が塾生4000人と言われながら、そこから明治維新を切り開く人物はほとんど生まれなかった。むしろ400年前の関ケ原から反幕府を暗黙の文化としてきた萩の長州で塾生が90人程度しかいなかった松下村塾から、久坂玄瑞、高杉晋作、吉田稔麿、伊藤博文、山県有朋といった倒幕と維新の中心人物が異常な高確率で生まれるといったことが起きる（しかも吉田松陰が教えていたのはたった2年間だけ）。

そもそも「マーケティング」という概念自体が20世紀に米国発で生まれた発想である。テレビメディアで圧倒的にリーチを広げ、認知度を高め、商品棚に手を伸ばす瞬間にイメージ想起されるかどうかのマス・マーケティングがその根本にある。

これと対極にあるものが、「ブランド」を使ったセレクティブ・マーケティングである。宝飾品・服飾・酒・化粧品などブランド創造においては北米企業に勝るとも劣らないのがLVMH（モエ・ヘネシー・ルイ・ヴィトン）である。現在7兆円にもなる「ブランド帝国」のLVMHはテレビCMを展開することは稀だ。廉価品を広く販売し、認知を広げる、といった北米型のマーケティングも好まない。ブランド帝国の最高峰ともいえるエルメスには「マーケティング」と名前のつく部署すら存在しない。

彼らは手作りにこだわり続ける。安く広く知らしめることは、製品のためにならない。顧客が常に安心・信頼して使えるクオリティを保ち、長くブランドとともに生活することを愛好できるようにするため、図表18でみたような定価販売の階段でも右下に広げることはめったにしない。むしろ上に引き上げていくことばかりが戦略として展開される。

商標は徹底的に管理し、海賊版を許さない。店舗は常に一等地に位置し、ブランドの安売りはしない。ライセンスアウトを許容せず、すべて自社でしか作らない姿勢も、米国型のマーケティングとは対極にある。

その姿勢は2次流通で質屋に流れる商品の価格にすら影響しており、ルイ・ヴィトンの商品は質屋ですら定価の9割をくだらないことは有名だ。中古だろうと「価格が落ちない」のである。どこかの国の公定通貨よりもむしろ安定しており、金のような価値保全の鉱物に近い機能すらそなえている。

ブランドラグジュアリー商品市場の企業に米国が一切名を連ねていないことに注目してほしい。売上7兆円規模のLVMH（フランス）、2兆円規模のリシュモン（スイス）とケリング（フランス）、3000億円規模のプラダ（イタリア）、など同市場のトップ企業は西欧企業の独壇場である。そしてまさにこのフランス、イタリア、スイスは先進国の中では例外的に対日貿易黒字を維持してきた国でもある。なぜなら自国産の高級ブランド品によって、日本製のブランド製品を凌駕し続けてきたからである。[8]

ＬＶＭＨはファミリービジネスを脱しており、経営層やブランディングを手掛ける企画部門はいわゆるビジネスエリートを採用している。だがそれでいて、現場の職人たちのプロセスに大きく手を入れることはしていない。もちろん聖域はなく、２００５年にはコンサルティング会社のマッキンゼーを通じてトヨタのリーン生産方式を入れ、１人の職人が複数の作業工程を担ったり、少人数チーム化など製造プロセスの改造を行い、12週間ごとの新作出荷のペースを６週間でできるようにしたりといった「プロセス改善」は行っている。[9]

だがそれでも職人たちを自社のアトリエで学ばせて作る「手作業」の部分は決して省略しない。誰がやってもできる工程にまでプロセスを細分化して外注して、ということではなく、プロセスと作品のクオリティにあわせて人がトレーニングされるという昔ながらの手法を尊重し続けている。この「手作業」の部分があるからこそ、ＬＶＭＨを含めたブランド企業は「ブランド」が崩落することはない。

アニメ・マンガでいえば、「増やすこと」ではなく「そぎ落とすこと」で革新的な作品を作り上げてきた日本にとって、目指すべきは最大多数に「リーチ」していくアニメを作るピクサーやドリームワークスではない。エンタメ業界におけるＬＶＭＨともいうべき、作品自体のブランド性の最大化、「リール」でユーザーをファンに変え、ファンの活動によって作品の経済圏全体を豊かにするような作品づくりである。

中国もまた、北米と同じ道を歩んでいく。映画のことはすべてハリウッドから学んでいる、

❽ 藻谷浩介『デフレの招待』角川書店、2010

❾ 長沢伸也『ルイ・ヴィトンの法則』東洋経済新報社、2007

と公言しているように、大量の労働力と経済推進力をもった中国にとって、狙うべくは「次の米国」のポジショニングである。だから彼らは米国のトップ級の企業を買い、トップ級の売上を目指して邁進していく。

その競争に付き合っていくほど、日本は人材も市場も含めて「資源豊富な国」ではない。

3-4 戦いの終着点

「世界覇権イデオロギー」からの脱却

日本はいまや追い上げ追い越していった中国という次なる覇権国に対して、50年間かけて丸々と肥やしてきたプライドの維持に必死だ。人口規模と国土の経済滋養能力からいって、現状は必然である。「米国についていけばアジアの覇権国になれる」という20世紀の新・植民地主義のような思想に囚われ、やれ米中覇権における日本のポジショニングだとか、やれ中国の文化度と比較してみれば……など、1980年代に確立した「世界第2位の経済大国」プライドを保とうと必死である。

日本企業は北米企業にも中国企業にもなることはできない。あらゆるものが違いすぎる。これら2国と比べて自分たちは…と卑下する必要もない。日本があまりに世界経済で覇権を握ることに躍起になりすぎ、「中国に抜かれた」という指標に囚われすぎている。これはゲーム業界でも、出版業界でも、アニメ業界でもよく聞かれる言説だ。

だが我々はいったい何と戦っているのだろうか。経済規模で最大化を狙うには、人口や言語・歴史など相応の環境条件が整っている必要がある。ランチェスターの「強者の戦略」は米国と中国に限られた話であり、それ以外のすべての国は「弱者の戦略」で局地戦を好むべきなのだ。

成長・拡大志向にはゴールが必要である。「戦争をどういう状態で終結させるかという終末構想がなく、戦争を開始する者はいない」と、クラウゼヴィッツは『戦争論』のなかで語っている。❶

資本主義の無限拡大イデオロギーは、やる気を搾取するブラック企業のような構造で、ほとんどの国がそれを志向することで最終的にはその資本主義イデオロギーの最先端にある米国の成長を牽引する動力になってきた。これまでの200年が「経済の戦争状態」であったことは確かだ。豊かになろうと皆が「西洋化」し、近代化を急いだ。

日本は1905年の日露戦争の勝利によってアジアの星に輝き、第2次世界大戦の敗戦を越えて世界2位の経済大国の誉をうけた。100年弱のこのコンセプトを、我々はいまだに捨てきれないでいる。

戦争（競争）には幕引きが必要である。幕引きというのは撤退ではない。停戦と講和条約である。いかに地政学のポジショニングのなかで、自分たちが優位に落ち着けるように停戦交渉ができるか。ここに経済圏イデオロギーの終着点を私はみている。

フランス・イタリア・スイスをみてほしい。過去栄華の時代を持ちながら、経済的には遅れをとったこうした国々がどう部分的な産業軸でのポジショニングをとっているかを見れば、日

❶ カール・フォン・クラウゼヴィッツ、加藤秀治郎（訳）『縮訳版 戦争論』日本経済新聞出版、2020

本が100年後、200年後にどういう形であるべきかも見えてくる。「世界覇権イデオロギー」の夢破れてさらに20年たつ今も、これ以上振り回される必要などあるのだろうか。

米国は、(ある意味ライバルでもあった)日本とは別の道を開拓する。メーカー路線では日本に勝てないとばかりに、金融産業の育成とシリコンバレーの「再」活性化によって、ソフトウェア・プラットフォームにおける成功例を多出し、まさに今のGAFAMによる新たな経済圏を確立する。米国がルールメイカーとなり、全世界的なマーケットをターゲットにしたモデルの進化である。そこでは世界全体での共通項をくみ出し、マーケットインで市場から逆算されて作り出された製品が、マス・マーケティングの力で最大規模の消費者にリーチされ、購買を促進する。

米国が正解を握っているわけではない。1980年のフォーチュン500上位企業の半分は買収か破産で姿を消している。現在のトップ企業の半分以上が1980年にはまだ設立されていなかった。[2] フェイスブックやテスラ、ユーチューブを生み出したピーター・ティールらペイパルマフィアは、ほとんどが移民で皆故郷を追われたディアスポラであった。ペイパル創業者6人のうち、5人は当時23歳にもなっておらず、4人が外国生まれ、うち3人は共産圏の出身者であった。また、うち4人は高校時代に爆弾をつくっていたようなアナーキーな存在であり、とても「米国人起業家の成功物語」とは言えない。[3]

この30年間、成長しなかった日本と同様に、米国の製造業もまた成長はしなかった。東の金融、西のテックが極端にグローバルで成功しているだけで、米国内陸部には大いに不安や不満

[2] マット・リドレー『繁栄』早川書房、2010

[3] トーマス・ラッポルト、赤坂桃子(訳)『ピーター・ティール　世界を手にした「反逆の起業家」の野望』飛鳥新社、2018

がたまった結果としての二極化や分断が起きている。「米国という箱」は変態して成功しているが、米国の国民全体の経済力の底上げになっているかどうかは甚だ疑問である。

米国モデルに対するアンチテーゼは必要だ。なぜ我々がときとしてコカ・コーラやマクドナルドを拒否し、ローカルな1店舗だけの商品を求めるかと言われれば、「うまい、やすい、早い」といった効率性が最大化されたものが常に最上ではないからだ。

エンタメも、「リッチな映像」「全世界でのヒット」「大人から子供まで全員が楽しめる」というマスグローバルを求めた作品群ばかりになっては、新しい創造は生まれない。「安価な映像」「一部ファンでのヒット」「とても子供には見せられない」ものが大ヒットを凌駕するタイミングがある。

キーは表現の自由とバラエティである。そこでは限られたクリエイターが綿密なファンのプロファイリングからプロダクトアウトで製品を生み出し、どのくらいこの製品に刺さるか不透明ななかで、リール・マーケティングとしてユーザー関与を引き出し、ファンを作り出し、サービスとして製品を運営しながらファンの「深さ」も含めた規模最大化を目指す。

日本による世界戦の終着点は「オタク経済圏」である。ニッチで高品質な作品を求める一定数のファンによって支持される商品・サービス・プラットフォームを作り、運営することが、日本エンタメの目指すべき方向ではないか。

そこには拡大や成長を志向するものよりも、バランスや調和をもって人々の交換作業のハブになれるような設計思想が込められている。1人の才能に依存しつつも、組織でその才能の再現性を高めることを担保し、ゆるりと永続的に思いのままのコンテンツをたゆまなく作り続ける。ニッチトップのコンテンツであったジャパニーズRPG、異世界モノ、ボーカロイド…。こうしたものは日本のもつ表現の自由とバラエティがあったがゆえに生まれた、ハリウッド経済圏とは対極にある作品づくりの枠である。

恒温動物と変温動物

動物は恒温動物と変温動物に分けられる。

我々人間を含めた哺乳類は恒温動物であり、常に体温36度前後を保つようにできている。零下50度の気候でも脳と心臓を動かすための熱源を絶やさず、体温を維持する。体温の限界は35度でそれ以下になると凍死する。逆に上限は41度で、それ以上になると脳が熱に負けて、ダメになってしまう。そのため体内に超高性能の冷暖房を確保しているが、当然ながら大量のエネルギーが消費されている。

同じ大きさの生物でも、変温動物の魚と恒温動物のネズミでは、後者が必要とする食糧は10倍くらい多い。恒温動物は2〜3日食糧がないと餓死してしまう。冬眠したり数年間食べなくても生きられる生物もいる変温動物に比べて致命的な「欠点」を引き受けている。[4]

恒温動物はなぜこんな欠点を引き入れて、「進化」したのだろうか。一個体としてみると、確かに恒温動物のほうが優れている。変温動物を捕食する恒温動物はめずらしくないが、恒温

[4] 渡辺佑基『進化の法則は北極のサメが知っていた』河出書房新社、2019

動物を捕食する変温動物は極めて少ない。運動能力が優位な恒温動物を摑まえることが難しいからだ。

ただ、だからといって昆虫・魚・爬虫類・両生類といった変温動物が種として脆弱ということはなく、種数も生物量としても同程度で繁栄している（昆虫を入れれば変温動物のほうが圧倒的に多い）。変温動物は個体としては劣位にあるが、集団単位の生存としてみれば、いまだ恒温動物よりも優位ではあるのだ。

恒温動物の「どこでも生きられる」という選択肢は、必ずしも一義的な「進化」とは呼べるものではない。それは弱点を引き入れることで優位性を獲得したトレードオフの関係にある。我々は多量のエネルギー消費と頻度の高い食糧摂取を義務付けられた「非効率な身体である」ことを自覚する必要がある。

企業の組織を恒温動物型（1社で生存できるあらゆる機能を補完した大企業）と、変温動物型（環境依存的で小さいティール型中小企業）に分けるとする。❺ 毎年500億円は稼がなければいけない1万人の大企業と、1億円あればまかなえる30人くらいの中小企業との違いのようなものである。「重厚長大」がメリットとして語られた20世紀には、M&Aを繰り返し、その触手を広げたコングロマリットが理想だったのかもしれない。だがその分エネルギー消費量が多く、餓死しやすい。中小企業は組織としては欠落した機能もあるが、アウトソースによって補完でき、なるべく体内（組織内）に抱え込まないインセンティブをもった運動体である。もちろん企業としての体格は大企業にかなうべくもないが、メタボリズムの点では中小企業が圧

❺ フレデリック・ラルーは組織をRed（赤：個人の力で支配的にマネジメント）、Amber（琥珀：役割を厳格に全うする）、Orange（オレンジ：ヒエラルキーは存在するが成果を出せば昇進可能）、Green（緑：主体性が発揮しやすく多様性が認められる）、Teal（青緑：組織を1つの生命体として捉える）と分類し、上司部下やマネジャー・リーダーといった役割を除いて、指揮命令系統がなく組織が独自の文化やルールで自律的に動く生命体としての組織が望ましいと主張している（フレデリック・ラルー『ティール組織 ― マネジメントの常識を覆す次世代型組織の出現』英治出版、2018）

倒的に優位という環境もありえる。

　生物の設計には正答も誤答もなく、ただ環境に対してそうなっている、というだけの話だ。生き残ってきた大企業も実は何かを「捨てて」進化してきたことを自覚すべきだ。いまの自分たちの組織に立ち返ったときに、エンジニアとアーティスト、音響からITエンジニアまでフルセットでいるスタジオは本当に機能しているのだろうか。市場調査をやり続けている経営企画は、本当に会社のバリューを上げるものになっているだろうか。10年以上も稼働していて必要不可欠と言われる自社イントラに数十人の保守メンテナンスが張り付いていることは、いま2020年代においても継続すべき事項だろうか。

　コロナ後のエンタメ世界では、組織サイズや働き方を環境にあわせて柔軟に変え、新しい生存・繁栄のルールに適合するしなやかさが求められるようになった。

　長いこと動かなかった競争要件に、過剰適応してしまっているのは大抵大型生物（大企業）である。隕石が落ちたときに、気候の劇的な変化であっという間に死滅したのはそれまで王者とばかりに地球を闊歩していた大きい生物であった。生物の8割が死に絶えた後に残っていたのは哺乳類をはじめとする「小さい動物」である。彼らは生存のために必要なメタボリズムを落とし、少ないリスクで生存を図ることができた。

「たまたまうまくいった時代」の終わり

日本は「現状あるものを維持する」ことに関しては世界トップクラスで、全世界における創業1000年以上の企業12社のうち9社、創業200年以上の5000強の会社のうち半分以上は日本に存在している。当然ながらこれらは日本経済の宝であり、この事実は誇りこそすれ嘆くポイントなどない話だ。

だが、この長期的な体制維持の特性があらゆる企業に適用され、それが良い面にも悪い面にも跳ね返る。「変態」を伴わずに、ただひたすらジリ貧市場のジリ貧シェアを縮小維持し続ける組織が多いように思える。特に1970〜90年代の成長期に成功体験を積んだ企業に多いのは、そのときに築き上げた恒温動物としての1社独立、垂直統合の体制を是として捉えすぎることである。

他産業に比べて国内志向が強かった日本のエンタメ業界だが、自社・国内のみで存続しえる状態ではないということを自覚しなければならない。制作から流通からマーケティングまで、「IP（知的財産となるキャラクター・作品）さえ作れば」を掛け声に、自前のスタッフと自前の機能で試行錯誤しているが、IPを作り出すうえで必要な機能をフルセットでもっている企業など存在しない。

1980年代の少年マンガ黄金時代に人気キャラクターが量産され、アニメ化・ゲーム化が一気に進んだ。1990年代の家庭用ゲーム黄金時代にゲーム発のキャラクターIPが生まれた。2000年代前半のアニメ黄金時代はそれらのキャラクター生産プロセスが制度化され、量産化することが可能になった。

だがそれらのIPは現在の中国エンタメ系企業のように母体となる市場の成長にともなって、ある意味「たまたま」つくられたという側面も強い。2010年代に母体市場自体が沈みゆくなかで、企業努力や他社と異なる戦略をもってしか、過去できたことは実現できなくなっている。もはや「たまたま」ではIPは生まれないのだ。

組織のスケールを小さくすることは後退ではない。不要な資源を再利用し、必要な資源へとコンバートすることは経営者としては不可欠な動きだ。タイピストや電話交換手がもはや職種として存在が消えたように、自社における過去の戦力だった職種を、新たな定義に変える必要があるだろう。過去のブランドを再構築して、2020年代に再デビューさせることももちろん1つの手段である。「変態(ミューテーション)」は、あらゆるエンタメ企業が経験した非常事態のなかで、2020年代の生存のために必要なキーワードである。

米中のメディア企業が、恒温動物としての1社全存の原則による拡張路線を突き進むのは「コンテンツ資源国」の表れである。湯水のように湧き起こり続ける油田(ファン人口)は日本には存在しない。人口はここ10数年成長が止まり、生産年齢層人口比率はさらに減り続ける。全世界が注視する、世界最先端の高齢化社会である。社会的信頼性を担保に、移民含めた人材還流は遅々として進まない。

だがかつて資源がなかったことが敗因になった国はどれほどあっただろうか。資源がないなりに強みを見つけ出し、変温動物のように環境依存的に生き続けることはできる。米国と中国という2つの強大な市場環境の合間にあり、我々はどちらの体温に寄り添って、どのポジションで生きるかを試行錯誤する50年がこれから始まろうとしている。

第4章

推しエコノミーの確立へ

4-1 キャラクターと貨幣の類似性

第1章ではアニメ製作委員会からゲーム、テレビ番組、ライブコンテンツに至るまでコロナ後に求められる変化について語った。第2章はユーザー側の変化だ。ユーザーは消費者ではなく表現者となり、コンテンツとの共時体験を求める。第3章はそのうえで米国に比する中国マーケットの成長によって、日本が置かれた立場が大きく変わりつつあることについて言及した。米国依存経済はたった50年だが、2010年代から特にエンタメにおいてはむしろ中国への依存度のほうが大きくなってきている。こうした中で、終章となる第4章では、これまでの50年とこれからの50年はどのくらい違う戦略が必要なのか、について話していきたい。

文化の距離を縮める「キャラクター」という媒介

キャラクターのコミュニケーションは人々を結びつけるために驚異的な活躍をする。私が私自身であることを証明し理解されるために、米国でも中国でもいつも大量の説明を要する。自分が何をしてきた人間で、いまなぜここで話していて、最終的に何をゴールとする人間なのか。

私が話すことは聞くに値するものであることを証明しようと、私はいつも必死である。

だが、海外でプレゼンを行うとき、エンタメ産業の歴史や効果について話すとき、鉄板ネタがある。キャラクターの絵を使うのである。まじめなプレゼンの場であればあるほど、一発で笑みがこぼれる。誰もが知っているあのキャラクターの象形と、そのキャラクターのゲームや玩具で遊んだ瞬間を話したときに、それを「共通体験」としてコミュニケーションをスムーズに行うことができる。これは欧米や東南アジアはもとより、メキシコでもヨルダンでもケニアでも全く同じだった。アニメ・マンガのキャラクターは、トヨタの車を超える波及力をもって、「＝JAPAN」のイメージを伴って伝わってくれている。

技術の歴史は、コミュニケーション短縮化の歴史である。人は距離とスピードに囚われ続けてきた。早く移動すること、早く知ることには多額のお金がかかった。

江戸時代の郵便は24文（400円程度）と普通の価格ではある。だが「飛脚」を使った場合の江戸〜大阪間はいつ出発するかわからない。10日間かかる「並便」で30文（600円）、出発日が決められた10日間便である「幸便」で60文（1200円）、8日間便で銀一匁（2000円）、7日間便で銀一匁五分（3000円）、6日間便で金一朱（3・2万円）、確実に5日で届く「正六日限」で金3両（38・4万円）、最高額は2日間で江戸〜大阪を走り切る「正三日限」で銀700匁（140万円）になったと言われている。[1] 10日間で600円かかるものを2日間にするのに140万円もかかる。誰が使うのだろうかと思うだろうが、ここまで正確にサービスが分けられているだけに、確実にそのニーズがあった。

[1] 江戸時代Campus「江戸から大坂までをまる二日で走る飛脚の料金は140万円」<http://www.edojidai.info/kurashi/hikyaku.html>

10日を2日に短縮するのに2000倍の価値があるほどに、「遠くで起こったことを早く知ること」は貴重だった。「技術」「テクノロジー」と言われるものは、およそ数千年にわたって、この距離を詰める作業を追求し続けてきた。

人間同士の会話：分速0・19㎞（1日で280㎞移動）
馬での移動：分速1㎞で5倍速
飛行機移動：分速17・0㎞で90倍速
腕木通信：分速80・0㎞で420倍速
電子メール：分速18000000㎞で1億倍速

ネットは地理的な距離をゼロにした。地球の裏側であっても数秒で届くようなコミュニケーションにおいて、残されたのは唯一「思考（言語・文化・概念）の距離」である。
お互いの世界観を知ろうとしたときに「キャラクター」は感情や経験を詰め込んだ象徴である。この「イメージによって思考を最短化する」作用は、思っている以上に、エコノミカルに効果を発揮するものである。

貨幣がうまれたとき、ヒトは膨大な数の取引を簡略化するために貨幣を用いた。キャラクターも貨幣と同じ「代替品」である。

そのキャラや世界観を交換し合うことで人は人と結びあう。それは『ポケモン』だって『アイカツ！』だってよい。キャラクターごとにどれだけ所属集団の範囲を広げるか、限定するかによって、相手の選択と距離の縮め方は変わってくる。

広ければ広いほどいいわけではない。女性だけをセグメント化してくれるキャラのほうが大事なときもある。『刀剣乱舞』や『テニスの王子様』の舞台にいけば100人中95人が女性だし、彼女たちはその体験を共有しあうことで、女性同士というカテゴリーの中で人との距離を縮めることができる。

長く保存することができ、簡単に同じものは作れず（偽造できず）、取り扱いが便利なモノ。それがキャラクター（貨幣）である。

人々の間で交換されないと死ぬ

キャラクターの死とは何だろうか。

人々の頭の中のアイコンでしかないキャラクターは、さしずめ貨幣のようなものだ。文化のない無人島に行くと無用の長物だろう。何も買えないし、何ももたらしてくれない。

だが貨幣と同様、そこに集団があり、会話の交換のなかでキャラクターへの言及があればあるほど、その実態はありありと人々の空想のなかで共通イメージを持つようになる。主人公とその周辺の仲間、世界観、それらへの理解が深まれば深まるほど、より多くの人を巻き込んで、その作品について語りたくなる。

つまるところ、キャラクターとは「運動体」なのである。人々の会話の交換作用のなかで動き続けるから価値をもつのであり、動きが止まった瞬間、価値はゼロになる。動いていることこそがライブコンテンツとしてのキャラクターの価値である。

ツイッターで1度もつぶやかれることのないキャラクターにどんな価値があるのだろうか。誰からも忘れられないようにキャラクターたちは死に物狂いで戦っている。少しでもバズになるように、定期的にコメントや画像・動画をアップする。人々の口にのぼるように、必死でアピールを繰り返す。たゆまぬ運動なくして、キャラクターがブランドとして価値をたもつことはない。

エンタメ会社はこうした「運営」を通すことで、交換財としてのキャラクターが人々の口をついてトランザクション（交換行為）されているかどうかに注目し、それを引き起こすような商品展開を続けるのである。

図表45はツイッターにおいてそれぞれのキャラクターや作品が「毎日平均何回ツイートされているかの月平均推移」をたどった数字である。

日本のキャラクターで最も認知度&好感度が高いのが『ドラえもん』である。認知度98%、好感度70・9%は数百あるキャラクターランキングでもダントツトップである。[2] そんなドラえもんでも「毎日」となると、5000程度／日のつぶやきに留まる。

ただこの『ドラえもん』が、毎年定期的に話題にのぼる時期がある。2017年3月に

[2]『CharacterBiz DATA』キャラクター・データバンク、2021

8726／日、18年3月に15792／日、19年3月に51087／日、20年3月に129044／日と、毎年の劇場版映画の公開月である3月に決まってコラボやネタでツイッターがあふれかえる。毎年この時期だけは平常月の2～20倍つぶやきが増え、「貨幣として激しく交換作業が行われている」状態となる。

キャラクターの認知度と好感度という意味で、この「春の劇場版」のトップを占める『ドラえもん』『名探偵コナン』『クレヨンしんちゃん』のポジションは何物にも代えがたい。認知度では近いレベルだが好感度では必ずしも3タイトルに卑近することができていない『ドラゴンボール』や『ワンピース』は青年向けキャラクターであり、「国民的アニメ」と言えるほどに女性高齢者層や若年者層には普及していない。

だが好感度というのはある意味で諸刃の剣である。万人受けのイメージが強ければ強いほど、キャラクターとしてのエッジや遊びがなくなり、MD展開など商売性を強くすることへのユーザーの拒否感も強い。『ドラえもん』や『アンパンマン』などは教育的なマス・コンテンツであるがゆえに、そ

図表45　日本トップ級アニメ作品の日次ツイート数の推移

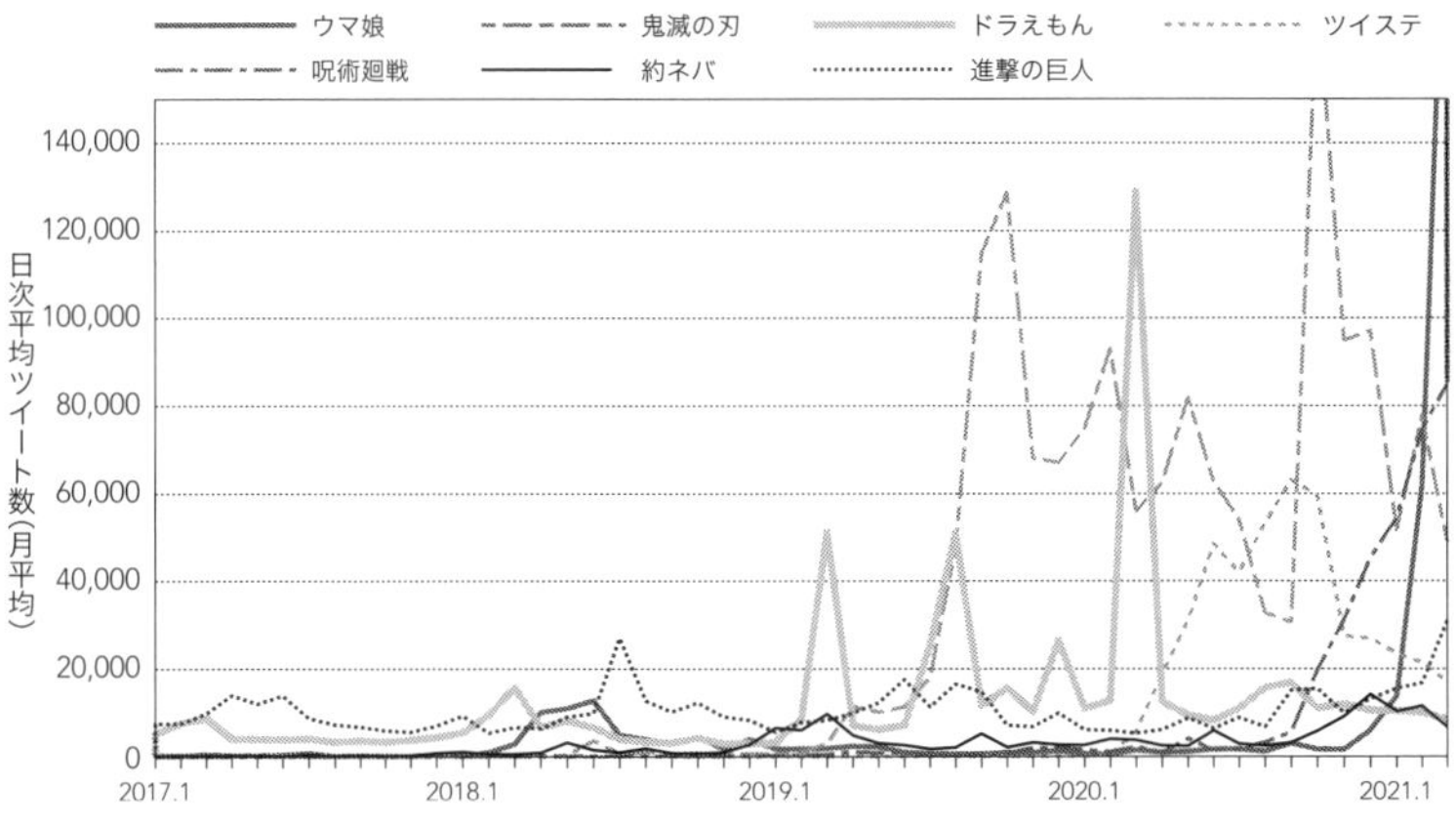

出典）ツイッターより分析

の市場規模は年商100億程度で止まってしまい、『ドラゴンボール』や『仮面ライダー』のように年数百億から1000億円といった経済圏を築くことはできていない。

交換の面白さに目覚めた人たちの「祭り」

図表45において2019年と2020年の切り立った山が『鬼滅の刃』である。アニメからマンガ、ゲーム、リアルコラボとユーザーの興味が展開され、毎日10万人単位のツイートが続いた。あれだけ話題になった『進撃の巨人』のピークよりはるかに高いことを考えると、改めてその威力の大きさに震撼する。

ここで注目に値するのは『鬼滅の刃』が生まれた後、連鎖的にこうしたバズが生まれやすくなっている点である。20年5月から勢いづくのは同じアニプレックス作品のゲームアプリでディズニーと共同開発された女性向けコンテンツ『ツイステッドワンダーランド（ツイステ）』である。20年5月には平均5万／日を超えている。

そして顕著に『鬼滅の刃』の後釜に座るような形になったのが『呪術廻戦』である。18年3月〜20年9月までは1万／日以下で、それなりに人気だがトップにはなりきれていないコンテンツの1つであった。だが最高の盛り上がりをみせた鬼滅の「祭り」のあとに、熱狂さめやらぬファンたちが次の「祭り」コンテンツを探し始め、急激に呪術のツイートが増えていく。21年1月の平均54573／日から3月の平均84954／日へと、どんどん巻き込むファンを増やしていく。

こうした呪術のヒットが20年10月から21年3月までのテレビアニメ化によって生み出されたものであることは間違いない。だが、それだけでは説明がつかないのは、そのテレビアニメの放映が終わった後も、21年5月は10万／日を超えるツイートがあり、成長が止まらなかった点である。

人々は鬼滅ロスから立ち直れていないのである。あれだけ楽しんだ祭りをもう一度味わいたい。酒場も映画館も空いていないこのタイミングに、何でもよいからもう1つ祭りになるものがほしい。「アニメをみながら皆でツイッター上で盛り上がる」という祭りの面白さに目覚めてしまっただけに、『呪術廻戦』を「使って」交換作業の快感を希求したのである。そして『ウマ娘』のヒットに続いていく。

貨幣を初めて使い始めた人類は、貨幣を交換すること自体の面白さに目覚めて、それらしい交換財で代替するようなことが起きる。これは仮想通貨が、ビットコインのみならず、アルトコイン（代替コイン）としてイーサリアムやバイナンスコインに派生していく現象と同じである。

交換自体の楽しさは、メルカリや、ポイントがたまるペイペイが普及したときに実感した人も多いのではないだろうか。特にほしい物でなくても購入してみる、友人との交換行為であればなおさら楽しい。ロックダウンで人との物理的接点がなかったために、デジタルな交換財を求めて2次元のキャラクターに殺到するという「社会的現象」となったのが、2020年の鬼滅であり、２０２１年の『呪術廻戦』と『ウマ娘』だったのではないだろうか。

ではキャラクターが貨幣だと考えると、誰が「中央銀行」としてその発行量を規制し、コントロールするのだろうか。いや誰もコントロールなどできない。これはボトムアップでユーザーが勝手に交換を行う動きなのである。

作品を出す側も困惑し、いったいどうしてこんなにバズっているんだと惑うケースも少なくない。少なくないどころか『ドラえもん』『宇宙戦艦ヤマト』『ガンダム』など歴史的転換点となるような作品は、すべて供給側が人気がないと即断して途中でやめておきながら、ユーザーの熱量があまりに強いので再び上映・放送・配信したことが大ヒットにつながった、というケースである。

資本は常に消費に追従してきたのであり、消費こそが作品を作ってきた。それが現在では「消費」から「参加」になっているという話だ。マンガ・アニメ・ゲームには特にこうした特徴が色濃く表れる。

かといって交換されることを待っていても何も始まらない。交換されることを促進するために、最初の火種を作り、人々がどこで交換を行っているかというメディア環境を時代ごとに乗り換え続けなければならない。

テレビからスマホというハードウェアの乗り換えもそうだし、フェイスブックからインスタグラム、ＴｉｋＴｏｋといったソフトウェアの乗り換えも同様である。そして物語を提供し続けていくことで、いつしか主従が逆転し、ファンが作品を運んでくれるようになる。コミュニケーションを最大限に活性化し、貨幣の交換（キャラクター認知）が最大化できる状態を担保するために、飽きられないように作品を提供し続けるのである。

旧時代貨幣『ポケモン』の復活

かつて歴史上で生まれた2次元キャラクターで最も大きな経済圏を築いたのは何だろうか。それはミッキーマウスでもスターウォーズでもない。ポケモンである。

拙著『オタク経済圏創世記』で最も耳目を集めた図は、世界中のキャラクター経済圏の規模を示した図であった。それを図表46として転載した。

ポケモンは１９９６年にゲームボーイで登場して以来25年間、「平均」で年４０００億円以上稼ぎ、累計で10兆円もの経済圏を作り上げてきた史上最大のキャラクターである。パズドラが累計1兆円といっても、それはまだモバイルゲームアプリという市場に限られたもの。ポケモンは２０２０年度時点で、家庭用ゲーム約50種類で累計３億６８００万本、モバイルゲーム約10種類、アニメは約１２００話、カードゲームは累積３０４億枚、すでに数万種類に及ぶだろうグッズに展開され、パズドラの10倍を超える規模となる。[3]

このポケモンの版権元である株式会社ポケモン[4]が、実は２０１０年前後は赤字に苦しんでいた時代があった。ＭＤ商品などの小売ベースでは年間４０００億円の売上高とはいっても、それはあくまで平均値である。毎年家庭用ゲームを出していったとしても徐々に売れなくなって

❸ 河村鳴紘「ポケモン25周年　日本発の〝怪物〟コンテンツが世界を席巻するまでの軌跡」2021年2月27日<https://news.yahoo.co.jp/byline/kawamurameikou/20210227-00223986/>

❹ ポケモンの原作3社であるゲームフリーク、任天堂、クリーチャーズが共同出資で設立。ライセンス管理業務を行っている。

図表46　世界キャラクター経済圏マッピング

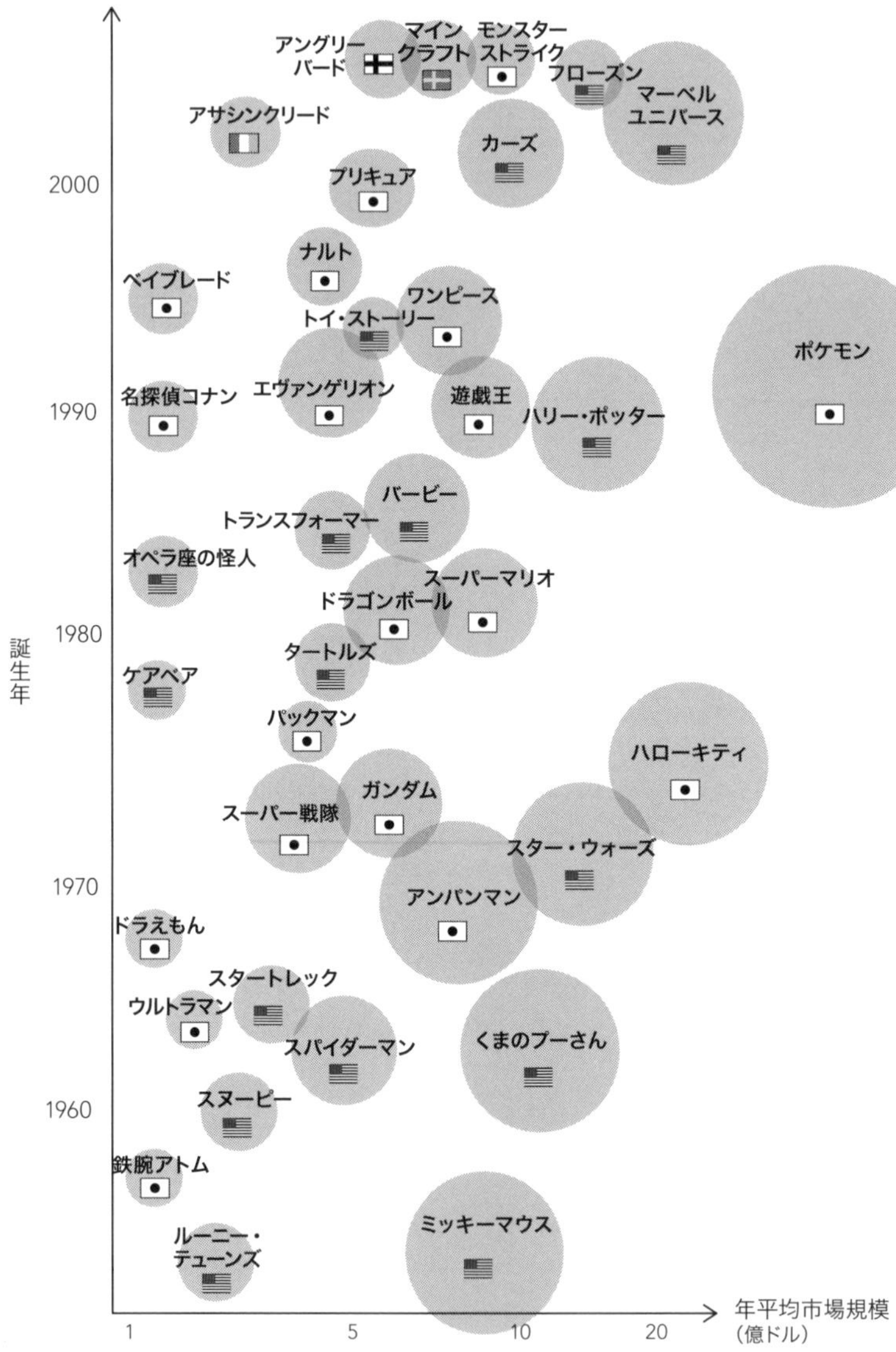

(出典) List of highest-grossing media franchises,
https://en.wikipedia.org/wiki/List_of_highest-grossing_media_franchises

いく。映画の興行収入も1998年の『ミュウツーの逆襲』が最高で、それを超えることができていない。

図表47をみると、株式会社ポケモンの2007年の純資産は60億円、世界一のキャラクターを資産としてもつ企業としてはあまりに心もとなかった。さらには2009年から2011年の3年間は赤字すれすれの業績である。世界一の収益キャラクターIPをもっている企業においてすら、ブームから10数年が立ち、「キャラクター貨幣の交換」がなされなくなると、儲けることは難しくなった。

だが絶え間なく「運営」を続けていれば、いつしか神風が吹く。2016年7月に米国ナイアンティックからリリースされた『ポケモンＧｏ』は、全世界で10億を超えるユーザーを集め、その後毎年1000億〜2000億円の収益を稼ぐ世界のトップアプリになった。株式会社ポケモンの業績も急上昇した。

ポケモンＧｏはナイアンティックが開発しているため、その成功の果実がそのままグロスとして株式会社ポケモンに入ってくるわけではない。むしろ株式会社ポケモンを支えたのは、ポケモンＧｏの人気でトレーディングカード（ＴＣＧ）や映画などの人気に再び火がついたことである。日本市場で言えば2017年までは20億円だったものが、2018年以降150億円規模と7〜8倍の規模に急増している。

日本のＴＣＧ業界は『遊戯王』のコナミ、『デュエルマスターズ』のタカラトミー、『カードファイト!! ヴァンガード』のブシロードの3強体制であったが、5年もたたないうちにポケモンは3強入りした。

米国TCG業界でもその成長は盤石で、TCG専門店となるホビーチャネルでの売上ランキングでは2013年までは4〜5位と低迷していたものの、2018年からは『遊戯王』や『マーベル ヒーロークリックス』も抜き去り、ハズブロの『マジック：ザ・ギャザリング』に次ぐ北米2位のタイトルとなっている。『魂斗羅』や『ラングリッサー』と同じである。1990年代後半から2000年代にかけて、小中高時代にポケモンのカードを収集していたユーザーがポケモンGoで懐かしくなり、再びカードを手に取り始めたのである。❺

ライブコンテンツの要諦は、その商品について、どんな商流でもよいから「思い出させる」動きを展開し続けることだ。それがデジタルでスマートフォンに入って、毎日ログインするものであれば、その効果はポケモンGoのように表れる。

「手元においてもらう」がキャラクタービジネスにとっての本義である。それは職場の机を彩るフィギュアであってもかまわない。モバイルの中にあるガチャで手に入れたキャラクターコレクションでも構わない。

推しのためには、コンタクトポイントをファンの周辺3メートル以内おいてもらう必要がある。そして貨幣は流れ出す。ポケモンは20年ぶりに、そのキャラクターの基軸通貨となってよみがえってきたのだ。

❺ Icv2「Top Collectible Games」

図表47　株式会社ポケモンの資産合計と純利益（2007〜2020）

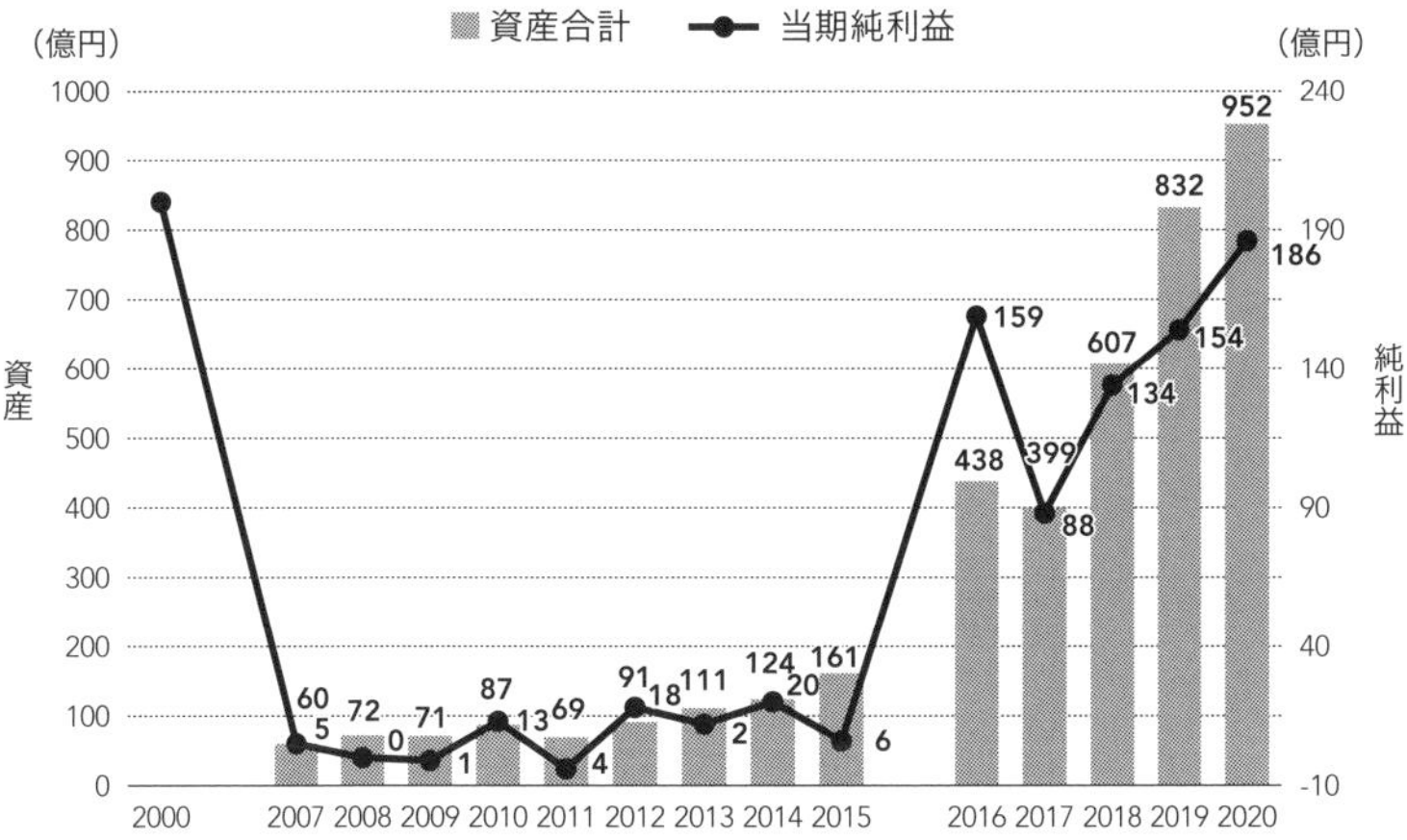

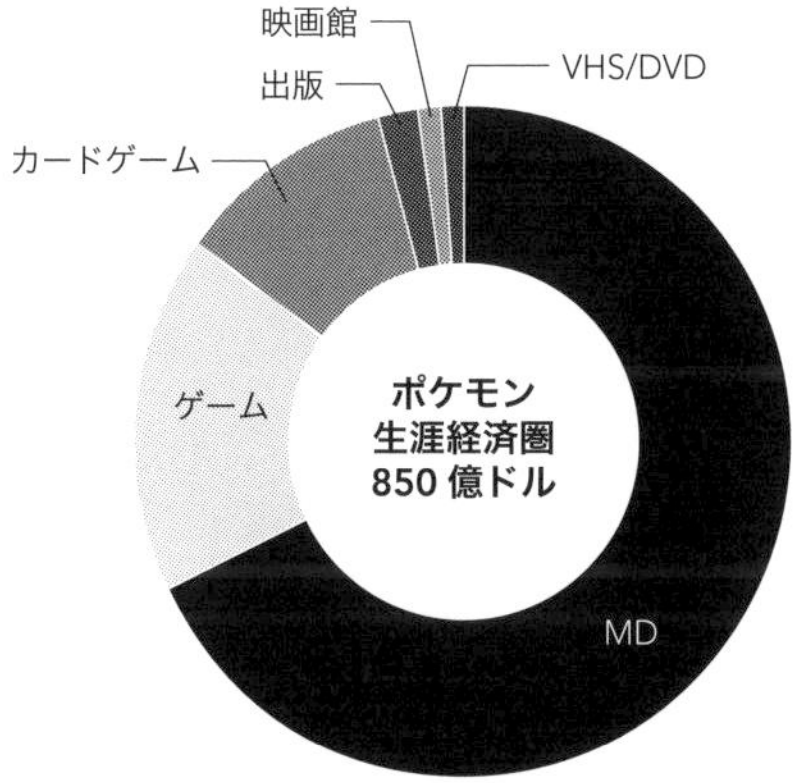

出典）IR資料、決算公告、https://en.wikipedia.org/wiki/List_of_highest-grossing_media_franchisesより作成

4-2 世界観の欧米と、キャラクターの日本

日本人は仏像を作って拝んでから宗教心に目覚める

欧米とアジアは「聞く」文化と「見る」文化の違いとも言われる。この違いは実はエンタメ業界にも深く根ざしており、その市場規模や産業構造の成り立ちにまで影響している。

欧米の言葉はPhonographで、アルファベットの「音」のみで出来上がっている。英語もドイツ語もフランス語もそうである。「文字」として覚えるのは26字だけでよく、その組み合わせだけですべての概念を表す。書き言葉の習熟が比較的早いのも西欧である。

対するアジアの中国や日本の言葉はIdeographで、象形文字からできた1つ1つの「文字」が異なる意味をもち、漢字は26どころか5000万字存在し、それぞれに意味と音がある（日本語の場合、日常的な使用には常用漢字2000文字を覚えれば十分だが）。

中国語の習熟にはとても時間がかかる。私の子供もシンガポールで日本語、英語、中国語を勉強したが、英語は幼稚園で話もできるし、アルファベットもマスターできる。中国語は幼稚園ではひとまず喋りだけ慣れればよく、書き言葉は小・中・高と長い時間をかけて少しずつ覚

えていけばよいと教えられた。本格的に使うのは小学校高学年にならないと難しいというアドバイスも含め、3つの言語の差を如実に感じた。

日本語は象形文字である漢字と音韻文字である平仮名、そこに外国語を別途表記するためのカタカナという3層構造になっており、大変ユニークな構造である。

日本は中国を取り入れ、欧米も取り入れ、換骨奪胎して自分たちのオリジナルをアレンジして作ってしまうことに関しては1500年以上もの歴史をもつ。

仏教の仏像も、本来はイスラム教のように「形あるものを作って拝むこと」自体が邪道と言われ、中国でも量産されていなかった時代に、日本人は仏像をバンバン彫って普及させ、ガンガン拝んだ。仏教の教理を唱えるより前に、美しい仏像というモノそのものを崇拝し、そこから間接的に宗教心に目覚めていく。教科書にもよく出てくる『弥勒菩薩半跏思惟像』などは2次創作の同人本のようなもので、当時あるアジアの武骨な仏像とは次元の違う、表情・ポージング・エロティックさをもっており、こうした「フォーマットの違うもの」を生み出してしまう器用さと発想の柔軟さを持っていた。

「聞く」文化の欧米とは対極的であり、かつ「見る」文化のアジアにおいても「手を動かして作る」文化をオリジナルで築き上げた日本は、まさに職人大国として長い歴史をもつ。そして宗教をある意味「使いながら」、自分たちの芸術的素養を耽美し、出来上がった偶像物を信仰することを良しとしてきた。作る文化としての歴史をたどっていけば、ハリウッドとは比べ物にならないほどの長い歴史と、脈々と受け継いできた豊かな育成土壌がある。イタリア・ベネチアのガラス職人のように他国に流出して技術の奪い合いになったり、中国・清のように技術流出を恐れて作品が完成すると職人が殺されるといったこともなく、職人が作る技術を何十世代にわたって継承してくることが可能だった、という点においては世界的にもかなり珍しいポジションにいるのが日本である。

こうした歴史の違いは、キャラクターがどれほど「人間」に近づくかという距離感にも大きな差をもたらす。

欧米は「憑依キャラクター」を求める。それがどれほど奇異な象形をしていても、中身としては結局人間に近いキャラクターなのである。ハローキティやミッフィーのような「話さないキャラクター」は稀だ。トイ・ストーリーのロッツォ（くま）や「ガーディアンズ・オブ・ギャラクシー」のロケット（あらいぐま）のように、どんなに愛らしい風体でも、中身はオッサンといった風情で、「人間らしさ」を表現することが、彼らの根底にはある。話しぶりから、キャラクターの「人間性」を確認し、同じ種であることに納得感を持つのである。

日本（そしてアジア）は「象形キャラクター」である。それは人間とは全く異なるものでもよく、そうした自分たちのアイデンティティから離れたものも客体化させて楽しむ。擬人化した妖怪やモンスターやロボットはお家芸だし、セクシャルなキャラクターや「銭ゲバ」のような人殺しまでなんでもござれ。米国と日本という世界2大キャラクター生産国は、それぞれ全く違う観点からキャラクターを生み出し続けてきたのである。

日本人の感性が作りあげた「カワイイ」「推し」の概念

対極的な欧米と日本だが、キャラクターの前に自然環境や我々を取り巻く世界に対する感性もまた、象徴的な違いがある。「自然は美しい」という発想は、元来欧米では存在してこなかった。数千年前ではなく、数百年前までの話である。彼らにとって自然とは農作物や旱天慈雨をもたらす「機能」に過ぎない。朝日や夕焼けに染まる山や田んぼなど情景をみて「わび」「さび」を感じるという「こころもち」そのものが発明されたのは、欧米ではなく日本であった。

古くは1300年前の『万葉集』に富士山の美しさを詠ったところから「日本人はずいぶん古くから自然そのものをいつくしんでいたこと」と理解されている。そもそも「美しい」という言葉自体も、語源は「羊が大きい（供物の羊が太っていて美味しい・ありがたい）」という意味で中国から輸入されたものであり、これを今我々がいま使っているような情景的・美的な感覚における「美しい」となったのは日本オリジナルである。❶

西欧において風景を「絵として描く」という行為が始まるのがルネサンス以後、16世紀になってからのことである。人間と神の対置が主な関心事だった西欧にとって、作品の対象となっていたのはヒトか神かの二択であり、風景や背景は残すべき存在としては認識されていなかった。そもそもランドスケープ（風景）という言葉が生まれたのも16世紀のオランダからであっ

❶ 田中英道『日本美術　傑作の見方・感じ方』PHP研究所、2004

た。❷大げさにいえば1000年以上前に「自然が美しい」と思っている人間は、日本にしか存在しなかったのではないかという気もしてくる。そのくらい、1000年以上前に「自然の美しさ」を表現している形跡自体が、日本以外の美術作品に存在していない。

西欧に「自然は美しいものだ」という概念が明確に「輸入」されたのが150年前である。モネやマネ、ゴッホといった画家たちは、葛飾北斎や喜多川歌麿に熱狂し、それをモネやクールべやゴッホが援用し、「印象派」という考え方自体が生まれた（それ以前の写実主義だと海の波など自然の情景を表現すること自体が技術的に不可能だったという点も阻害要因だったかもしれない）。

「印象派」の画家たちはリアリティを追求するよりも「どう人間には見えているか」を重視し、色のコントラストを派手にしたり、あえて非対称な造形を入れたり、人間を中心に描くのではない俯瞰的な視点を導入した。「ジャポニズム」と呼ばれ、日本から輸入される芸術品には高い値がつけられた。江戸末期から明治期の話である。

17世紀まで西欧で山は美しくもなんともなかったように、20世紀まで欧米ではキャラクターやその世界観に「萌える」「推したくなる」といった感情は存在していなかったように思える。「カワイイ」という言葉もまた、日本発の概念である。自然や仏像をめでてきた日本は、そのままの形でアニミズム的にキャラクターをめでるようになった。

時にそれは異常性愛のようにも受け取られ、成熟できない大人の象徴のようにも日本内でも

❷ 面白いことに「観光」としてスイス山岳への旅行客が増えるのは、絵画に描かれたり、出版されるようになってからのこと。アルプスの絵画や出版本が増えた後、1740〜50年代からスイス旅行客が倍増するようになった。

扱われてきたが、2010年代に大きく潮目は変わっている。「オタク」は蔑称とされているものの、2次元キャラクターを愛することは規範の範囲内として認められるようになり、それ自体は他人に隠すようなことではなくなった。

むしろ「推し」のいない友人を憐憫の目でみるほどであり、キャラクターを愛することは人生を生き生きと過ごすための一作法として常識的に捉えられている。

日本で生まれた概念が輸出された例をもう1つあげるとすると、「うま味」も日本からの輸出品である。北米では、甘味・酸味・塩味・苦味の4種類まではあったが、「うま味」の概念はなかったし、それにあたる言葉も存在しなかった。[3] このうま味は昆布のグルタミン酸ナトリウムに多く起因し、海に面した日本で発達してきたもので、1908年に日本で名づけられたものだ。国際的にも「UMAMI」で認識されるまでは、誰もが「なんかおいしい」ということは認識していても、それが「5つ目の味で他の4つとは別のもの」という認識はなかった。音階が7音から8音になるようなものだ。

我々がなにか感動的なものに触れたときに「すごい」「おいしい」としか言えない状況も同じだが、その感覚をカプセル化して持ち運んだり人に伝えられるように概念化したりする作業は多分に創造的である。「推し」という仮想の存在に対するファン感情は日本で創造された1つの感覚概念であり、「山が美しい」や「うま味」と同じように、いま世界に広がりつつある。キャラクターを好み、それをどう消費するかというあり方そのものが、日本発の「キャラクター経済圏」を創り上げ始めている。

[3] 都甲潔『感性の起源—ヒトはなぜ苦いものが好きになったか』中央公論新社、2004

世界的ねこブームとエロパロディを許容する日本

2017年11月にリリースされた日本のモバイルアプリ『旅かえる』が中国で大ブームを巻き起こした。ヒットポイントという名古屋の会社がたった4人で開発したカジュアルゲームで、日本語のゲームでありながら、5か月で3800万ダウンロードのうち8割が中国からというのが驚きである。[4] かえるを『たまごっち』のように育てて、「おべんとう」「おまもり」「どうぐ」の3種類をもたせて旅にやり、一定時間で帰ってくるのをただ待つ。かえるは旅の記念写真やお土産をもってくるという放置ゲームである。中国ではただ見守るだけで何もしなくてよいという意味で「仏系ゲーム」と呼称される。地方から都市に子供を送ることの多い中国では、かえるがわが子をほうふつとさせるからという文化の重なりもヒットの理由とされていた。ユーザーの7割が女性である。

少々専門的になるが、同ゲームのeCPM（effective Cost Per Mille）は4000円を記録しており、1000人が広告を視聴するたびに4000円の広告収入があるという高収益であった。同ゲーム内で表示される広告から、商品購入に至るユーザー数・購買単価が非常に高く、「1回広告をみせたら4円の価値があるくらい、『ユーザーの質が高い』ということを意味している。これは同類ゲームの10倍以上の数字であり、ダウンロード数もすごいが、広告収入も効率的に稼ぐことができ、1日の広告収入たるや4500万円にものぼっていた。[5]

❹「中国で異例の大ヒットを記録した『旅かえる』は、Unity Adsと共に広告＋課金の最適化を果たした。その成功の経緯と収益構造に迫る」AUTOMATON、2018年5月31日<https://automaton-media.com/devlog/report/20180531-68726/>

❺ 佐藤宗高「2年前、中国で大ヒットした旅かえるはその後どうなったか」https://note.com/munetakasato/n/n900fe5f33a7a

この『旅かえる』のように、動物を擬人化して楽しむ日本の文化も海外で多くのファンを集めている。2007年に和歌山県の貴志駅で売店のねこが「たま駅長」に就任してブームになり❻、中国からのインバウンド観光客がどっと増えたり、2014年に『旅かえる』と同じヒットポイントの『ねこあつめ』が流行したり。ねこをパロディ化して戦闘ユニットにしたてたポノス社の『にゃんこ大戦争』（2014年9月リリース）もまた海外で大いに流行し、2021年7月時点で全世界で6100万ダウンロードに到達している。ダウンロードも売上も海外が半分を占めており、十分にグローバル化したゲームと言える❼。これも「カワイイ」の派生形である「きもかわ」という新概念を輸出するゲームであった。

日本のキャラクターは、日本人とキャラクターのユニークな関係性によって多様に進化したイメージアイコンである。日本人は、ある意味「自分たちと引き離して」キャラクターで遊べる民族である。

欧米では信じがたいのは、日本は作者自身がそのキャラクターのエロパロディを二次創作してコミケで同人誌販売したりする現象である。これは別に本の売上を目的とするものではなく、あくまで原作者本人が自分でつくりだした世界を切り出して弄んでいるようなものだ。米国では、キャラクター版権そのものを出版社が買い取っているので、本を出版する時点でアウトだし、その世界観の管理の観点でいうと、エロパロディということでさらにアウトである。

日本はこんな弄び方ができるほど世界やキャラクターを「つきはなしている」からこそ、自分のアイデンティティとは切り離した、妖怪やモンスターでも、果ては剣や盾といった無機物

❻「スーパー猫駅長、たまの経済効果11億円」産経ニュース2008年10月3日

❼「「もうすぐ、売上の50%が海外になる」世界1,600万ダウンロードのキモカワにゃんこアプリ「にゃんこ大戦争」ゆるゆる運営で韓国と欧米にも進撃中」アプリマーケティング研究所、2015年1月13日記事<https://appmarketinglabo.net/nyanko/>

でもキャラクターにできてしまう。戦国武将を女体化したり、刀剣をイケメン男子に擬人化してしまったりもする。

キャラクターの開拓はマンガから始まったことでリアリティをある程度置いてけぼりにされた。マンガは現実の写し鏡ではない。印象派と同様に、どこまで線を省略しながら人間の目だとそれらしく見えるかという疑似世界を、疑似世界であるがゆえによりわかりやすい形で「象徴して見せる」ということを行ってきた。

欧米では宮崎アニメですら成人指定を受けている点からもわかるように、日本の多様さは他国の枠にはおさまらない。マンガ・アニメ・ゲームといった「子供のコンテンツ」とカテゴリー化されていたものだからがゆえの逆差別で、表現規制が厳しく、その創造過程にすら手が入ってしまうのが、日本以外の国における常識であった。この規制の差は日本にとってのアドバンテージである。ここでしか生まれない表現・キャラクターが法律的に担保されているからだ。

キャラクターの多様性を支える職人の技術

さらにはその多様さを支える技術が日本にはある。日本人の技術性の高さはことさらに喧伝する必要はないほどマンガ家やアニメーターの実績で証明されているが、例えば建築家という業界においても日本人の特殊性が次のように語られている点も追記したい。

近年の建築界における権威ある賞は日本人の受賞者が圧倒的に多い。建築業界のアカデミー賞と言われるプリツカー賞はこれまで日本人が米国人と並ぶ最多の8人受賞しており、フランスの3人、ドイツの2人を大きく上回っている。日本人の創造性は「狭い渓谷や小さな村から生まれた完璧主義ともいえる細部へのこだわりや空間の使い方」「頻発する地震や自然災害により万物の無常という概念が広く持たれ、それゆえに東京のような大都会でも驚くほど常に変化する」「カオスといえるほど様々な建築様式が共存し、そのカオスの中に完璧な空間が存在」といった特性からくるものと語られる。同時にエンジニアやゼネコン、政治家といった広い人脈と巨大なプロジェクトの調整作業により作りこまれる創造作業に慣れている。また特徴的なのは「日本人の建築家は模型を作る」ということである。簡単に美しい図面を作れる3次元のソフトを使うことはなく、「手作業で」模型を作りこむ古きゆかしき建築家を育てる手法が、この成果につながっているとも語られている。[8]

この日本の建築家に対する評価は、マンガやアニメにあてはめてもそのまま通用するような、職人の技術論ではないだろうか。

「キャラ」という日本語は一般化して久しいが、欧米人にとってのキャラは「世界観の中での登場人物」という意味合いのほうが強い。役割としての1構成員でしかない。

だが日本にとってのキャラクターの特別さと、キャラクターそのものをMDや映像にして楽しむという行為は、日本オリジナルのものだ。この表現のオリジナル性を、手作業という技術のオリジナル性と掛け合わせて作品を作り上げていくことで、キャラクターは日本を代表する高付加価値の輸出品目の1つとなった。

[8] 船橋洋一『ガラパゴス・クール』東洋経済新報社、2017

4-3 日本のエンタメは誰が救うのか？

アパレルは誰が殺し、自転車は誰が救ったのか？

直近30年で、グローバル化とコアコンピタンスの喪失によって、凋落した産業と刷新した産業がある。前者の例はアパレルであり、後者の例は自転車である。

アパレル業界は約20年で市場が3分の2に縮小した（1991年の15・3兆円から2013年10・5兆円）[1]。ワールドやオンワードといった企業が百貨店とともに凋落し、ユニクロなどのSPA型にとってかわられた。その過程で供給量は増え、約20億点から約39億点へと2倍になっている。縮小した市場での過当競争は、事業者の収益をさらに削る。デフレで価格も低価格化しており、3重苦のような状況だ。供給点数が2倍になったが、価格は3分の2になり、在庫も2倍（2分の1しか売れない）になったことで起こった業界の地殻変動である。百貨店でブランド服を買うことがステータスにもなった時代も今は昔。アパレル大手は毎年1割ずつ売上が減少するような危機的な状況にあり、大量の店舗閉鎖、リストラを進めている。

では自転車はどうだったのか。アパレルほどではないが、自転車もまた衰退傾向であること

[1] 杉原淳一・染原睦美『誰がアパレルを殺すのか』日経BP、2017

は否めない。2004年のピークの1200万台から2018年の700万台まで日本国内の市場は3分の2に縮小している。だがアパレルと異なるのはその中身である。1980年代まではすべて国産車でまかなっていたが、90年代に中国からの低価格品が市場を席巻し、2000年前後に国産と輸入が逆転。2010年には9割が輸入車となった。1990年からの20年間は市場サイズが一定ながら9割が外国産になり、2010年代はその市場サイズも3分の2に縮小という、アパレルと大差ない厳しい状況である。

だが、自転車ではアパレルとは違っていたことがある。自転車部品のシマノは国内市場の縮減が無風に感じるほどの売上増をみせており、2010年代も順調に成長している。1990年度に1397億円だった売上は、2001年度には1250億円に減ったものの、2010年には2135億へと倍増し、2020年度には3780億と3倍増である。市場衰退は必ずしもその産業プレイヤーの衰退を意味しなかった。

シマノを成功に導いたのは「海外」と「コア事業への特化（変温動物型）」である。もともと海外比率が高かったシマノだったが、中国での組み立てなど労働集約的な作業は外注化しながら、技術集約的で付加価値の高い部品の供給に特化していった。同技術を使って釣り具のリール部分など異業種への進出も進めた。

自転車は戦前から日本・イギリス・ドイツの独壇場だった。そのため、長い年月にわたって自転車をつくり上げる「変速機」「ハブ」「ブレーキ」や「電動自転車」といった技術集約的な部分を自国オリジナルなものに錬成していくことができた。いつしかフレームなどの部品製造

図表48　アパレル市場と自転車市場の地殻変動

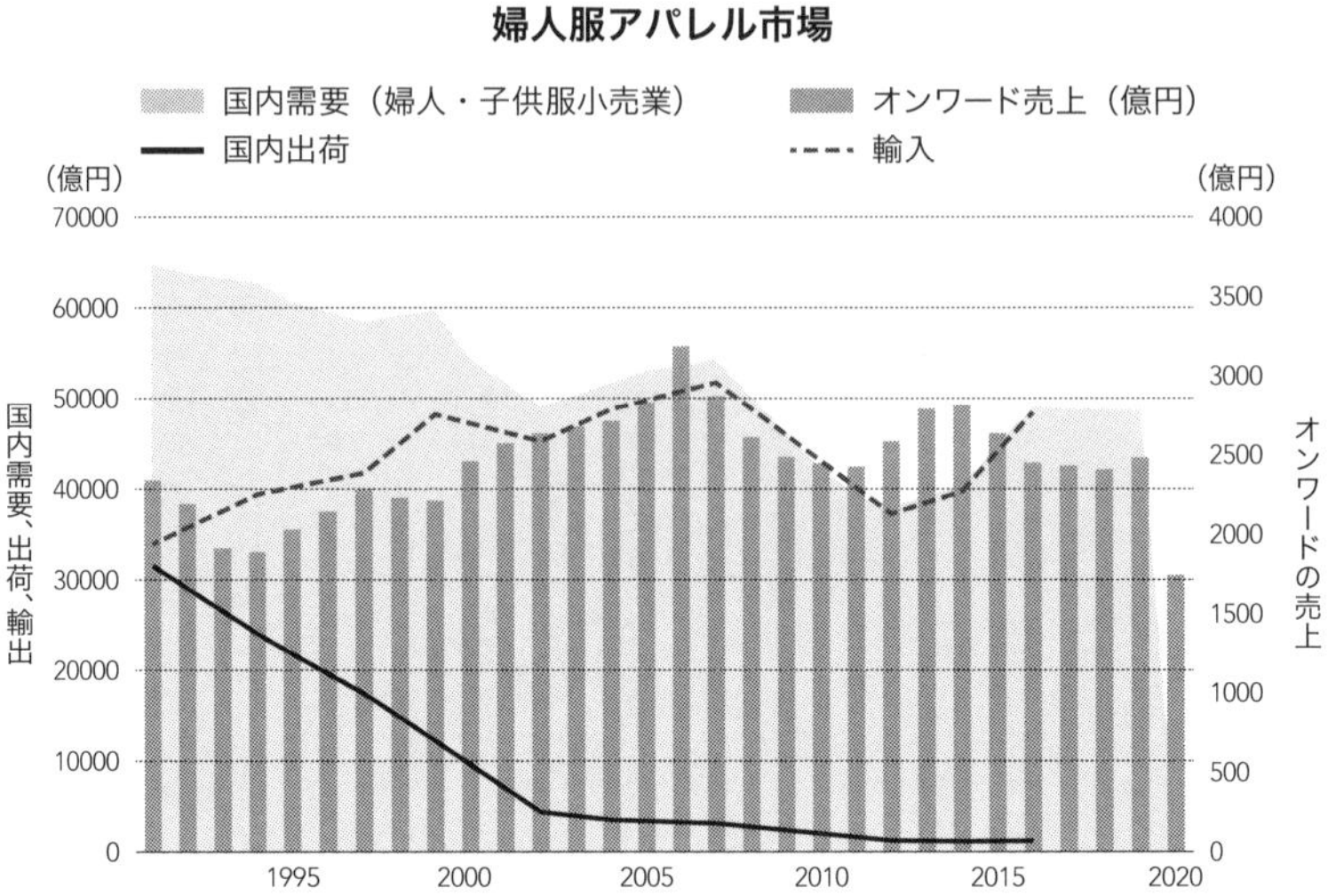

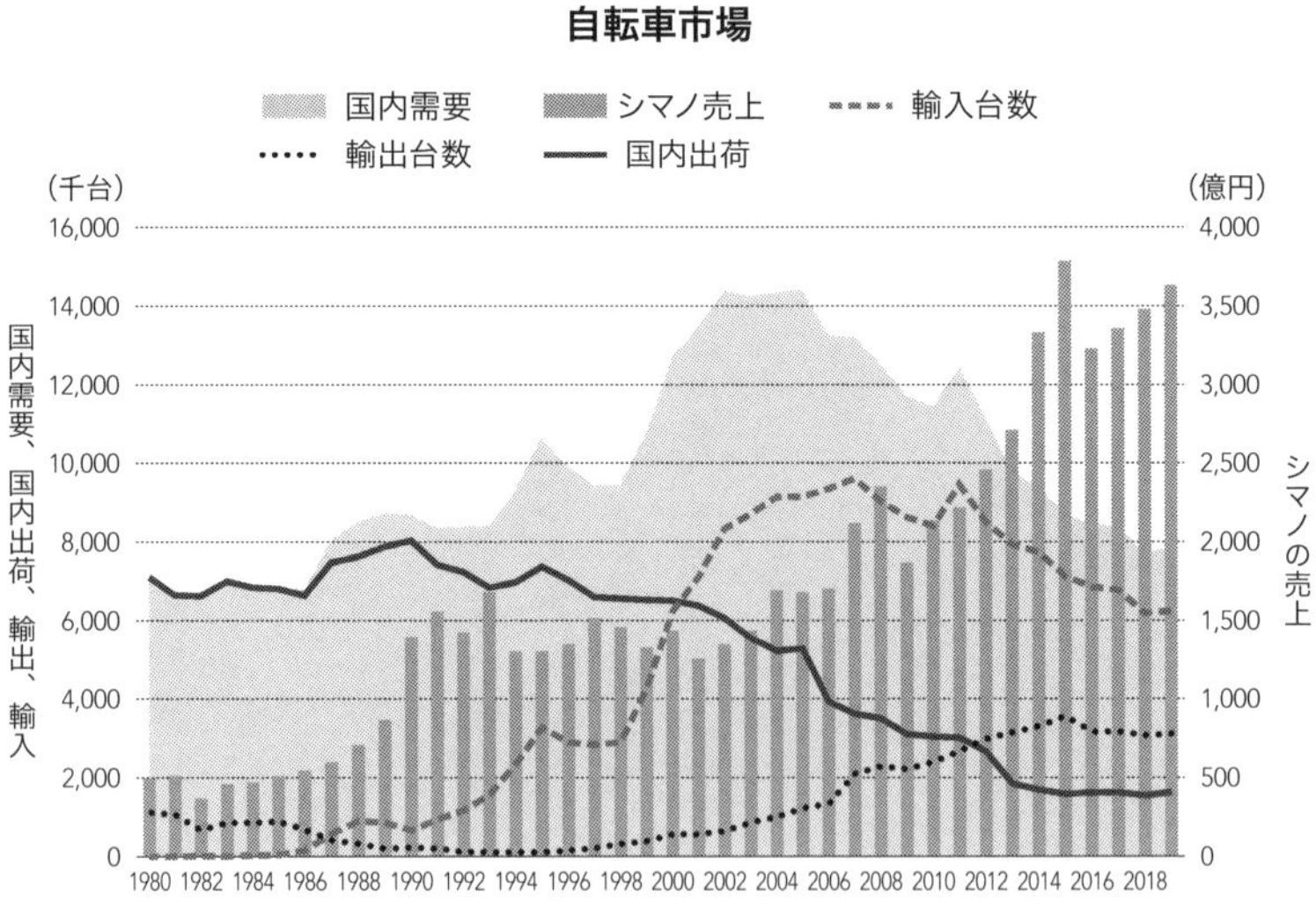

出典）自転車産業振興協会、矢野経済研究所、経済産業省「経済統計」などから著者作成

や組み立てなどの工場が中国に移管され、世界の9割を中国が製造するような玩具業界とも近い構造ができながら、上流工程や先端技術によって日本が生き残り続ける部分を保全することに成功している。

アパレルや自転車の地殻変動は、マンガ・アニメ・ゲーム業界にとって対岸の火事ではない。ゲームはすでに日本国内市場も2～3割が中国産・韓国産であり、アニメやマンガにしても一部製作工程のアウトソースは始まっている。同様のトレンドが今後10～20年単位で続くことは間違いない。2040年にもなれば、アパレルや自転車でみているように、国内市場が一定程度ありながらも輸入モノが半分以上を超えるといった状態も容易に想像がつく。

そうしたときに、いつまでも「完成車」にこだわり、ゼロからイチ、イチからジュウに至るすべての生産工程を日本組織、日本人だけでまかないつづけるのは不可能だ。資本をたくさん投下できるところが勝つという「ハリウッド型」ゲームにルールメイクされないために、また人々がブランドへの価値を喪失してアパレル産業のように地盤沈下しないために、日本のエンタメ業界は変革が必要な時代に突入している。

2020年代、「風の時代」における換骨奪胎

創造には、とても非創造的な重力が存在する。創造の対価はどんどん高価になるべきだとい

うファンの声による「呪い」である。ファンが差別化を望む限り、いつも当たり前のようにリッチ化は進む。より大きく、より進化を、というGDP競争合戦のようなものは、いついかなるエンタメ産業においても起こってきた。

ハリウッドの大作に惑わされ、1桁小さな日本作品も「より大作を」という投資圧力に負け、コンソーシアムを組んで大型「にみえる」プロジェクトが組成され、船頭多くして何も決まらないようなプロジェクト・作品がその自重によってつぶれていく様を何度もみてきた。アニメもゲームも、グローバルに打ち出るオールジャパンプロジェクトは失敗しやすかった。

作家やディレクターが1000人を超えるスタジオを眺めながら悦に浸るようになると、およそ1人でペンと紙と向き合ってファンを創り出そうとしていた時代とは隔絶したメンタリティになってしまう。巨匠は老いるのではなく、呪いによって殺されるのである。

キャラクターを作るならテレビアニメをつくるべきだという短絡的な、およそ数十年だけのパターンに囚われる限り、その先行きの道のりは安易なものにはなりえないだろう。1963年から2019年までに作り上げられてきた3か月単位でのアニメ作品は全7087作である。そのうち、新規作品は4672作、継続作品（すでにキャラクターのブランドがあり、シリーズとして作られた継続作品）は2415作である。ざっくり5000近いキャラクターや世界が生み出され、ドラえもんやコナンのような長寿キャラクターとなった100もいかない作品がシリーズ2、シリーズ3と都度作り続けられて、積みあがったのがこの約7000のアニメ作品となる。

これらの資産が2010年代の動画配信時代に見直され、国内の1兆円のみならず、海外で1兆円以上の収益を稼ぐようになった。だが注意が必要なのは、このヒットは米国と中国の外資のプラットフォーム環境によって「たまたま」見出されたものにすぎず、この10年間の大きな成長が次の10年も続くとは到底思えない。

本来は多様で自然発生的であったはずのキャラクターの世界が「テレビアニメ」という1つの時代の1つの流行した産業プロセスに過ぎないものに固着されてしまった。作り手としても誤った実像のままに3か月ごとに投資させられ続けているという事実が、日本の原作作りのコアコンピタンスをゆるやかに弱体化させ続けているように思える。

創造的であり続けるためには、常にあまのじゃくでいなくてはならない。先人が作り上げたヒットのパターンのようなものを、定期的に壊してくれる革命的なプロデューサー、クリエイター、作品が生まれなければエンタメ産業は緩やかに衰退してくる。

過去のエンタメの革命は、大企業ではなく、死屍累々のなかで経済合理性を欠いた「無鉄砲な1人のクリエイター」ともいうべき貧しいベンチャーから生み出されてきている。エンタメ業界の面白さはゴリアテをダビデが打ち倒す瞬間を高い頻度で見ることができる点にもある。

日本は換骨奪胎をお家芸として、米国などのよいところを取り入れながら、オリジナルな創作物を作り、「ハリウッド経済圏」のアンチテーゼとして「オタク経済圏」を世界中に普及してきた。しかし今、変わらないままできてしまった日本エンタメ産業が自覚しなければならない部分がある。

今の日本のエンタメ産業は1970年代の北米の自動車産業のようだ。GMがトヨタ自動車を競合視していた当時、日本メーカーが新車を出すたびにデトロイトに空輸し、徹底的にその部品や内部は分析されていた。新技術・新装置で何が使われているか米国自動車メーカーはほぼすべて理解していた。だがそのイノベーション技術を、なぜか米国自動車メーカーは取り入れなかった。

米国メーカーが負け始めていたにも関わらず、日本メーカーの技術的進歩に付き合わなかったのは、各社の経営が従来通りの大量生産によるコスト低減と生産性の追求を現場に突きつけ、日本の新技術を理解しながらも採用しない道を選んだからだ。❷

当初は日本の優位性もまた誤解され解釈されていた。「低賃金、長時間労働ができるワーカホリックな日本人にしかできない技だ」と無視され続けてきた。米国でも同じような工場ができると実証されたのが1985年、そしてそれが「リーン・プロダクション」として定義されたのは1990年だった。

何が負け要因かをなんとなく理解しつつ、自分たちにはできないというメンタルブロックで10年を浪費し、自分たちにも実はできると発想を変えるのにさらに5年、そしてそれを結晶化させて誰もが導入すべきという考え方に至るまでにさらに5年が必要だった。米国自動車産業が負け越し始めてから20年も遅れた新技術の導入は、そのために現場に強いる苦労や短期的な非効率性、なにより「それでもいままでそれなりにうまくいっていた」というメンタルブロック、精神的な抵抗感が一番の障害だったのだ。

❷ 川原晃『競争力の本質―日米自動車産業の50年―』ダイヤモンド社、1995

デジタルマンガの業界が2020年でウェブベースで約2500億円、アプリベースで1000億円という中で、すでにアプリ最大手は韓国カカオが運営する「ピッコマ」の年商376億円となっている。作家も編集者もいなかった弱小のコンテンツメーカーは、デジタルならではの簡単でサクサクとした（ある意味ストーリーやキャラクターの深みの薄い）マンガによって集英社、小学館、講談社といった半世紀マンガの世界に君臨してきた出版大手をダブルスコア以上で超えるアプリを創り上げた。

この「ウェブトゥーン」と呼ばれる市場に展開している出版社は実に少ない。既存の出版社も電子マンガアプリを持っているが、自社の紙ベースのマンガをそのまま電子に落とし込むだけで十分だと思っているからだ。

モバイルアプリゲームの1・2兆円市場もまた、2018年まではほぼ日本国産のアプリで寡占されていたが、2021年現在でアプリゲームの売上トップ100タイトルのうち約30本は中国・韓国タイトルになっている。東アジアの大手ゲーム会社は、20年前にはキャラクターづくりがうまくないと言われて歯牙にもかけられず、日本のゲーム会社と比べて売上規模が2桁小さかったところばかり。だが資本力を付けた彼らのタイトルには、日本企業では遠く及ばない規模の開発費が投入されている。また日本の出版社からトップ級のキャラクターのゲーム開発を中国・韓国の会社が受注して、新タイトルが発売される時代になってきている。

そうした事例に対して日本のエンタメ大手は機敏に取り組んでいるだろうか。1970年代のGMのようにではなく、1960年代のトヨタやホンダのように他国技術の換骨奪胎に取り組んでいるだろうか。

ＬＶＭＨもエルメスもグッチも、手工業を重視する工芸的なブランド企業群も、自分たちに足りないものをＭ＆Ａなどによって手に入れ、企業としてのエコシステムの新陳代謝を続けている。「変わらないなかで変えているもの」がある。

日本のエンタメ企業のなかで、そうしたエッジをもっていま企業改革を行っている事例はどれほどあるだろうか。見当違いな米国・中国のメガベンチャーとの比較や、アニメ人気にかこつけたライセンス販売での短期的な利益に固着し、新たな取り組み自体への足をとめていないだろうか。欧米・中国に輸出することばかりを考え、そうした国や企業の優れたところを取り入れる作業を怠ってはいないだろうか。

物語る産業としてのエンタメのレジリエンスを求めて

悪い記憶もまた1つのファンタジーである。日本は「敗戦／戦後」「世界2位の経済大国」など様々な物語を繰り、人々が向かう先を定義してきた。

戦後、日本人に特有の病気として「対人恐怖症」が流行した時期があった。１９６０〜70年代の話である。劣等感の虜だった日本人が、日本人の精神構造は劣っており、西洋個人主義を学ぶべきだという論調との軋轢のなかで、徐々にひずみが出ていた時代である。時を経て、日本が経済大国になるにつれて、日本人の個性を肯定する本が急増し、ベストセラーが続出する。

『「甘え」の構造』に類する書物である。徹底的な自己否定があり、その先に圧倒的な自己肯定もあった。社会的な結果と個々人の関係性が結び付けられ、アイデンティティの置き所に迷った日本人は、この成長期に大いに悩んでいた。❸

人間には「経験する自己」と「物語る自己」がある。実際にどう体験しどう味わったかという事象そのものよりも、その体験や味がどうだったかを誰がどのように語っているかが集合体験として自分に内在化してしまうときがある。❹同様に国や社会にもまた「経験する社会」と「物語る社会」がある。

本書の執筆の一番の動機は、今エンタメを含めた日本社会における「物語られていること」自体への納得感がイマイチなかったからだ。

本書の内容は学術研究でも経営会議でもなく、実際に自分たちでアニメやゲームに出資し、お金をプロモーションについやしながら、SNSでファンの声に耳を傾ける瞬間からみえてきた世界である。エンタメを通して、日本の「物語る社会」を再構築することが出来るのではないかと試み、ここに至った。

本書はエンターテイメントという社会の1つの切り口に注目しているが、エンタメは「物語ること」にかけては1丁目1番地で、最もそこに特化してきた産業といっても過言ではない。その物語が世相に受け入れられればヒットするし、時代錯誤であれば受け入れられない。シビアな物語の受容性で勝負してきたエンタメ産業人にとっては、政治経済社会を巻き込む2020年代の混迷期、価値観の転換期は、「チャンスである」と強く感じた。

❸ 小坂井敏晶『社会心理学講義:〈閉ざされた社会〉と〈開かれた社会〉』筑摩書房、2013

❹ ユヴァル・ノア・ハラリ、柴田裕介（訳）『ホモ・デウス（下）ーテクノロジーとサピエンスの未来』河出書房、2018

それはファンタジーで世界を乗っ取り、人々を2次元の世界に没入させようというといった意図ではない。ファンタジーはしょせんファンタジーである。可処分所得の1割に満たない、生活「非」必需品産業にとっては、あくまで豊かになった人々の余剰をもって生きながらえる道化のような存在である。

2020年代に入り、物語ることは何よりも重要だと感じる。本当はこれまでもそうだったし、未来も変わらない。国家や主要産業によって成長神話として用意されていた「物語」はもはや効力を失っている。コロナによって権威的なるものの価値はさらに落ちてきている。人は物語を希求して激しく動いている。それに応えられるのは、マンガ・アニメ・ゲームやそれを取り巻くエンタメ産業なのではないかと誇大妄想すらしてしまう。

コロナは全世界に向けて敗戦後のような「焦土」をもたらした。かつて戦争以外に市場が9割も減少してしまうような体験はなかった。多くのエンターテイメント産業人は絶望し、虚脱し、業界を去ることを決意してしまった。

だが、本当に状況はそれほどに悲観的なのだろうか。6600万年前の隕石衝突で8割の生物が一夜にして消し去られたことは前述の通りだ。だがそこから復興するのにどれほど時間を要したか、ご存じだろうか。なんと「2~3年」である。驚くべきことに、たった2~3年でほとんどの生物が復活しているのだ。生態系の逞しさは我々の想像をはるかに超えている。

レジリエンス（反発）の力を甘く見てはいけない。大きなショックがあったときのほうが、そのショックと同レベルの大きな反発が生まれ、次に進むための絶対的なエネルギーになっているというケースは産業や企業の勃興史からもわかる通りだ。[5] むしろ改革にあたっては組織を一度一掃してしまうほうが早いといった外科手術がなされるのも、こうした背景にある。いま多くの人々が悲観し、業界を去っているこのときに、新しい生物や動き方の芽吹きが始まっている。ここからの数年は驚くようなレジリエンスの事例がいくつも生まれてくるだろう。

語り切れなかったことも多い。音楽やユーチューバー、Vチューバーの動きには新しい創造性があるし、そこに産業が構築されていく息吹も感じる。ＩＰ・著作権収入を語る意味ではブロックチェーン技術は革新的な役割を果たすことも予想できるし、デジタルとひとくくりに言ってもまだまだ多くの可能性が残されている。それらについても追求するには紙幅の限界はあるし、ここまでテーマ性をもって語ってきたメッセージにとっては蛇足になるかもしれない。最後にこの言葉をもって、本書で語ったすべてのメッセージを代替したい。

ほんとうの発見とは、新しい土地を発見することではなく、新しい目で見ることだ。
（マルセル・プルースト）

[5]「生物が大量絶滅から復活するまでの時間はわずか『2〜3年』だった！」現代ビジネス2018年11月9日<https://gendai.ismedia.jp/articles/-/57150?page=3>

あとがき

半径3メートル以内にクリエイティビティは転がっているといわれる。かの宮崎駿も毎日会社と自宅の往復で、ご飯、卵焼き、たくあんを弁当に詰め込み、それを昼と夜に半分ずつ食べるという質素そのものの生活をしている。クリエイターたちは一般に思われている以上に普通の人と変わらぬ生活をし、それほど活動的でなくても、その内奥に広い想像力をもって身近なテーマで壮大なファンタジーを描いてきた人々である。まさに新しい土地を発見するでもなく、あまりに冗長で代わり映えのない日常をどう新しい目で見るかを試行錯誤し続ける人々だ。

クリエイターではない私の場合は「見たい世界」に向けて、せめて想像力の欠如を活動範囲を広げることで補おうとしてきた。海外ビジネスがしたかったのでカナダやシンガポールなどでの駐在機会を切り開き、どんどん外へ飛び出していった。ゲームからは捉えきれないキャラクター創成過程を理解するために、それならアニメを理解したいとアニメ製作を含めたゲーム開発を提案し、理解しようと試みた。アスリートなどのタレントもまたIPづくりの一環であるとして、スポーツに関わるプロジェクトを推進し、実際に興行にも度々足を運ぶようにした。

大事なのは営業であった。自分のちょっとした専門性をもって、3メートルの範囲をどんどんずらしていく営業行為を続けると、アニメ業界の人もスポーツ業界の人も私のエンタメ業界の経験をおもしろがってくれた。そしてついには会社員という15年安住したポジションを捨て、2021年7月に独立して自分の会社Re entertainmentを立ち上げたのは、その延長線上にある動きである。「風の時代」を自ら体感してみたくなった。

起業独立はカヤックで沖に出るようなものだった。数千人規模の大企業に勤めていたとき、もはや波や潮の流れを感じることはなく、巨艦のなかで誰がどの役割を担い、水夫としての自分がやるべきことを全うすることが常だった。ブシロードのオーナー経営が率いる数百人規模の組織に入ると、モーターボートに乗ったような爽快感であった。荒波を感じ、自分自身が操舵したり方向を示したりすることも必要だった。それでも機動性高く、会社という強力なエンジンをふかして、手ごたえは感じることができた。1人での独立というのは、そこからさらにカヤックで1人オールを手に舟を動かすようなものだった。

小さくなることへの不安感がないわけではなかったが、恐怖感まで転化するほどではない。波風の傾向は頭に入っているし、むしろ波にさらわれないように隘路に入ったり、陸地にあがってみたりと、完全に自由な動きができるようになってきた。ヒット産業の恐怖と不透明のカタマリにみえた海が、いまは自分だけが回れる場所であり、ここで自分だけにしかできない動きをしようと思えるようになった。自らが「変態」を実践する中で、まさに企業も、業界も、そして日本自体が必要なものは、こういうことなのではないかとおぼろげながら感じ始めている。

本書は「風の時代」と呼ばれる変化を軸に、エンターテイメント業界全体の未来の方向性を、ファンの変化や日米中の地政学も含めて眺めようとする試みだった。アニメとキャラクターという摑みがたい「現象」は、日本と米国と中国で、その文化から企業戦略まで比較するのに実は恰好の素材であった。米国も中国も日本とプロトコルが違いすぎて、その生成過程や産業ロジックについて共通点を探すほうが難しいほどユニークな特徴であふれている。

だが、キャラクターの経済圏をアニメ製作委員会という仕組みで分散的にドライブしている日本は、その生み出した経済圏の総量としては米国ハリウッドを越えており、米国や中国にとっても見習うべきIP創出大国であるといって過言ではない。エンタメ世界の中心はニューヨークやロサンゼルスではなく、まさにこの東京である、と言えるほど、日本は多くのアドバンテージを持っている。「推し」やリール型の活動によってファンが経済圏の創造に加担している事象は、かつてアートの世界に日本がもたらしたような、新しい価値を運ぶものにもなってくるだろう。

私がエンタメ社会学者を僭称し、キャラクター経済圏の研究を続けているのは、とにもかくにも日本全体の方向軸を見定める一産業として、このマンガ・アニメ・ゲームと、そこから派生するエンタメ産業が最も指針を生み出してくれるものだという確信があるからだ。より研究を深めるために、私は研究者としてのダブルキャリアを志向するようになった。早稲田大学のアジア太平洋研究科に進み、メディアミックスの研究を進めている。同時に慶応義塾大学経済学部で訪問研究員となり、またゲーム研究では長い歴史を持つ立命館大学ゲーム研究センターの客員研究員となって、講義や研究を通して学術領域からもエンタメを支援しようと日々邁進している。

15年間サラリーマンを続け、疑似研究をしていた自分が、コロナをきっかけに独立して、複数社の内部支援をしながら、大学で3つのステータスを持つようになった。これもまた2020年以前には全く想像だにしなかった未来であった。

1800年前後の産業革命に誰もが気づかず、相変わらずの悲観論でまみれていた話を「はじめに」で述べた。人類はおよそ社会が誕生して以来、全体に対する悲観論を払拭できたことはただの1度もなく、2000年に1度の大活性時代にも多くの人々は後ろ向きな日々の雑事に追われていたという事実は自分には大きな発見であった。

「悲観主義は気分であり、楽観主義は意思である」とはよく言ったものだ。ヒトは自然に生きている限り、重力のように気分にふりまわされ、悲観主義に陥る。だが意思あり、未来を待つのでなく、未来を作ろうという人間だけが、楽観主義に満たされることができる。

本書を通じて、エンタメ業界の未来にすこしでも良い影響を与えられたのなら幸いで、それが私の意志ある楽観主義につながっていくと信じている。

執筆はぴったり2か月で完了した。

前著『オタク経済圏創世記』は想像をはるかに超えて多くの人に手を取ってもらい、とても多くの好意的なコメントをもらった。何よりゲーム業界のマーケターのみならず、アニメ監督、舞台関係者、映画監督、漫画編集者、スポーツ団体、アスリート、そして農業関係者や不動産ディベロッパーといった他業界の方々から高く評価をいただき、それを機会に多くの人とのつながりができた。この2年間を原動力に、さしてクリエイティブではない自分が、ここまで著書執筆にモチベーションをもって人生を賭けることができた。執筆の瞬間だけが自分が唯一クリエイターとして「生み出すこと」を実感できるし、その価値を手触り感をもって体感できている。いただいた評価と期待値にふさわしい内容に本書がなっていると信じたい。

すでに6冊目になる単著だが、毎回になるがこの作業の終わりに、今まであった多くの対話と読書と経験が想起される。

ブシロード、バンダイナムコスタジオ、デロイトトーマツコンサルティング、DeNA、リクルートスタッフィングの同僚・上司にもこの場をかりて日々の感謝の意を伝えたい。

早稲田大学の中嶋聖雄教授、根来龍之教授にはいつも研究と講義と発表の機会をいただいている。慶應義塾大学の三原龍太郎准教授、山下一夫教授、吉川龍生教授とはエンタメ学の講義に向けてワクワクとした取り組みを始めている。立命館大学の中村彰憲教授にはメディアミックス学のイロハを教わり、電通の渡辺哲也さん、早稲田の渡邊崇之さんには講演から勉強会から様々な機会をいただいている。

また前著でもコメント頂き、拙著・拙論を度々取り上げていただいた佐渡島庸平さん、尾原和啓さんにはこの場を借りて厚くお礼を伝えたい。日経BPの長崎隆司さんはいつも最初の読者になってくれて、とても的確なフィードバックをいただく。いつもありがとうございます。

山あり谷ありの人生最大のエンターテイメントを提供してくれる妻と2人の子供にも、日々の感謝をここに記したい。最後に、父英雄と母久子に最大の感謝を添えて、本書を締めくくりたい。

2021年8月3日　中山淳雄

著者紹介

中山淳雄（なかやま・あつお）

エンタメ社会学者
Re entertainment代表取締役
慶応義塾大学経済学部訪問研究員
立命館大学ゲーム研究センター客員研究員
経済産業省コンテンツIP研究会主査

1980年栃木県生まれ。東京大学大学院修了（社会学専攻）。カナダのMcGill大学MBA修了。リクルートスタッフィング、DeNA、デロイトトーマツコンサルティングを経て、バンダイナムコスタジオでカナダ、マレーシアにてゲーム開発会社・アート会社を新規設立。2016年からブシロードインターナショナル社長としてシンガポールに駐在し、日本コンテンツ（カードゲーム、アニメ、ゲーム、プロレス、音楽、イベント）の海外展開を担当する。早稲田大学ビジネススクール非常勤講師、シンガポール南洋工科大学非常勤講師も歴任。2021年7月にエンタメの経済圏創出と再現性を追求する株式会社Re entertainmentを設立し、大学での研究と経営コンサルティングを行っている。著書に『オタク経済圏創世記』（日経BP）、『ソーシャルゲームだけがなぜ儲かるのか』（PHPビジネス新書）、『ヒットの法則が変わった いいモノを作っても、なぜ売れない?』（PHPビジネス新書）、『ボランティア社会の誕生』（三重大学出版会、日本修士論文賞受賞作）などがある。

Re entertainment HP：
https://www.reentertainment.online/

Twitter：
https://twitter.com/atsuonakayama

推しエコノミー

「仮想一等地」が変えるエンタメの未来

2021年10月18日　第1版第1刷発行
2023年 1 月 6 日　第1版第5刷発行

著　者　中山淳雄
発行者　村上広樹
発　行　日経BP
発　売　日経BPマーケティング
〒105-8308　東京都港区虎ノ門4-3-12
https://www.nikkeibp.co.jp/books/
装　丁　坂川朱音
制作・図版作成　朝日メディアインターナショナル
編　集　長崎隆司
印刷・製本　中央精版印刷

本書籍に関するお問い合わせ、ご連絡は下記にて承ります。
https://nkbp.jp/booksQA

ISBN978-4-296-00035-7